DICTIONNAIRE

DU

PATOIS VALDÔTAIN

L'abbé Jean-Baptiste CERLOGNE

J.-B. CERLOGNE

DICTIONNAIRE

DU

PATOIS VALDÔTAIN

PRÉCÉDÉ DE LA

PETITE GRAMMAIRE

SLATKINE REPRINTS
GENÈVE
1971

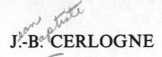

Réimpression de l'édition d'Aoste, 1907

En publiant ce Dictionnaire nous croyons devoir lui donner, comme base, cette petite Grammaire déjà éditée en 1893, lorsque l'abbé Cerlogne l'annonçait en ces termes :

« J'entreprends ici une besogne assez épineuse pour un vieillard de 68 ans. Je l'aurais volontiers laissée à d'autres plus jeunes et plus savants que moi, si je n'y avais été encouragé, non seulement par mes compatriotes, mais encore par des philologues, tant de France que d'Italie, qui auront peut-être jugé trop avantageusement de mes forces, en appréciant mes petites poésies au dessus de leur mérite.

« Je me propose donc de composer une petite grammaire du dialecte valdôtain ; non tant pour en donner les règles, que pour le faire mieux connaître à ceux qui y prennent intérêt. Et dans ce but il y aura, le plus souvent, la traduction française de pair avec le dialecte.

« Quant à l'orthographie à adopter, j'ai cru devoir suivre l'exemple de ceux qui écrivent en d'autres dialectes, et n'employer que les lettres nécessaires pour rendre le son des mots ».

Ayant commencé, dès 1852, à composer des poésies en dialecte valdôtain, Cerlogne a dû, avant que de les livrer à la presse, en régler l'orthographie pour rendre le son de la parole le plus fidèlement possible.

Pour arriver vers ce but, selon la mesure de ses forces, et pour éviter qu'un mot ne change d'orthographe deux ou trois fois dans la même page, il fallut extraire des dictionnaires français, italien et latin, les mots qui nous sont communs avec ces dictionnaires, recueillir ceux qui sont propres à notre dialecte pour en former un vocabulaire ; étudier le mécanisme de ce dialecte jusque là parlé, mais non écrit.

Tout cela fut un travail de 50 années de patience, durant lesquelles le pauvre auteur ou l'auteur pauvre n'avait, le plus souvent, pour son dîner, que deux tranches de polenta arrosées d'un verre de petit vin et que la solitude de sa chambre, pour académie.

Petite Grammaire du Dialecte Valdôtain

D'où viennent les mots du dialecte

Parmi les mots en usage dans le dialecte valdôtain les uns (le plus grand nombre) nous sont communs avec le dictionnaire français, soit que ces mots du dictionnaire viennent du latin, comme : aboli, *abolir* d'abolere ; de l'italien, comme : accaparé, *accaparer* de caparra ; soit qu'ils viennent de d'autres langues, comme : aritmetecca, *arithmétique ;* borgno, *borgne* du celte born ; abandon, de l'allemand ab band ; bisâro, *bisare* de l'espagnol bizarro.

D'autres encore, nous sont communs avec l'italien, comme : aberdzé, *albergare ;* adeubé, *addobbare ;* ou avec le latin, comme : adret, de *ad dester ;* amoddo, de *ad modum*, comme il faut, conformément.

D'autres, enfin sont plus particulièrement propres à notre dialecte, comme : aveitsé, *regarder ;* avendzé, *tirer dehors ;* agotté, *tarir ;* adzure, *apporter ;* etc., etc.

Le dialecte est-il partout le même

Sauf quelques exceptions, il est à peu près le même dans toute la vallée. Et s'il paraît différer, ce n'est, le plus souvent, que dans la prononciation plus ou moins douce ou harmonieuse, produite de l'emploi d'une lettre pour un'autre : par exemple, de *O* pour *A*, comme : Pàla, pòla, *pelle ;* carrà, carrò, *carré ;* dzi amà, dzi amò, *j'ai aimé ;* sà, sò, *sel.*

Il y a des mots qui ont une différence, aussi marquée que régulière, dans leur prononciation. Ce sont quelques uns de ceux qui, en français, terminent en *eux, oir, oux,* etc. ; que l'on prononce :

FRANÇAIS	**A Aoste soit centre**	**Dans la haute vallée**	**Dans la basse vallée**
Envieux	invidzaou	invidzoï	invidzou
Neveux	nevaou	neuoï	nevou
Vicieux	vichaou	vichoï	vichou
Arrosoir	arrojaou	arrojoï	arrojou
Allée	lliaou	llioï	lliou
Couloir	coillaou	coilloï	coillou
Loup	laou	loï	lou
Epoux	epaou	epoï	epou
Oiseau	aousë	oïsë	ousë
Je couds	caouso	qeoïso	couso
Aumonière	armonaousa	armonoïsa	armonousa

La basse-vallée emploie *I* pour *L* après B, F, P.

Blême	blàyo	blòyo	biàve
Fleur	fleur	flèr, fleur	fiour
Entonnoir	plaouro	ploïro	piero

Ensuite de ces observations faites sur l'emploi de l'*o* pour l'*a,* nous dirons que ceux, chez qui l'*o* abonde, suppriment souvent (comme on dit) la lettre *N. R. V. ;* de la langue d'*a,* 1re colonne, ou plutôt ces lettres, qu'on dit supprimées, font syllabe avec la voyelle précédente, comme à la 2me colonne.

Ou, mieux encore, cette lettre est changée en la voyelle qui la précède. De sorte que, au lieu d'avoir u*n*-o, ë*r*-o, *ov-o*, on aura *un*-o, ëë-o, o*ò*-o ; comme à la 3me colonne de l'exemple ci-dessous.

FRANÇAIS	1	2 *n. r. v.* syll. avec la préc.	3 *p. r. v.* changés en la pré.
Je finis	dze tsavouno	tsavou*n*-o	tsavou*u*-o
Je meurs	dze mouëro	mouë*r*-o	mouëë-o
J'aimais	dz'amàvo	amò*v*-o	amò*ò*-o

Ainsi, on dira : Dze tzavouuo, mouëëo, amòòo.

Langue d'O et langue d'A

D'après l'observation ci-dessus on pourrait dire que, dans la vallée, nous avons la langue d'*o* et la langue d'*a*. Celle-ci, se parle principalement à Aoste; dans quelques centres; vers le Grand et le Petit-St-Bernard.

Celle-là se parle dans plusieurs pays de montagne et même encore dans la plaine, où l'on a pas subi autant les influences de la langue d'*a* qui tend à empiéter sur celle d'*o*.

On a vu, durant ces 60 dernières années, changer de manière de dire dans plusieurs localités. On disait: *Amon, avà dzu, dzo, 'ho-'heu l'est pò salò.* Et maintenant l'on dit: Sù, bà, mè, ço-ceu l'est pà salà.

Faut-il s'étonner de ce rapprochement? lors que nous avons vu la Bourgeoisie d'Aoste: les De-Latour, les Gerbore, les Défey, les Farinet, les Réan..... parler en famille et en belle société la langue de nos mères! Cette langue dont M. le Prof. O. Mellé et M. le Préfet L. Galeazzo, après quarante années d'absence du sol natal, aimaient encore se rappeler les accents.

Langue d'O aspirée

La langue d'*o* a encore cette particularité de se servir, assez souvent et en plusieurs endroits, de l'*h* aspiré pour *c, s, ss, t* des mots de la langue d'*a*.

EXEMPLE.

A vou'hre no'he (1) n'en tsantò de tzan'hon.
A voutre noce n'en tsantà de tsanson.
A vos noces nous avons chanté des chansons.

Le *c, s, ss, ti* des mots français s'expriment fréquemment en dialecte par: *ch.* Exemple:

Que t'uche lo choen, l'attenchon de te plaché.....
Que tu eusse le soin, l'attention de te placer.....

---

(1) *La lettre* 'h *précédée du signe* (') *est aspirée.*

H aspiré mitigé.

Quelque part on adoucit l'*h* aspiré en y mêlant le son de l'*f*, et d'autre part en y ajoutant le son de *s*. Exemple.

Place	place	pia*f*'he	pia*s*'he
Signe	segno	*f*'hegno	*s*'hegno
Chanson	tsanson	tsan*f*'hon	tsan*s*'hon
Tonneau	bosse	bo*f*'he	bo*s*'he
Carcasse	carcasse	carca*f*'he	carca*s*'he
Paillasse	paillasse	pailla*f*'he	pailla*s*'he
Tête	tëta	të*f*'ha	të*s*'ha
Filasse	rita	ri*f*'ha	ri*s*'ha

A cause de ce changement de lettre, et de prononciation, l'ont fait souvent une guerre de clocher. On désaprécie dans les autres, ce qu'on n'a pas sois-même. Chacun veut que sa manière de parler soit la plus belle, la plus juste: le chant du rossignol.

On voit souvent que ces variations dans le langage existent même entre villages voisins, et même encore entre personnes de la même famille.

Une femme d'Aoste mariée à St-Nicolas, surnommée la *Mamma,* ne laissa jamais de parler *biò* (beau), comme on disait alors, c'est-à-dire à la mode de VILLE *(Aoste).* Elle et son mari disaient, chacun dans la langue de sa mère:

Le meinà l'an trovà la cllià quan son allà bà pe le prà.

Le meinò l'an trooò la clliò quan son allò bò pe le prò.

Les enfants ont trouvé la clef lorsqu'ils sont allés en bas par [les prés.

Et là, où l'on disait, cinquante ans passés, *'ho, 'hetta-'hen,* péée, méée; la plupart disent maintenant: ço, cetta-ceu, papa, mamma. Ce rapprochement de la langue d'*a* se fait aussi dans tant d'autres localités. De sorte que, si cette *petite grammaire* vient à parvenir à la postérité, nos arrière-neveux seront étonnés qu'on ait pris la peine de parler de cette langue d'*o aspirée;* dont ils ne verront que bien peu de trace.

Le dialecte plus coulant, dominant dans la Vallée, aura alors tout envahi. Sauf que, *par manque de patriotisme,* ne soit envahi lui-même par le piémontais qui tend à se populariser dans notre vallée. Et alors nous perdrions, ensemble avec le *dialecte,* CE que tout vrai valdôtain a toujours eu de plus cher: la langue française.

Compére Dzan.

Langue d'A.	Langue d'O.	Traduction.
Dze me souvëgno qu'un cou dz'allàvo in Aoûta come mon pére, et que dze t'i recontrà a cice prà dèèrë lo tzâtë de Sarro, que te vegnè sù atot lo ceton plen de ceriëse ! Et dei adon n'est passà n'en d'éve in dzouëre !	Dze me souuëgno qu'un cou dz'allòdo in Aoù'ha come mon péée, et que dze t'i recontrò a 'hice pro dèèrë lo tsa'hë de Sarro, que te vegnè sù atot lo ce'hon plen de 'herëse. Et dei adon n'est passò n'en d'éée in Dzouëëe.	*Je me souviens qu'une fois j'allais à Aoste comme mon père, et que je t'ai rencontré à ces prés rière le château de Sarre, que tu venais en haut avec la hotte pleine de cerises. Et depuis lors il en est passé de l'eau dans la Doire.*

Compére Colà.

Langue d'A.	Langue d'O.	Traduction.
Compére, à voutr'adzo, vei incora bouna memoére ! Cen l'est marca que v'ei panco avu de penchëre pe la tëta. V'ëte pà come mè que dze poui case pà me recordé de cen que dzi mindzà ier a cina. Me meinà m'au tan tsagrenà, et cen m'at feit perdre la mémoére.	Compéée, a vou'hrt'adzo v'ei incooa bouua memoéée ! 'Hen l'est marca que v'ei ponco aau de penchëëe pe la të'ha. V'ë'he pò come mè que dze poui case pò me recordé de 'hen que dz'i medzà ier a 'hëëa. Me meinò m'an tan tsagreeò, et 'hen m'at fat pèèdre la memoéée.	*Compère, à votre âge vous avez encore bonne mémoire ! C'est signe que vous n'avez pas encore eu des soucis par la tête. Vous n'êtes pas comme moi qui ne puis presque pas me rappeler de ce que j'ai mangé, hier à souper. Mes enfants m'ont tant chagriné, et celà m'a fait perdre la mémoire.*

Des Lettres

Le dialecte a vingt-trois lettres : six voyelles et dix-sept consonnes. Les voyelles sont : *a e i o u y.*

Le premier signe qui se trouvait, de nos vieux temps, dans la *tabletta* (alphabet) était une croix, et ensuite venaient les lettres. Qu'on me permette donc de retourner 70 ans en arrière, et de dire ici comme je disais dans ma tendre jeunesse :

✣ CREUDAPARDË (Croix de par Dieu) A, B, C, D, E, F, G, H, I, J, L, M, N, O, P, Q, R, S, T, U, V, Y, Z.

Plus les signes particuliers, comme : Ë, Dz, Ts combinés, 'LI mouillé, et 'H aspiré, pour quelques localités.

Règles pour la prononciation

A, sans accent, est atone et sonne dans lama, teila, comme en italien dans *lama, tela.*

À, accentué, comme en italien. Ex.: Veretà, *verità.*

B, comme en....

C, comme en français. Il se combine des fois avec H.

Ch, combiné, s'emploie souvent pour: *c, s, ss, ti.*

Ex.: Offi*ch*o, *office;* *ch*ura, *sure;* me*ch*on, *mission;* pour*chon*, portion.

D, Se combine souvent avec Z.

Dz, S'emploie souvent pour: *d, g, j,* des mots français. Ex.: Te rendzè, *tu rendais;* dzerba, *gerbe;* dzoyé, *jouer;* de bon dzu, *de bon droit.*

Dz forme un son mixte. Pour l'obtenir il faut appuyer la langue contre les dents en prononçant ja, je, ji, jo, ju.

La lettre *E* a quatre sons différents:

E, sans accent sonne comme en italien, en latin et en provençal: Prendre, *prendere,* etc.

É, fermé se prononce comme en français: et il tient toujours la place de *er,* finale de l'infinitif français. Am*é,* aimer.

È, comme en français et en italien. Ex.: Anchère, *enchère;* de per sè, *da sè.*

Ë L'ë avec un tréma (ë) sonne comme l'*e* dans *me* piémontais, lors qu'on ne dit pas *mi.*

C'est ë combiné s'emploie pour deux lettres: Pour *ê* ou *es, ie, er, ier, eau.*

Exemple: Fëta, fête (feste); ledzë, léger; papë, papier; lëvra, lièvre; vë, veau; ratë, râteau; aousë, oiseau, ainsi que d'autres mots terminés en *el* dans le vieux français.

Comme quelqu'un pourrait dire que cet ë sonne comme l'é fermé, l'exemple suivant en montrera la différence.

Ex. Le fëte son féte. *Les fêtes sont faites.*

Te tin lo brë su lo bré. *Tu tiens le berceau sur le bras.*

T'aouse tsanté lo dzor di tsantë de ton pére? *Tu oses chanter le jour du chantal de ton père?*

I fat pà lagné l'agnë, 'lliu cren la lagne. *Il ne faut pas fatiguer l'agneau; lui craind la fatigue.*

Mettez E ou É à la place de ë, et ces mots fëta, brë, tsantë, agnë, n'auront plus de sens.

F, S'emploie pour *ph :* Filosofe, *philosophe.*

G, Comme en français. Il se change souvent en *dz.*

H. Se prononce comme en français : affiché, *afficher.* L'h dite *muette,* est supprimée, étant inutile pour le son.

'H, Dans le dialecte, l'*h* n'est aspiré que dans les interjections ; sauf pour ceux qui, *en langue d'o*, s'en servent, pour : *c, s, ss, t,* de la langue d'*a.*

I, Est souvent changé en *e :* Defecilo, *difficile ;* ainsi que dans quelques dérivés. Ex. Dzardin, dzardegnë ; medecin, medecenna.

J. Comme en français. Jamë, *jamais.*
Le *j,* comme *d, g,* se change fréquemment en *dz.* Dzi dzoyà, *j'ai joué ;* dze si, *je suis.*

L, Dans la basse vallée on met *i* pour *l* après *b, f, p.*

LL, Les deux *ll* se mouillent même au commencement du mot. Ex. : Llie, *elle ;* ouillo, *huille ;* et sonnent comme *gli, glio* dans les mots italiens : *foglio, voglio* et en espagnol : *llorar, orgullo.*

M. L'*m* se redouble rarement. On dit : come, *comme ;* comeuna, *commune ;* mais ces mots : ommo, *homme,* mamma, *maman;* la redoublent pour former la tonique sur la pénultième syllabe. Les mots français qui commencent par *imm,* comme *immense, immortel,* le premier *m* se change en *n :* Inmenso, inmortel, comme en espagnol.

N. L'*n* termine la 1re et la 3me personne du pluriel des verbes, et fait liaison avec la voyelle qui suit : N'en amà, l'an avu : *nous avons aimé, ils ont eu,* lisez : n'en namà, l'an navu.

NN, Lorsque deux *nn* se suivent aux deux dernières syllabes, l'*n* qui termine la pénultième se change en *u* devant une syllabe finale brève. Exemple : Te soune, *tu sonnes ;* no sonnen, i sounon.

O, Est atone comme l'*e* muet français, soit comme l'*o* italien : Sonno, *somme ;* degno, *degno.*
O fait liaison avec la voyelle qui suit. Ex. : Dze te meino avouë ci bravo ommo inque. *Je te mène avec ce brave homme ici.*

Ò, Accentué se prononce comme en italien.
Ò, de la langue d'*o*, équivaut *a* de celle d'*a :* Sò, sà, *sel ;* bròsa, bràsa, *braise.*

P. Le *p* est souvent supprimé dans les mots comme : Bateimo, *baptême ;* conté, *compter.* Le *p* final se prononce à demi ; Trop, *trop.*

Q. La lettre *Q,* suivie de *ut, ue, ui, uo,* se prononce ka, ke, ki, ko comme en français et non koua, koui.

Q. Cette lettre s'emploie pour *c* des mots français qui font *cai, cou, cu, cui,* et qui en patois font *ké, keu.* Alors, pour ne pas fausser le son des mots, force est de se servir de *q,* et le placer immédiatement avant *é, eu,* et dire: Qésse, qeuvercllio, qeuseuné, qeuriaou. *Caisse, couvercle, cuisinier, curieux.*

R. Les mots terminés en *r* sont peu nombreux, parce que l'infinitif des verbes de la 1re conjugaison sont tous terminés en é.

S. Est doux entre deux voyelles: Case, *presque.* S est dur après une consonne: sensa, *sans.* S sonne à la fin des mots. Feus, *fils.* S s'emploie pour *X,* et se prononce comme en italien: Esemplo, *esempio.*

S. N'étant pas employé pour la formation du pluriel, on s'en sert pour faire la liaison, lorsque l'usage de la parole le demande.

EXEMPLE.

Le s-abitan di s-anviron no s-an deut que vo s-amàde fére de s-armoune i s-infiermo et i poures s-orfelin. Celle bonne s-euvre vos s-atterrion l'ametsë di s-ommo et le benedechon di Bondzeu.	Les habitants des environs nous ont dit que vous aimez faire des aumônes aux infirmes et aux pauvres orphelins. Ces bonnes œuvres vous attirent l'amitié des hommes et les bénédictions de Dieu.

T. Final dans les verbes n'est en usage qu'aux 3mes personnes du singulier, où il sonne: *at, et, it, ot, eut:* tsat, *chat;* blet, *mouillé;* bot, *obtu;* net, *propre,* etc. Sauf au mot *saint.* Il se combine souvent avec *s.*

Ts. Combiné s'emploie, assez souvent, pour *ch,* des mots français. Ex. Tsaret, *chariot;* blantsi, *blanchir.* Ts (comme *dz*) forme un son mixte; pour l'obtenir il faut appuyer la langue contre les dents en prononçant: *sa, sé, si, so, su.*

DES LETTRES *U* et *V.*

U. Sonne comme l'*u* français.

L'*u,* qu'autre fois s'employait aussi pour *v,* se diphthongue souvent en prenant *e* avant lui. Ex.: Dobleura, *doublure;* meseura, *mesure,* qui dans l'ancienne langue française, s'écrivaient: *meseure,* pour déterminer le son de l'*u* voyelle. U, précédé de *g, q,* dans la même syllabe, prend *eu* avant lui: Feg*u*era, *figure ;* peq*u*era, *piqure.*

De cet *U* douteux il s'en suit qu'il se prononce *u* dans la langue d'*o* et *v* dans celle d'*a*. Exemple:

Apro*u*en se no po*u*en arre*u*é.
Apro*v*en se no po*v*en arre*v*é.
Essayons si nous pouvons arriver.

V. La lettre *V,* qu'on appelait *U* consonne, se prononçait *u* ou *v,* ou bien l'un et l'autre à la fois. Du son de cette lettre pas bien déterminé, il en sera dérivé la différence de prononciation dans les mots où l'*u* précède *a, e, i, o,* de la syllabe qui suit et prend, avec lui, tantôt le son du *v,* tantôt le son de l'*y*

Il n'est pas rare de trouver des personnes, même instruites, surtout parmi les anciens, qui, en parlant français, disent: Perdu*v*e pour perdu e.

Et celà, non seulement chez nous; mais même en Piémont il s'y dit: Tu*v*o, su*v*o, cernu*v*i, ritu*v*i, pour *tuo, suo, cernui,* etc.

Il s'en suit que les uns, surtout à Aoste, disent, perdeu*v*a, et d'autres, ailleurs, plus en général, disent: perdu*y*a.

EXEMPLE.

Ue	*Euva*	*Uya*
Tenue	teneu*v*a	tenu*y*a
Sangsue	sanseu*v*a	sansu*y*a
Fondue	fondeu*va*	fondou*y*a
Queue	queu*v*a	qu*y*a
Continuel	conteneu*v*el	contenu*y*el
Goulue	gordzeu*v*a	gordzu*y*a
Creuse	beu*v*a	bu*y*a

Y. L'*y* joue un grand rôle dans le dialecte; il tient lieu de *v* à l'imparfait de l'indicatif du verbe avoir, d'ayò, j'*avais,* et aux temps qui en sont composés. L'*y* est employé au présent du subjonctif de tous les verbes, sauf du verbe être.

Z. Sa fonction principale est de se combiner avec *d.*

Ail	se prononce comme *ailleurs* en français.
Au, eu, un	se prononcent comme en français: Auberdze, *auberge ;* bleu, tsacun, *chacun.*
Aou	sonne comme *au* dans le mot italien *flauto* et dans le mot provençal *mirau,* miroir.
Ei, em, en, er.	Pour éviter une multitude d'accents, qui ne feraient qu'embrouiller, nous disons que *ei, em, en, er,* se prononcent *èi, èm, èn, èr,* comme en provençal et dans les mots italiens: l*ei*, s*em*pre, p*er*, r*en*dere, etc.

DU SON DES VOYELLES RÉUNIES.

Le dialecte est fécond en réunion de voyelles dans les mots, dont les unes ont un son mixte, comme: beurlé, *brûler ;* pion, *ivre ;* pouis, *puits.*

Et d'autres ont l'accent sur la dernière voyelle: Vià, *loin ;* où, *œuf ;* dzoà, *jeu ;* vioù, *vieux,* etc.

A, E, I, O, U suivis d'une ou de deux voyelles finales, comme: *à-ye, e-yo, i-a, o-ya, u-ya,* etc., sont toniques et la finale est atone.

DIPHTHONGUES.

aa	Tsaat	*chaud*	io	Pion	*ivre*
ài	Caillà	*caillé*	ì-o	Dze dio	*je dis*
à-y	Pay	*pays*	iò	Sariò	*je serais*
au	Autan	*autant*	iu	Dzi biu	*j'ai bu*
ee	Tseere	*tomber*	oà	Dzoà	*jeu*
ei	Meison	*maison*	oè	Croè	*mauvais*
eu	Beurro	*beurre*	oì	Troillet	*pain de noix*
ia	Vianda	*viande*	où	Boù	*bœuf*
ìa	Vìa	*vie*	ou	Un cou	*une fois*
ià	Vià	*loin*	ua	Quatro	*quatre*
ie	Bien	*bien*	ue	Guetset	*guichet*
ì-e	Sie	*soit*	ui	Ruina	*ruine*

TRIPHTHONGUES.

àou	Praou	*assez*	eui	Treuil	*pressoir*
a-yà	Payà	*payé*	e-ya	Seya	*soie*
à-ye	Sàye	*sage*	é-yo	Abréyo	*juif*
a-yò	Sayò	*je savais*	eyu	Veyucho	*que je visse*

i-e-i	Fiei	*coup férir*	oue	Couet	*cuit*
i-eu	Pieusa	*pieuse*	o-ya	Voya	*désir*
iou	Ollioure	*fermer*	uei	Gueillar	*gaillard*
ioù	Mioù	*mieux*	ueu	Ingueusé	*engueuser*
oua	Bouat	*bercail*	ù-yé	Dessuyé	*contrefaire*
oue	Fouet	*fouet*	u-ye	Echuye	*linteau*
oui	Gouisa	*gueuse*			

DOUBLES DIPHTHONGUES.

àà-ye	Fààye	*fée*	ioui	'Llliouistro	*luistre*
a-you	Payaula	*papillon*	ouy-a	Bouya	*lessive*
iaou	'Lliaou	*allée*	oo-yo	Booyo	*bourreau*
ie-ya	Ollieya	*claie*	ouei	Poueison	*poison*
ie-yo	'Llieyo	*je lie*	ou-ye	Souye	*repas* [*bis.*
iouà	'Lliouà	*lieu*	ou-yo	Ou-yo	*chemin des bre-*

TRIPLES DIPHTHONGUES.

Elles sont en usage au présent du subjonctif pour quelques verbes de la 1re, 3me et 4me conjugaison.

a-ye-yo	Que dze payeyo	*Que je paye.*
a-ye-ye	Que te cayeye	*Que tu jettes.*
e-ye-ye	Qu'i veyeye	*Que il voie.*
ie-ye-ye	Que no 'llieyeyen	*Que nous liions.*
ou-ye-yo	Que vo tsouyeyo	*Que vous preniez garde.*
u-ye-ye	Qu'i saluyeyen (1)	*Que ils saluent.*

DES DOUBLES LETTRES.

Dans quelques mots, *aa, ee, oo* ont un son prolongé et non accentué, tel que : Baaillé, *bailler ;* tsaat, *chaud ;* booyo, *bourreau.*

---

(1) ou *saleuveyen* comme il se dit à Aoste. Cette manière de dire, dze saleuvo *(je salue)* pour dze saluyo, est moins générale, et moins régulière surtout dans la formation féminine des noms et des adjectifs en *U.*

PRINCIPALES DIFFÉRENCES DANS LA GRAPHIE.

Dialecte		Français	Dialecte	Français
as	pour	abs	asteni	abstenir
as	»	abs	assolu	absolu
as	»	ac	ascen	accent
as	»	ac	faschon	faction
ar	»	al	arabeque	alambic
ar	»	an	erba di matin	aube du jour
ch	»	c	sacreficho	sacrifice
ch	»	s	choen	soin
ch	»	ss	mechon	mission
dz	»	j	dze dzoyo	je joue
dz	»	g	soudzé	songer
dz	»	d	te rendzè	tu rendais
e	»	i	bregada	brigade
ë	»	iè	lëvra	lièvre
ei	»	ec	proteiteur	protecteur
es	»	ex	esemplo	exemple
f	»	ph	filosofe	philosophe
gn	»	n	gnëce	nièce
in	»	im	inmortel	immortel
os	»	obs	osqeur	obscur
ot	»	ob	ottenir	obtenir
qé	»	cai	qésse	caisse
qe	»	cou	qeusun	cousin
qeu	»	cu	qeuriaou	curieux
que	»	c	bèque (1)	bec
sus	»	suc	suscedé	succéder
sus	»	sub	sussisté	subsister
t	»	th	apotequéro	apothicaire
ts	»	ch	catsé	cacher
ts	»	t	tseut	tous

(1) Ainsi les mots français terminant en : ac, ec, ic, oc, uc, comme sac, froc, public, caduc, etc.

Des parties du discours

Les parties du discours sont dix : Le *nom*, l'*article*, l'*adjectif*, le *verbe*, le *participe*, l'*adverbe*, la *préposition*, la *conjonction*, et l'*interjection*.

DU NOM.

Le *nom* sert à nommer une personne, un animal ou une chose. Comme :

Lo berdzé vat intsan di maouton pe lo bouque.
Le berger va paître les moutons par la forêt.

Il y a deux sortes de noms. Le nom *commun*, comme :
Lo papagran tëgnet vòuet vatse a son baou.
Le grand-père tenait huit vaches à son étable.

Et le nom propre, comme : Dzeu, Adan, lo Cheil, la Terra. — Dieu, Adam, le Ciel, la Terre.

LES NOMS SONT DES DEUX GENRES.

Masculin : Lo molenë vat i molin atot son âno.
Le meunier va au moulin avec son âne.
Féminin : La queseunëre vat queri d'eigue a la fontàna.
La cuisinière va prendre de l'eau à la fontaine.

IL Y A DEUX NOMBRES DANS LES NOMS :

Singulier : Pe lo bonneur de l'ommo, lo Bondzeu l'at créà lo cheil, la terra, la leumiëre, lo fouà, l'eigue.
» *Pour le bonheur de l'homme, Dieu créa le ciel, la terre, la lumière, le feu, l'eau.*
Pluriel : Le s-aousë, le peisson, le.... tot est fé pe se man.
» *Les oiseaux, les poissons, les... tout est fait par ses mains.*

FORMATION DU PLURIEL DANS LES NOMS.

Les noms masculins ont au pluriel la même terminaison qu'au singulier : Lo pére, *le pére ;* lo lion, *le lion ;* l'abro, *le s-abro ;* lo fouà, *le fouà.*

Les noms féminins terminés en *a* ou en *e* au singulier, sont toujours terminés en *e* au pluriel. La mére, *le mére ;* la planta, *le plante.*

Mais ceux terminés par : *à, é, è* accentués, ou par toute autre lettre (que *a*, *e*), ne changent pas au pluriel. Ainsi : La clià, la nët, la loè, la nei..., font : le cllià, le nët, le loè, le nei. *Les clefs, les nuits, les lois, les neiges.*

DIMINUTIFS.

Les *diminutifs* sont nombreux dans le dialecte. Ils se forment en ajoutant par un trait à la dernière consonne du mot, une des finales : *et, elet, eillon, in, on, etta,* etc.

Masculin		Féminin		Féminin	Masculin
Amolon	et	Aoula	etta	Camesoula	in
Artson	et	Dzerla	—	Pegnotta	in
Bocon	et	Feille	—	Greseille	on
Garçon	et	Seison	—	Artse	—
Aousë	elet	Femalla	—	Vatse	—
Martë	elet	Brotta	eille	Lëvra	ot
Agnë	eillon	Borna	eille	Tsaudëre	un
Meinà	'aillon	Crotta	ina	Pëla fait peillon	
Tsat	in	Man	ina	Brëla fait breillon	
Megnot	in	Megnotta	—		

VARIATION DU GENRE.

Il y a des noms qui sont *masculins* en dialecte et féminins en français ; et d'autres qui sont *féminins* en dialecte et masculins en français :

Masculin	Féminin	Féminin	Masculin
Lo baou	*l'étable*	Le bouye	*les serpents*
Lo bouëgno	*l'oreille*	Le brenve	*les mélèzes*
Lo cret	*la crasse*	Euna cobla	*un couple*
Lo detto	*la dette*	De crutse	*du son*
Lo flà	*l'odeur*	La demendze	*le dimanche*
Lo fin	*La fumée*	La cina	*le souper*
Lo faret	*La mèche*	Le s-epie	*les épis*
L'inreuil	*La rouille*	La fé	*le fiel*
Lo lan	*La planche*	Le forsette	*les ciseaux*
Lo legnou	*La ficelle*	De greviëre	*du gruyère*
Un per	*une paire*	L'impeisa	*l'empois*
Lo pacot	*la boue*	La leira	*le lierre*
Lo pereut	*la poire*	Euna matse	*un tas*
Lo piolet	*la hache*	L'oura	*le vent*
De pitset	*des dentelles*	De pile	*des piliers*
Le pot	*les lèvres*	De rouëse	*des glaciers*
Lo ceton	*la hotte*	La sà	*le sel*
Lo relodzo	*l'horloge*	La sabla	*le sable*

DE L'ARTICLE.

L'*article* détermine le genre et le nombre.

Les articles définis sont: *lo,* pour le masculin; *la,* pour le féminin, et *le* pour le pluriel des deux genres.

Lo lavon, *la* lanta, *le* pére et *le* mére.

L'oncle, la tante, les pères et les mères.

Les articles indéfinis sont: *un* pour le masculin; *euna* pour le féminin et *de* pour les deux genres et les deux nombres. Ex. *De* pan, *un* tsachaou, *euna* tabla, *eun'*arrandolla.

ARTICLE CONTRACTÉ.

Lorsque la préposition *de* ou *a* précède l'article *lo, le,* elle se contracte avec lui comme il se fait en français. Ainsi, de le, de lo, fait *di;* et a lo, a le fait *i.* Exemple.

Le	Lo rei	la reina	l'ommo	l'âma
Du	Di rei	de la reina	de l'ommo	de l'âma
Au	I rei	a la reina	a l'ommo	a l'âma
Les	Le rei	le reine	l'ommo	le s'âme
Des	Di rei	di reine	di s-ommo	di s-âme
Aux	I rei	i reine	i s-ommo	i s-âme

Lo dzor de camentran, *la* mama et *le* seraou l'an fét *de* fiocca et *euna* seupetta; et *lo* papa l'est allà terrié beire *a la* bosse *di* bon.

La mama l'at fet par *di* dené *i* poure que son venu demandé *l'*armouna.

Le jour de carnaval, la mère et les sœurs ont fait de la crême fouettée et une soupe mitonnée; et le père est allé prendre à boire au tonneau du bon vin.

La mère a fait part du diner aux pauvres qui sont venus demander l'aumône.

DES ADJECTIFS.

L'*adjectif* est un mot que l'on ajoute au nom pour le déterminer ou le qualifier. Exemple:

Un ommo *affablo; celle* meison *blantse.*

Un homme affable; ces maisons blanches.

Les adjectifs masculins ont au pluriel la même terminaison qu'au singulier. Ex.: L'ommo jeusto, le s-ommo jeusto, saven, devon, grachaou. — *Les hommes justes, savants, dévots, gracieux.*

FORMATION DU FÉMININ DANS LES ADJECTIFS.

La formation féminine dans les adjectifs se forme, généralement, en mettant *a* ou *e* à la place de l'*o* final de l'adjectif masculin : Pouro, poura ; blâyo, blâve ; saddo, sadda. *Pauvre, pâle, savoureux.*

Le féminin se forme encore en ajoutant, à tout autre finale de l'adjectif masculin qui ne soit pas f., les lettres : *A, da, e, la, na, re, sa, ssa, ta, tse, va, ya, ye.*

a. Malin-a, jouli-a, egal-a (egàla), tors-a, plan-a.
da. Secon-da, errion-da, meutar-da, petsou-da.
e. Gris-e, saint-e.
la. Fou-la, neul-la.
na. Pour les adjectifs qui doublent l'*n* final : Paysan-na, bacanna ; et pour ceux qui changent l'*n* final en *u* : bon, bouna ; piornatson, piornatsouna.
re. Premië-re, messondzë-re, grouchë-re.
sa. Pareisaou-sa, las-sa, epes-sa, bes-sa.
ssa. Grou-ssa, deuque-ssa, prince-ssa.
ta. Saven-ta, levet-ta, meut-ta, blet-ta, net-ta.
tse. Blan-tse, fran-tse ; frëque, sèque, font : frëtse, sètse.
va. Pertensi-va, veisi-va, vi-va ; natif-va, fautif-va.
ye. Regota-ye, clliapà-ye, avià-ye.
ya. Cru-ya, fourtsu-ya, bourru-ya, bassu-ya.

Les adjectifs en *ateur, eiteur, uteur,* font trice au féminin : Tuteur, tutrice. Ceux en *ieur,* font ieura : Prieur, prieura ; superieur, superieura.

FORMATION IRRÉGULIÈRE DU FÉMININ.

Breusque, breusca	Pion, piorna	Pécheur, pęcheressa
Teurque, teurca	Màlen, maleina	Vioù, vieille
Grèque, grecca	Nouvë, novella	Nèr, neire
Lon, londze	Anchen, ancheina	Favori, favorite

FORMATION DU PLURIEL.

Le pluriel des *adjectifs* féminins se forme comme celui des noms, en mettant un *e* à la place de l'*a* final du singulier : Bruna, brun*e ;* verda, verd*e.*

Les adjectifs terminés en *e* au singulier ne changent pas au pluriel : Rodze, neire ; *rouges, noires.*

DEGRÉS DE SIGNIFICATION DANS LES ADJECTIFS.

POSITIF :

Pégno, *petit ;* dzenta, *belle ;* beur, *laid ;* gràmo, *mauvais.*

COMPARATIF:

D'égalité: I son se saven l'un que l'àtro.
Ils sont aussi savants l'un que l'autre.

D'infériorité: Pà se bon, men bon, mendro.
Pas si bon, moins bon, moindre.

De supériorité: Pi bon, meillaou, pi bravo.
Meilleur, ... plus sage.
Pi gramo, pire que devan.
Plus mauvais. pire qu'auparavant.

SUPERLATIF :

Absolu: Fran bella Veulla. *Très belle Ville.*
Relatif: La pi beurta se creit euna di pi belle.
La plus laide se croit une des plus belles.

DIMINUTIFS.

Le diminutif se forme en mettant *et, etta, in, ina,* à la place de la voyelle finale de l'adjectif féminin.

Blayo	blay-e	et	etta,	*pale.*
Galeup	galeup-a	et	etta,	*gourmand.*
Grou	grouss-a	et	etta,	*gros.*
Petsou	petsoud-a	in	ina,	*petit.*
Blon	blond-a	in	ina,	*blond.*
Pesan	pesant-a	in	ina,	*pesant.*

ADJECTIFS DÉTERMINATIFS.

L'adjectif *déterminatif* est celui qui sert à déterminer la signification du nom auquel il est joint.

DÉMONSTRATIFS.

L'adjectif *démonstratif* détermine le nom en y ajoutant une idée de démonstration. Ex.

Cit ommo,	cetta *ou* cella femalla,	cice s-àbro.
Cet homme,	*cette femme,*	*ces arbres*
Ci tsâtë,	cella *ou* cetta meison,	cette, celle brenve
ce château,	*cette maison,*	*ces mélèzes*

POSSESSIF.

L'adjectif *possessif* ajoute au nom une idée de possession.

Mon	Ma	Me	Mon	Ma	Mes
Ton	Ta	Te	Ton	Ta	Tes
Son	Sa	Se	Son	Sa	Ses
Noutro	Noutra	Noutre	Notre	Notre	Nos
Voutro	Voutra	Voutre	Votre	Votre	Vos
Leur	Leur	Leur	Leur	Leur	Leurs.

Dialecte.

— Bondzor, *mon* compére.

— Bondzor a vò.

— Et *voutra* fameille, come va t-ë ?

— Parë, parë, tot toodzen. *Me* dò garçon son tornà de fére *leur* campagne ; *ma* pi granta feille impond le bague de *noutro* petsoù megnadzo... Me grave maque que *ma* fenna sie pà guéro agouetta.

— Que volei-vo ! In ci mondo no s-en tzeut *noutra* creu a porté.

Traduction.

— Bonjour, mon compère.

— Bonjour à vous.

— Et votre famille, comment va-t-elle ?

— Comme ça, comme ça, tout doucement. Mes deux fils sont revenus de faire leur campagne ; ma plus grande fille dirige les affaires de notre petit ménage... Il me fâche seulement que ma femme ne se porte guère bien.

— Que voulez-vous ! En ce monde nous avons tous notre croix à porter.

INDÉFINI.

L'adjectif *indéfini* ajoute au nom une idée vague de nombre ou de quantité. Exemple.

Un *certen* pouro allàve *tseut* le dzor beuché a *quatse* porte pe demandé l'armouna.

Tel dzor l'ëre lo tor de cetta meison, et *tel âtro* dzor vëgnet lo tor de cell'*àtra*. Et *gneun* lei cllioujet la porta i nà : *Tseut* lei baillàvon.

Quinta joè, pe se meinà in lo veyen arreuvé atot de pan din la malletta !

Un certain pauvre allait tous les jours frapper à quelques portes pour demander l'aumône.

Tel jour c'était le tour de cette maison, et tel autre jour, venait le tour de cette autre. Et aucun ne lui fermait la porte au nez : tous lui donnaient.

Quelle joie pour ses enfants en le voyant arriver avec du pain dans le sac.

ADJECTIFS NUMÉRAUX.

Les adjectifs *numéraux* expriment le nombre, et les adjectifs *ordinaux* marquent l'ordre.

Des adjectifs cardinaux on forme : les ordinaux en ajoutant *ëmo,* et les *noms de nombre* en ajoutant *eina* aux finales et supprimant *o, e, a.*

Un, euna	Premië-re		La meitzà, lo
Dò, dove	Secon-da		tzès, lo quar.
Trei	Troèjëmo,	ëma	euna treieina
Quatr-*o*	quatrëmo,	»	» quatreina
Cinqu-*e*	cinquëmo	»	» cinqueina
Chouë,	choëjëmo	»	» chouëseina
Sat,	satëmo	»	» sateina
Vouet,	vouetëmo	»	» voueteina
Nou,	nouëmo (1)	»	» noueina
Dzë,	dzëjëmo	»	» dzëseina
Ons-*e,*	onjëmo	»	» onseina
Dos-*e,*	dojëmo	»	» doseina
Très-*e,*	trèjëmo	»	*inusité*
Quators-*e,*	quatorjëmo	»	» quatorseina
Quins-*e,*	quinjëmo	»	» quinseina
Séz-*e,*	séjëmo	»	» séseina
Desesat,	desesatëmo	»	» desesateina
Vint,	vinttëmo	»	» vinteina
Vintun,	vintunëmo	»	*inusité*
Vintedò,	vintdojëmo,	»	*item*
Vintetrei,	vintetrejëmo	»	» vintetreieina
Vintequatr-*o,*	vintequatrëmo	»	» vintequatreina
Trent-*a,*	trentëmo,	»	» trenteina
Trentun	trentunëmo	»	*inusité*
Settant-*a,*	setantëmo	»	» setanteina
Cent,	centëmo	»	» centeina
Cent et quatr-*o,*			
Melle			

(1) Fait nou*viëmo* ou nou*yëmo*.

Du pronom

Le PRONOM *(pour le nom)* est un mot que l'on met à la place du nom pour en éviter la répétition.

IL Y A SIX SORTES DE PRONOMS.

Le pronom *personnel,* le pronom *démonstratif,* le pronom *possessif,* le pronom *interrogatif,* le pronom *relatif,* et le pronom *indéfini.*

PRONOM PERSONNEL.

Le pronom *personnel* désigne le plus ordinairement les personnes. Il y a trois *personnes :* La 1re, celle qui parle ; la 2me, celle à qui l'on parle ; et la 3me celle de qui l'on parle. Exemple :

	Singulier	*Pluriel*
1re	DZE, *je ;* MÈ, *moi ;*	NO, *nous.*
2me	TE, *tu ;* TE, *toi ;*	VO, *vous.*
3me	I, *il ;* 'LLiu, *lui ;* 'llie, *elle.*	I, *ils ;* LEUR, *eux, elles.*

LO, LA, LE, SE, SÈ, EN, Y sont aussi pronoms.

L'on met : *Dze, te, i, no, vo, i,* devant une consonne.
L'on met : *Dz', t', l', n', v', l',* devant une voyelle.

Dze si tsagrin de cen que *t'*i pamë se bravo : *Dz'*amo pà te vère allé pe cice cabaret. *No* sen pouro, et *n'*estanten de fére pe vivre. *Vo* beide vouë ; mè *v'*ei poue fan pi tar.

Je suis chagrin de ce que tu n'es plus si sage. Je n'aime pas te voir aller par ces cabarets. Nous sommes pauvres, et nous avons peine à faire pour vivre. Vous buvez aujourd'hui, mais vous aurez faim plus tard.

PRONOMS PERSONNELS EMPLOYÉS COMME :

Sing.	Sujet	Régime dir.	Régime indir.
1e p.	Dze, mè.	Me, mè.	Me, a mè.
—	*je, moi.*	*Me, moi.*	*Me, à moi.*
2e p.	Te, tè.	Te, tè.	Te, a tè.
—	*Tu, toi.*	*Tu, toi.*	*Te, à toi.*
3e p.	I, 'lliu, 'llie.	'lliu, 'llie, lo, la.	Lei, a 'lliu, a 'llie.
—	*Il, lui, elle.*	*Lui, elle, le, la.*	*Lui, à lui, à elle.*

Plur.

1° p.	No *ou* nò (*).	No, nò (*).	No, a nò (*).
—	*Nous.*	*Nous.*	*Nous, à nous.*
2° p.	Vo.	Vo, vò.	Vo, a vò.
—	*Vous.*	*Vous.*	*Vous, à vous.*
3° p.	I, leur.	Le, leur.	Lei, leur, a leur.
—	*Ils, eux.*	*Les, leur.*	*Leur, à eux, à elles.*
	Sè.	Se, sè.	Se, a sè.
	Soi.	*Se, soi.*	*Se, à soi.*

REMARQUE sur les mots: *EN, Y, OÙ, ON.*

Y, en. I dzardin l'*y* at de fleur; n'*en* vou-teu?
Au jardin il y a de fleurs; en veux-tu?

Yaou (où) est ordinairement suivi de *que* ou remplacé par *que.* Ex. Va yaou que dze te dio. *Va où je te dis.*
Din lo pay que vat. *Dans le pays où il va.*

On. *In* travaille! se *in* a fàta de mindzé.
On travaille! si l'on a besoin de manger.

EXEMPLE.

Mon garçon, *dze* vèyo que *te* respette pamë véro ton pére.

'Lliu, dei l'arba di matin, travaille pe *vo* alevé *tè* et te petsou frére; et *tè, te lo* crei pà, *te lei* rebèque.

Quan *t'*argoille avouë te compagnon *te le* s-impin et *te lei* fé de mà binque *leur* n'en fan ren a tè.

Vo sàde que dzi prëtà d'ardzen a voutro lavon; arra *dz'a*riò fàta que *vo lo me* renducho.

Mon fils, je vois que tu ne respecte plus guère ton père.

Lui, dès l'aube du jour, travaille pour vous élever toi et tes petits frères; et toi, tu ne lui obéis pas, tu lui réponds.

Lorsque tu joues avec tes camarades, tu les pousses et tu leur fais du mal, tandis que eux n'en font pas à toi.

Vous savez que j'ai prêté d'argent à votre oncle; maintenant j'aurais besoin que vous me le rendissiez.

PRONOM DÉMONSTRATIF.

Le pronom *démonstratif* tient la place du nom en y ajoutant une idée de démonstration.

(*) Ò *accentué va toujours après un verbe:* Veyen-nò, baille-nò.

Pour les choses, et des deux genres.

Ço vat bien,	*ça (ceci) va bien.*
Cen dze l'amo pà,	*cela je ne l'aime pas.*
Ço ceu l'est a mè,	*ceci est à moi.*
Cen-lé l'est a leur.	*cela est à eux.*

Pour les personnes et les choses.

	Singulier.			Pluriel.	
Masculin	Ci,	*celui.*	*Masculin*	Cice,	*ceux.*
»	Ci-ceu,	*celui-ci.*	»	Cice-ceu,	*ceux-ci.*
»	Ci-lé,	*celui-là.*	»	Cice-lé,	*ceux-là.*
Féminin	Cetta, cella,	*celle.*	*Féminin*	Cette, celle,	*celles.*
»	Cetta-ceu,	*celle-ci.*	»	Cette-ceu.	*celles-ci.*
»	Cella-lé,	*celle-là.*	»	Celle-lé,	*celles-là*

EXEMPLE.

Le martsan di vatse, lo dzor de feira, dion a *ci-ceu*, a *ci-lé :* Se volei euna bouna vatse atsetàde *cetta-ceu ;* o bin prende *cella-lé.* Vo poude cherdre permië *celle-lé, cella* que vo feit pleisi.

V'ei-vo fâta d'un boyatin ? eido *ci* que vo fat.

Les marchands de vaches, le jour de foire, disent à celui-ci, à celui-là : Si vous voulez une bonne vache achetez celle-ci ; ou bien prenez celle-là. Vous pouvez choisir parmi celles-là, celle qui vous fait plaisir.

Avez-vous besoin d'un petit bœuf ? voici celui qui vous faut.

PRONOM POSSESSIF.

Le *pronom possessif* tient la place du nom en y ajoutant une idée de possession ; il est toujours précédé de l'article.

Singulier.		*Pluriel.*	
Lo min,	la mina.	Le min,	le mine.
Lo tin,	la tina.	Le tin,	le tine.
Lo sin,	la sina.	Le sin,	le sine.
Lo noutro,	la noutra.	Le noutre,	le noutre.
Lo voutro,	la voutra.	Le voutre,	le voutre.
Lo leur,	la leur.	Le leur.	le leur.

EXEMPLE.

N'en tseut noutro travail : mè *lo min ;* tè *lo tin* et 'llin *lo sin.*

Voutro papë l'est pi blanc que *lo noutro,* et noutro entso l'est pi nèr que *lo voutro.*

Leur pluma vat pi bien que *la tina,* et ton ecritéro l'est pi dzen que *lo leur.*

Nous avons tous notre travail : moi le mien, toi le tien et lui le sien.

Votre papier est plus blanc que le nôtre, et notre encre est plus noire que la vôtre.

Leur plume va mieux que la tienne, et ton encrier est plus beau que le leur.

PRONOM RELATIF.

Les pronoms *relatifs* déterminent le nom dont ils tiennent la place.

Ce sont : *Qui, que, quin, quinta, qué, yaou.*

Qui, dans le dialecte, s'emploie toujours sans antécédent. Ex :

Transportà pe la joè, *qui* sansie, *qui* plaoure,
Qui se pàne le jeu, *qui* preye din se s-aoure.
Transporté par la joie, qui soupire, qui pleure,
Qui s'essuie les yeux, qui prie dans ses heures.

Que, après un antécédent, s'emploie pour *qui.* Ex. :

L'est lo Bondzeu *que* l'at creà lo mondo et *que* no conserve la via. — *C'est le bon Dieu qui créa le monde et qui nous conserve la vie.*

Que s'emploie aussi pour *dont, où.* Ex. :

Son papa *que* le s-an l'an plettà lo vesadzo, l'ayeu vu, cent fouriё reverdi lo velladzo.

Son père, dont les ans ont ridé le visage, avait vu cent printemps reverdir le village.

Baillade-lei cen *que* l'at fâta.

Donnez-lui ce dont il a besoin.

Din lo pays *que* vat, *dans le pays où il va.*

On emploie aussi : De qui, pour *dont ;* a qui, pour *auxquels ;* de què, pour de *laquelle ;* quinte, pour *lesquelles.* Ex.

De s-ommo de *qui* dze me fieyo et a *qui* dze me confio, m'an prèdza de quatse tsousa, dze si pamë de *què.*

Des hommes dont je me fie et auxquels je me confie, m'ont parlé de quelque chose, je ne sais plus de laquelle.

De cette pomme, prende *quinte* vo vodrei.
De ces pommes, prenez lesquelles vous voudrez.

DÉCLINAISON des deux nombres, *pour les*

	personnes		*personnes et choses*	*choses*
Nom	Qui,	que,	quin, ta, te,	què
Gén.	De qui,	que,	de quin, ta, te,	de què.
Dat.	A qui,	que,	a quin, ta, te,	a què.
Acc.	Qui,	que,	quin, ta, te,	què.

PRONOM INDÉFINI.

Les pronoms *indéfinis* sont ceux qui désignent d'une manière vague ou générale, les personnes ou les choses dont ils tiennent la place.

EXEMPLE.

Tsacun feit son dené : *l'un* mindze pan et lacë, *l'âtro* la peilà.

Chacun fait son diner : l'un mange pain et lait, l'autre la bouillie.

Quatsun son pi galeup, et *quessevoille* lei plét pà ; i leur fât *quatse tsousa* de pi bon.

Quelques-uns sont plus gourmands, et quoi que ce soit ne leur plait pas : il leur faut quelque chose de meilleur.

Cen que l'est bon, *quissevoille* l'âme ; *in* at pancora sentu dëre que *gneun* l'uche tapà vià le polaille routie.

Ce qui est bon, qui que ce soit l'aime ; on a pas encore entendu dire que personne n'eut jeté loin les poules rôties.

Cët ommo vout *tot* per 'lliu et *ren* pe le s-*âtre*.

Cet homme veut tout pour lui et rien pour les autres.

Li n'at *pa* s-*un* que die de 'lliu : Lo *tel* l'est un ommo que respette lo bien d'autrui.

Il y en a pas un qui dise de lui : Le tel est un homme qui respecte le bien d'autrui.

Du Verbe

Le *verbe* est la partie du discours la plus importante, vu qu'il paraît à chaque proposition. Les autres mots, étant plus simples, plus appliqués aux choses, ont été moins susceptibles de variations.

Mais il en est pas de même pour les verbes, qui, à cause de leur multitude de *modes,* de *temps* et de *terminaisons,* ont dû subir quelques variations.

Le *dialecte,* s'étant transmis par le seul usage, et sans la direction du langage écrit, se trouve donc moins parfait dans quelques temps des verbes que dans les autres parties du discours. Quelle en sera la raison?

Ce sera peut-être celle-ci:

Les verbes de la 1re conjugaison sont au 80 pour cent à l'égard de tous les autres ensembles.

L'usage plus fréquent des verbes de la première conjugaison, qui ont l'imparfait en *àvo,* a pu porter quelques uns à conjuguer l'imparfait de la 2me, 3me et 4me sur celui de la première, disant, par exemple:

Dze fenichàvo, dze veyàvo, dze rendzàvo au lieu de: De fenichò, dze vejò, dze rendzò, comme on dit en général dans toute la vallée.

Ensuite des communications avec la Cité (où nos villageoises vont servantes et les *maestrine* vont faire leurs études) on tend à se polisser à la citadine et l'on porte dans le village et les nouvelles modes et les manières de dire à Aoste.

Il nous est arrivé plus d'une fois de dire à quelqu'un de nos villages: Mais dites-vous toujours: dze *diàvo,* dze *fenichàvo,* dze *veyàvo?* — Oh non! nous disons aussi: dze dejò, dze fenichò, dze vèjò; ou bien, dejou, fenichou, vèjou, selon les endroits.

Les verbes en notre dialecte, comme les verbes suivants, ne devraient avoir que l'imparfait de la première conjugaison en *àvo:* Exemple:

Patois:	am-àvo	fen-ichò	rec-eyò-ejò	ren-dzò
Latin:	am-abam	fin-iebam	mon-ebam	rend-ebam
Italien:	am-ava	tem-eva	cred-eva	nutr-iva
Espagnol:	am-aba	tem-ia	sub-ia	
Piémontais:	am-ava	tëm-ia	fer-iva-ia	
Chablais:	am-avo	serv-ivo	rechev-ivou	rend-ivou
Genevois:	am-ivou	serviss-ivo	rechev-ivou	rend-ivou
Français:	aim-ais	fin-issais	rec-evais	rend-ais.

Pour que ceux qui en savent quelque chose ne m'en veuillent pas, je cite les sources où j'ai puisé ce que j'avance:

Prof. L. Zuccaro: *Grammatichetta Spagnola,* 1881, Milano.
Giuseppe Gavuzzi: *Vocabolario Piemontese,* 1896, Torino.
F. Fenouillet: *Monographie du Patois Savoyard,* 1903, Annecy.

Au reste, les linguistes disent qu'il ne faut pas aller dans les villes chercher la pureté des dialectes.

DES CONJUGAISONS.

Le dialecte a, comme le français, deux *auxiliaires* et quatre *conjugaisons* des verbes réguliers.

Les verbes ont cinq modes : *L'indicatif,* le *conditionnel, l'impératif,* le *subjonctif* et *l'infinitif* avec tous leurs temps ; sauf l'indicatif qui manque de *parfait défini* et de *parfait antérieur.*

Ainsi : Pour les auxiliaires j'eus, j'eus eu ; je fus, j'eus été, s'expriment par le parfait indéfini (1) *dzi avu, dze si ëtà ;* j'ai eu, j'ai été.

Pour les autres conjugaisons le parfait défini j'aimai s'exprime aussi par le parfait indéfini *dzi amà,* j'ai aimé ; et le parfait antérieur j'eus aimé par le parfait antérieur surcomposé (2) *dzi avu amà,* j'ai eu aimé.

Les auxiliaires *avoir* et *être* servent à conjuguer tous les autres dans leurs temps composés.

VERBES AUXILIAIRES.

MODE INDICATIF.

AVEI **Présent.** ETRE

Dz'i,	*j'ai.*	Dze si.	*je suis.*
T'a,	*tu as.*	T'i.	*tu es.*
L'at,	*il a.*	L'est.	*il est.*
N'en,	*nous avons.*	No sen.	*nous sommes.*
V'ei,	*vous avez.*	V'ëte.	*vous êtes.*
L'an,	*ils ont.*	I son.	*ils sont.*

Imparfait.

Dz'ayò,	*j'avais.*	Dz'ëro (3),	*j'étais.*
T'ayè,	*tu avais.*	T'ëre,	*tu étais.*
L'ayet,	*il avait.*	L'ëre,	*il était.*
N'ayon,	*nous avions.*	N'ëron,	*nous étions.*
V'ayò,	*vous aviez.*	V'ëro	*vous étiez.*
L'ayan,	*ils avaient.*	L'ëran,	*ils étaient.*

(1) que j'appelle simplement *parfait* vu qu'il l'exprime.

(2) que je dis simplement *parfait antérieur.*

(3) *ou* ëtso.

Parfait (1).

Dz'i avu,	*j'ai eu.*	Dze si ëtà,	*j'ai été.*
T'a avu,	*tu as eu.*	T'i ëtà,	*tu as été.*
L'at avu,	*il a eu.*	L'est ëtà,	*il a été.*
N'en avu,	*nous avons eu.*	No sen ëtà,	*nous avons été.*
V'ei avu,	*vous avez eu.*	V'ëte ëtà,	*vous avez été.*
L'an avu,	*ils ont eu.*	I son ëtà,	*ils ont été.*

Plus-que-parfait.

Dz'ayò avu,	*j'avais eu.*	Dz'ëro ëtà,	*j'avais été.*
T'ayè avu,	*tu avais eu.*	T'ëre ëtà,	*tu avais été.*
L'ayet avu,	*il avait eu.*	L'ëre ëtà,	*il avait été.*
N'ayon avu,	*nous avions eu.*	N'ëron ëtà,	*nous avions été.*
V'ayò avu,	*vous aviez eu.*	V'ëro ëta,	*vous aviez été.*
L'ayan avu,	*ils avaient eu.*	L'ëron ëtà,	*ils avaient été.*

Futur.

Dz'ari,	*j'aurai.*	Dze sari,	*je serai.*
T'ari,	*tu auras.*	Te sari,	*tu seras.*
L'aret,	*il aura.*	I saret,	*il sera.*
N'aren,	*nous aurons.*	No saren,	*nous serons.*
V'arei,	*vous aurez.*	Vo sarei,	*vous serez.*
L'aran,	*ils auront.*	I saran,	*ils seront.*

Futur passé.

Dz'ari avu,	*j'aurai eu.*	Dze sari ëtà,	*j'aurai été.*
T'ari avu,	*tu aura eu.*	Te sari ëta,	*tu auras été.*
L'aret avu,	*il aura eu.*	I saret ëtà,	*il aura été.*
N'aren avu,	*nous aurons eu.*	No saren ëtà,	*nous aurons été.*
V'arei avu,	*vous aurez eu.*	Vo sarei ëtà,	*vous aurez été.*
L'aran avu,	*ils auront eu.*	I saran ëtà,	*ils auront été.*

MODE CONDITIONNEL.

Présent.

Dz'ariò,	*j'aurais.*	Dze sariò,	*je serais.*
T'arei,	*tu aurais.*	Te sarei,	*tu serais.*
L'areit,	*il aurait.*	I sareit,	*il serait.*
N'arion,	*nous aurions.*	No sarion,	*nous serions.*
V'ariò,	*vous auriez.*	Vo sariò,	*vous seriez.*
L'arian,	*ils auraient.*	I sarian,	*ils seraient.*

(1) Il exprime le parfait *défini* et l'*antérieur*.

Passé.

Dz'ariò avu,	*j'aurais eu.*	Dze sariò ëtà,	*j'aurais été.*
T'arei avu,	*tu aurais eu.*	Te sarei ëtà,	*tu aurai été.*
L'areit avu,	*il aurait eu.*	I sareit ëtà,	*il aurait été.*
N'arion avu,	*nous aurions eu.*	No sarion ëtà,	*nous aurions été.*
V'ariò avu,	*vous auriez eu.*	Vo sariò ëtà,	*vous auriez été.*
L'arian avu,	*ils auraient eu.*	I sarian ëtà,	*ils auraient été.*

Second passé.

Dz'ucho avu,	*j'eusse eu.*	Dze fucho ëtà,	*J'eusse été.*
T'uche avu,	*tu eusses eu.*	Te fuche ëtà,	*tu eusses été.*
L'uche avu,	*il eût eu.*	I fuche ëtà,	*il eût été.*
N'uchon avu,	*nous eussions eu*	No fuchon ëtà	*nous eussions été*
V'ucho avu,	*vous eussiez eu.*	Vo fucho ëtà,	*vous eussiez été.*
L'uchen avu,	*ils eussent eu.*	I fuchen ëtà,	*ils eussent été.*

MODE IMPÉRATIF.

Présent.

Eye	*Aie.*	Sìe,	*Soit.*
	Ayons.		*Soyons.*
Eyen	*Ayent.*	Sìen,	*Soient.*

MODE SUBJONCTIF.

Présent.

Que dz'eyo	*que j'aie.*	Que dze sìo,	*que je sois.*
Que t'eye,	*que tu aies.*	Que te sie,	*que tu sois.*
Que l'eye,	*qu'il ait.*	Qu'il sìe,	*qu'il soit.*
Que n'eyon,	*que nous ayons.*	Que no sion,	*que nous soyons.*
Que v'eyo,	*que vous ayez.*	Que vo sio,	*que vous soyez.*
Que l'eyen,	*qu'ils aient.*	Qu'i sien,	*qu'ils soient.*

Imparfait.

Que dz'ucho,	*que j'eusse.*	Que dze fucho,	*que je fusse.*
Que t'uche,	*que tu eusses.*	Que te fuche,	*que tu fusses.*
Que l'uche,	*qu'il eût.*	Qu'i fuche,	*qu'il fût.*
Que n'uchon,	*que nous eussions*	Que no fuchon	*que nous fussions*
Que v'ucho,	*que vous eussiez.*	Que vo fucho,	*que vous fussiez.*
Que l'uchen,	*qu'ils eussent.*	Qu'i fuchen,	*qu'ils fussent.*

Parfait.

Que dz'eyo avu,	*que j'aie eu.*	Que dze sio età,	*que j'aie été.*
Que t'eye avu,	*que tu aies eu.*	Que te sie ëtà,	*que tu aies été.*
Que l'eye avu,	*qu'il ait eu.*	Qu'i sie ëtà,	*qu'il ait été.*
Que n'eyon avu,	*que nous ayons eu*	Que no sien ëtà,	*que nous ayons été*
Que v'eyo avu,	*que vous ayez eu*	Que vo sie ëtà,	*que vous ayez été*
Que l'ayen avu,	*qu'ils aient eu.*	Qu'i sien ëtà,	*qu'ils aient été.*

Plus-que-parfait.

Que dz'ucho avu,	*que j'eusse eu.*	Que dze fucho ëtà,	*que j'eusse été.*
Que t'uche avu,	*que tu eusses eu.*	Que te sie ëtà,	*que tu aies été.*
Que l'uche avu,	*qu'il eût eu.*	Qu'i sie ëtà,	*qu'il ait été.*
» n'uchon avu,	*que nous euss. eu*	Que no sien ëtà,	*que nous ayons...*
Que v'ucho avu,	*que vous eussi. eu*	Que vo fucho ëtà,	*que vous eussiez..*
» l'uchen avu,	*qu'ils eussent eu.*	Qu'i fuchen ëtà,	*qu'ils eussent été*

MODE INFINITIF.

Présent.

Avei	*Avoir*	Etre	*Être*

Imparfait.

Avei avu,	*avoir eu.*	Etre ëtà,	*avoir été.*

Participe présent.

Ayen,	*ayant.*	Eten,	*étant.*

Participe passé.

Avu-ya,	*eu, eue.*	Età-ye,	*été, étée.*
Ayen avu,	*ayant eu.*	Eten ëtà,	*ayant été.*

N. B. — *Le verbe* être *se conjugue sur lui-même dans les temps composés.*

CONJUGAISON DES VERBES RÉGULIERS

On connaît à quelle conjugaison un verbe appartient, par la terminaison de l'*infinitif.*

La 1re a l'infinitif en É :	Am-é	*aim-er.*
La 2me a l'infinitif en I :	Fen-i	*fin-ir.*
La 3me a l'infinitif en EIVRE :	Rec-eivre,	*rec-evoir.*
La 4me a l'infinitif en RE :	Rend-re,	*rend-re.*

Temps primitif ou formateur.

Les temps *primitifs* sont :

	Infinitif	Indicatif	Participe prés.	participe passé
Pour la 1re	Am-é,	am-o,	am-en,	am-à,
Pour la 2me	Fen-i,	fen-eisso,	fen-issen,	fen-i.
Pour la 3me	Rec-eivre,	rec-eivo,	rec-even,	reçu.

Formation des temps dérivés :

On forme : de l'*infinitif*, le futur et le conditionnel.
» de l'*indicatif*, (2me personne), l'impératif.
» du *participe* prés., les deux imparfaits et le subjonctif [prés.
» du *participe* passé, les temps composés.

PREMIÈRE CONJUGAISON EN È.

MODE INDICATIF.

Présent.

Dz'am-o	J'aim-e
T'am-e	Tu aim-es
L'am-e	Il aim-e
N' m-en	Nous aim-ons
V'am-àde	Vous aimez
L'am-on	Ils aim-ent.

Imparfait.

Formé du participe présent en changeant en *en* àvo.

Dz'am-àvo	J'aim-ais
T'am-àve	Tu aim-ais
L'am-àve	Il aim-ait
N'am-àvon	Nous aim-ions
V'am-àvo	Vous aim-iez
L'am-àvon	Ils aim-aient.

Parfait.

Ce temps exprime aussi le parfait défini j'aimai.

Dz'i amà	J'ai aimé	*j'aimai*
T'a amà	Tu as aimé	*tu aimas*
L'at amà	Il a aimé	*il aima*
N'en amà	Nous avons aimé	*nous aimâmes*
V'ei amà	Vous avez aimé	*vous aimâtes*
L'an amà	Ils ont aimé	*ils aimèrent.*

Parfait antérieur surcomposé.

Ce temps exprime aussi le parfait antérieur j'eus aimé.

Dz'i avu amà	J'ai eu aimé	*j'eus aimé*
T'a avu amà	Tu as eu aimé	*tu eus aimé*
L'at avu amà	Il a eu aimé	*il eut aimé.*
N'en avu amà	Nous avons eu aimé	*nous eûmes aimé*
V'ei avu amà	Vous avez eu aimé	*vous eûtes aimé*
L'an avu amà	Ils ont eu aimé	*ils eurent aimé.*

Plus-que-parfait.

Dz'ayò amà	J'avais aimé
T'ayè amà	Tu avais aimé
L'ayet amà	Il avait aimé
N'ayon amà	Nous avions aimé
V'ayò amà	Vous aviez aimé
L'ayan amà	Ils avaient aimé.

Futur.

Formé du présent de l'inf. en changeant é *en* eri.

Dz'am-eri	J'aim-erai
T'am-eri	Tu aim-eras
L'am-eret	Il aim-era
N'am-eren	Nous aim-erons
V'am-erei	Vous aim-erez
L'am-eran	Ils aim-eront

Futur antérieur.

Dz'ari amà	J'aurai aimé
T'ari amà	Tu auras aimé
L'aret amà	Il aura aimé
N'aren amà	Nous aurons aimé
V'arei amà	Vous aurez aimé
L'aran amà	Ils auront aimé.

MODE CONDITIONNEL.

Présent.

Formé de l'infinitif présent en changeant é *en* eriò.

Dz'am-eriò	J'aim-erais
T'am-erei	Tu aim-erais
L'am-ereit	Il aim-erait

N'am-erion	Nous aim-erions
V'am-eriò	Vous aim-eriez
L'am-erian	Ils aim-eraient.

Passé.

Dz'ariò amà	J'aurais aimé
T'arei amà	Tu aurais aimé
L'areit amà	Il aurait aimé
N'arion amà	Nous aurions aimé
V'ariò amà	Vous auriez aimé
L'arian amà	Ils auraient aimé.

Second passé.

D'ucho amà	J'eusse aimé
T'uche amà	Tu eusses aimé
L'uche amà	Il eût aimé
N'uchon amà	Nous eussions aimé
V'ucho amà	Vous eussiez aimé
L'uchen amà	Ils eussent aimé.

MODE IMPÉRATIF.

Présent.

Formé de la 2e personne de l'indicatif changeant e *en* a.

Am-a	Aim-es
Am-en	Aim-ons
Am-àde	Aim-ez
Am-eyen	Qu'ils aim-ent.

MODE SUBJONCTIF.

Présent.

Formé du participe présent en changeant en *en* eyo.

Que dz'am-eyo	Que j'aime
Que t'am-eye	Que tu aimes
Que l'am-eye	Qu'il aime
Que n'am-eyon	Que nous aimions
Que v'am-eyo	Que vous aimiez
Que l'am-eyen	Qu'ils aiment.

Imparfait.

Formé du participe présent en changeant en *en* ucho.

Que dz'am-ucho	Que j'aim-asse
Que t'am-uche	Que tu aim-asses
Que l'am-uche	Qu'il aim-ât
Que n'am-uchon	Que nous aim-assions
Que v'am-ucho	Que vous aim-assiez
Que l'am-uchen	Qu'ils aim-assent.

Parfait.

Que dz'eyo amà	Que j'aie aimé
Que t'eye amà	Que tu aies aimé
Que l'eye amà	Qu'il ait aimé
Que n'eyon amà	Que nous ayons aimé
Que v'eyo amà	Que vous ayez aimé
Que l'eyen amà	Qu'ils aient aimé.

Plus-que-parfait.

Que dz'ucho amà	Que j'eusse aimé
Que t'uche amà	Que tu eusses aimé
Que l'uche amà	Qu'il eût aimé
Que n'uchon amà	Que nous eussions aimé
Que v'ucho amà	Que vous eussiez aimé
Que l'uchen amà	Qu'ils eussent aimé.

MODE INFINITIF.

Présent.

Am-é — Aim-er.

Imparfait.

Avei am-à. — Avoir aim-é.

Participe présent.

Am-en — Aim-ant.

Participe passé.

Am-à, am-àye. — Aim-é, aim-ée.
Ayen am-à. — Ayant aim-é.

OBSERVATIONS.

Les *voyelles A, E, O,* prennent un accent devant une finale brève lorsque la tonique doit battre sur la pénultième syllabe.

1° Les verbes qui ont la dernière syllabe de l'infinitif précédée de *A* ou *E*, (non suivi de *t*,) prennent l'accent sur cet *a* ou cet *e* devant une finale muette. Ex.: Accapé, accàpo; esperé, espèro.

2° Les verbes qui ont la dernière syllabe de l'infinitif précédée de *O* et les verbes en *elé, eté, ené* et autres semblables, doublent la consonne devant une finale muette. Ex.: Consolé, Consollo; sopaté, sopatto; devené, devenno.

3° D'autres, par euphonie, changent de consonne devant une finale muette. Avanché, avanço; marqué, marco.

4° Les verbes, comme *sonner*, se diphthonguent en changeant la première *N* en *U* devant une finale douce, comme: Sonné, souno.

D'autres, comme: Reposé, repouso, prennent l'*U* devant une finale muette, et celà pour que la tonique soit sur la pénultième syllabe.

Principales variations d'orthographe.

	Infin.	Ind.	Part. prés.	Part. passé		Traduct.
1°	Accapé,	accàpo,	accapen,	accapà,	aye.	*Attrapper.*
	Esperé,	espèro,	esperen,	esperà,	»	*Espérer.*
2°	Consolé,	consollo,	consolen,	conselà,	»	*Consoler.*
	Soppaté,	soppatto,	soppaten,	soppatà,	»	*Secouer.*
	Devené,	devenno,	devenen,	devenna,	»	*Deviner.*
3°	Avanché,	avanço,	avancen,	avanchà,	»	*Avancer.*
	Marqué,	marco,	marquen,	marcà,	»	*Marquer.*
	Fabrequé,	fabrecco,	fabrequen,	fabrecà,	»	*Fabriquer.*
	Derigé,	derijo,	derigen,	derijà,	»	*Diriger.*
	Fategué,	fateggo,	fateguen,	fategà,	»	*Fatiguer.*
	Pouëgé,	pouëso,	pouësen,	pouëjà,	»	*Puiser.*
	Depiché,	depisso,	depissen,	depichà,	»	*Gâter.*
4°	Sonné,	souno,	sonnen,	sonnà,	»	*Sonner.*
	Tsavonné,	tsavouno,	tsavonnen,	tsavonnà,	»	*Finir.*
	Reposé,	repouso,	reposen,	reposà,	»	*Reposer.*

En, On, finales des verbes, sont muettes, à la 3me personne pluriel de l'indicatif et de l'impératif. A la 1re et 3me pluriel de l'imparfait et à tout le subjonctif.

SECONDE CONJUGAISON EN I.

MODE INDICATIF.

Présent.

Dze fen-eisso	Je fin-is
Te fen-ei	Tu fin-is
I fen-eit	Il fin-it
No fen-issen	Nous fin-issons
Vo fen-ide	Vous fin-issez
I fen-eisson	Ils fin-issent

Imparfait.

Formé du participe présent en changeant issen *en* ichò.

Dze fen-ichò	Je fin-issais
Te fen-ichè	Tu fin-issais
I fen-ichet	Il fin-issait
No fen-ichon	Nous fin-issions
Vo fen-ichò	Vous fin-issiez
I fen-ichan	Ils fin-issaient

Parfait.

Ce temps exprime aussi le parfait défini je finis.

Dz'i feni	J'ai fini	*je finis*
T'a feni	Tu as fini	*tu finis*
L'at feni	Il a fini	*il finit*
N'en feni	Nous avons fini	*nous finîmes*
V'ei feni	Vous avez fini	*vous finîtes*
L'an feni	Ils ont fini	*ils finirent*

Parfait antérieur surcomposé.

Ce temps exprime aussi le parfait antérieur j'eus fini.

Dz'i avu feni	J'ai eu fini	*j'eus fini*
T'a avu feni	Tu as eu fini	*tu eus fini*
L'at avu feni	Il a eu fini	*il eut fini*
N'en avu feni	Nous avons eu fini	*nous eûmes fini*
V'ei avu feni	Vous avez eu fini	*vous eûtes fini*
L'an avu feni	Ils ont eu fini	*ils eurent fini*

Plus-que-parfait.

Dz'ayò feni	J'avais fini
T'ayè feni	Tu avais fini
L'ayet feni	Il avait fini

N'ayon feni	Nous avions fini
V'ayò feni	Vous aviez fini
L'ayan feni	Ils avaient fini

Futur.

Formé du présent de l'infinitif en changeant i *en* iri.

Dze fen-iri	Je fin-irai
Te fen-iri	Tu fin-iras
I fen-iret	Il fin-ira
No fen-iren	Nous fin-irons
Vo fen-irei	Vous fin-irez
I fen-iran	Ils fin-iront.

Futur antérieur.

Dz'ari feni	J'aurai fini
T'ari feni	Tu auras fini
L'aret feni	Il aura fini
N'aren feni	Nous aurons fini
V'arei feni	Vous aurez fini
L'aran feni	Ils auront fini

MODE CONDITIONNEL.

Présent.

Formé de l'infinitif présent en changeant i *en* iriò.

Dze fen-iriò	Je fin-irais
Te fen-irei	Tu fin-irais
I fen-ireit	Il fin-irait
No fen-irion	Nous fin-irions
Vo fen-iriò	Vous fin-iriez
I fen-irian	Ils fin-iraient

Passé.

Dz'ariò feni	J'aurais fini
T'arei feni	Tu aurais fini
L'areit feni	Il aurait fini
N'arion feni	Nous aurions fini
V'ariò feni	Vous auriez fini
L'arian feni	Ils auraient fini

Second passé.

Dz'ucho feni	J'eusse fini
T'uche feni	Tu eusses fini
L'uche feni	Il eût fini

N'uchon feni	Nous eussions fini
V'ucho feni	Vous eussiez fini
L'uchen feni	Ils eussent fini

MODE IMPÉRATIF.

Présent.

Formé de la 2e personne de l'indicatif.

Fen-ei	Fin-is
Fen-eisse	Qu'il fin-isse
Fen-issen	Fin-issons
Fen-ide	Fin-issez
Fen-eissen	Qu'ils fin-issent

MODE SUBJONCTIF.

Présent.

Formé du participe présent en changeant en *en* eyo.

Que dze fen-isseyo	Que je fin-isse
Que te fen-isseye	Que tu fin-isses
Qu'i fen-isseye	Qu'il fin-isse
Que no fen-isseyon	Que nous fin-issions
Que vo fen-isseyo	Que vous fin-issiez
Qu'i fen-isseyen	Qu'ils fin-issent

Imparfait.

Formé du participe présent en changeant en *en* ucho.

Que dze fen-issucho	Que je fin-isse
Que te fen-issuche	Que tu fin-isses
Qu'i fen-issuche	Qu'il fin-it
Que no fen-issuchon	Que nous fin-issions
Que vo fen-issucho	Que vous fin-issiez
Qu'i fen-issuchen	Qu'ils fin-issent

Parfait.

Que dz'eyo feni	Que j'aie fini
Que t'eye feni	Que tu aies fini
Que l'eye feni	Qu'il ait fini
Que n'eyon feni	Que nous ayons fini
Que v'eyo feni	Que vous ayez fini
Que l'eyen feni	Qu'ils aient fini

Plus-que-parfait.

Que dz'ucho feni	Que j'eusse fini
Que t'uche feni	Que tu eusses fini
Que l'uche feni	Qu'il eût fini
Que n'uchon feni	Que nous eussions fini
Que v'ucho feni	Que vous eussiez fini
Que l'uchen feni	Qu'ils eussent fini

MODE INFINITIF.

Présent.

Fen-i	Fin-ir

Imparfait.

Avei fen-i	Avoir fin-i

Participe présent.

Fen-issen	Fin-issant

Participe passé.

Fen-i, ia, *ou* fen-et, eite.	Fin-i, ie.
Ayen, fen-i *ou* fen-et.	Ayant fin-i.

N. B. — *Les verbes de cette conjugaison se diphthonguent en prenant un* e *devant l'*i, *au présent de l'indicatif et à l'impératif, sauf à la* 1re *et à la* 2me *personne du pluriel.*

Ainsi se conjuguent les verbes qui ont l'infinitif en *i* comme : Bletti, *mouiller ;* Condi, *assaisonner ;* Bletti, bletteisso, blettichò, blettissen, bletti-a ; condi, condeisso, condichò, condissen, condi-a, et de même : Fiei, *coup, férir ;* hay, *haïr ;* menti, *mentir ;* provi, *pourvoir ;* vequi, *vivre ;* vëti, *vêtir.*

D'autres qui ont l'infinitif en *i* sont irréguliers de la 2me et se conjuguent sur senti M. B.

TROISIÈME CONJUGAISON EN EIVRE.

MODE INDICATIF.

Présent.

Dze rec-eivo, ou *eyo*	Je reç-ois
Te rec-ei	Tu reç-ois
I rec-eit	Il reç-oit

No rec-even, *eyen*	Nous rec-evons
Vo rec-eide	Vous rec-evez
I rec-eivon, *eyon*	Ils reç-oivent

Imparfait.

Formé du participe présent en changeant even *en* ejò.

Dze rec-ejò, ou	*eyò*	Je rec-evais
Te rec-ejè	*eyè*	Tu rec-evais
I rec-ejet	*eyet*	Il rec-evait
No rec-ejon	*eyon*	Nous rec-evions
Vo rec-ejò	*eyò*	Vous rec-eviez
I rec-ejan	*eyan*	Ils rec-evaient

Parfait.

Ce temps exprime aussi le parfait défini je reçus.

Dz'i reçu	J'ai reçu	*je reçus*
T'a reçu	Tu as reçu	*tu reçus*
L'at reçu	Il a reçu	*il reçut*
N'en reçu	Nous avons reçu	*nous reçûmes*
V'ei reçu	Vous avez reçu	*vous reçûtes*
L'an reçu	Ils ont reçu	*ils reçurent*

Parfait antérieur surcomposé.

Ce temps exprime aussi le parfait antérieur j'eus reçu.

Dz'i avu reçu	J'ai eu reçu	*j'eus reçu*
T'a avu reçu	Tu as eu reçu	*tu eus reçu*
L'at avu reçu	Il a eu reçu	*il eut reçu*
N'en avu reçu	Nous avons eu reçu	*nous eûmes reçu*
V'ei avu reçu	Vous avez eu reçu	*vous eûtes reçu*
L'an avu reçu	Ils ont eu reçu	*ils eurent reçu.*

Plus-que-parfait.

Dz'ayò reçu	J'avais reçu
T'ayè reçu	Tu avais reçu
L'ayet reçu	Il avait reçu
N'ayon reçu	Nous avions reçu
V'ayò reçu	Vous aviez reçu
L'ayan reçu	Ils avaient reçu

Futur.

Formé du présent de l'inférieur en changeant eivre *en* evri.

Dze rec-evri	Je rec-evrai
Te rec-evri	Tu rec-evras
I rec-evret	Il rec-evra
No rec-evren	Nous rec-evrons
Vo rec-evrei	Vous rec-evrez
I rec-evran	Ils rec-evront

Futur antérieur.

Dz'ari reçu	J'aurai reçu
T'ari reçu	Tu auras reçu
L'aret reçu	Il aura reçu
N'aren reçu	Nous aurons reçu
V'arei reçu	Vous aurez reçu
L'aran reçu	Ils auront reçu

MODE CONDITIONNEL.

Présent.

Formé du présent de l'infinitif en changeant eivre *en* evriò.

Dze rec-evriò	Je rec-evrais
Te rec-evrei	Tu rec-evrais
I rec evreit	Il recevrait
No rec-evrion	Nous rec-evrions
Vo rec-evriò	Vous rec-evriez
I rec-evrïan	Ils rec-evraient

Passé.

Dz'ariò reçu	J'aurais reçu
T'arei reçu	Tu aurais reçu
L'areit reçu	Il aurait reçu
N'arion reçu	Nous aurions reçu
V'ariò reçu	Vous auriez reçu
L'arian reçu	Ils auraient reçu

Second passé.

Dz'ucho reçu	J'eusse reçu
T'uche reçu	Tu eusses reçu
L'uche reçu	Il eût reçu
N'uchon reçu	Nous eussions reçu
V'ucho reçu	Vous eussiez reçu
L'uchen reçu	Ils eussent reçu

MODE IMPÉRATIF.

Présent.

Formé de la 2me personne de l'indicatif.

Rec-ei	Reçois
Rec-eive	Qu'il reç-oive
Rec-even	Rec-evons
Rec-eide	Rec-evez
Rec-eiven	Qu'ils reç-oivent.

MODE SUBJONCTIF.

Présent.

Formé du participe présent en changeant en *en* eyo.

Que dze rec-eveyo	Que je reçoive
Que te rec-eveye	Que tu reçoives
Qu'i rec-eveye	Qu'il reçoive
Que no rec-eveyon	Que nous recevions
Que vo rec-eveyo	Que vous receviez
Qu'i rec-eveyen	Qu'ils reçoivent

Imparfait.

Formé du participe présent en changeant en *en* ucho.

Que dze rec-evucho	Que je reç-usse
Que te rec-evuche	Que tu reç-usses
Qu'i rec-evuche	Qu'il reç-ut
Que no rec-evuchon	Que nous reç-ussions
Que vo rec-evucho	Que vous reç-ussiez
Qu'i rec-evuchen	Qu'ils reç-ussent

Parfait.

Que dz'eyo reçu	Que j'aie reçu
Que t'eye reçu	Que tu aies reçu
Que l'eye reçu	Qu'il ait reçu
Que n'eyon reçu	Que nous ayons reçu
Que v'eyo reçu	Que vous ayez reçu
Que l'eyen reçu	Qu'ils aient reçu

Plus-que-parfait.

Que dz'ucho reçu	Que j'eusse reçu
Que t'uche reçu	Que tu eusses reçu
Que l'uche reçu	Qu'il eût reçu

Que n'uchon reçu	Que nous eussions reçu
Que v'ucho reçu	Que vous eussiez reçu
Que l'uchen reçu	Qu'ils eussent reçu

MODE INFINITIF.

Présent.

Rec-eivre. — Rec-evoir.

Imparfait.

Avei reç-u. — Avoir reç-u.

Participe présent.

Rec-even, ou *eyen*. — Rec-evant.

Participe passé.

Reç-u, reç-uya. — Reç-u, reç-ue.
Ayen reç-u. — Ayant reç-u.

Ainsi se conjuguent : *Aperc-evoir, conc-evoir,* et *perc-evoir.*

Aperc-eivre,	aperc-eivo, aperceyò,	aperc-even,	aperç-u, uya.
Conc-eivre,	conc-eivo, conceyò,	conc-even,	conç-u, uya.
Perc-eivre,	perc-eivo, perceyò,	perc-even,	perç-u, uya.

Echoir, déchoir, n'ont que le participe passé *échu, déchu.*

Tous les autres verbes qui en français sont de la 3me conjugaison, sont, en dialecte, à la 2me ou à la 4me.

QUATRIÈME CONJUGAISON EN RE.

MODE INDICATIF.

Présent.

Dze rend-o	Je rend
Te rend	Tu rends
I rend	Il rend
No rend-en	Nous rend-ons
Vo rend-e	Vous rend-ez
I rend-on	Ils rend-ent

Imparfait.

Formé du part. prés. en changeant en *en* ò. *Soit :* dzò, gnò, jò, tsi

Dze rend-zò,	Je rend-ais
Te rend-zè	Tu rend-ais
I rend-zet	Il rend-ait
No rend-zon	Nous rend-ions
Vo rend-zò	Vous rend-iez
I rend-zan	Ils rend-aient

Parfait.

Ce temps exprime aussi le parfait défini je rendis.

Dz'i rendu	J'ai rendu	*je rendis*
T'a rendu	Tu as rendu	*tu rendis*
L'at rendu	Il a rendu	*il rendit*
N'en rendu	Nous avons rendu	*Nous rendîmes*
V'ei rendu	Vous avez rendu	*vous rendîtes*
L'an rendu	Ils ont rendu	*ils rendirent*

Parfait antérieur surcomposé.

Ce temps exprime aussi le parfait antérieur j'eus rendu.

Dz'i avu rendu	J'ai eu rendu	*j'eus rendu*
T'a avu rendu	Tu as eu rendu	*tu eus rendu*
L'at avu rendu	Il a eu rendu	*il eut rendu*
N'en avu rendu	Nous avons eu rendu	*nous eûmes rendu*
V'ei avu rendu	Vous avez eu rendu	*vous eûtes rendu*
L'an avu rendu	Ils ont eu rendu	*ils eurent rendu*

Plus-que-parfait.

Dz'ayò rendu	J'avais rendu
T'ayè rendu	Tu avais rendu
L'ayet rendu	Il avait rendu
N'ayon rendu	Nous avions rendu
V'ayò rendu	Vous aviez rendu
L'ayan rendu	Ils avaient rendu

Futur.

Formé du présent de l'infinitif en changeant re *en* ri.

Dze rend-ri	Je rend-rai
Te rend-ri	Tu rend-ras
I rend-ret	Il rend-ra

No rend-ren	Nous rend-rons
Vo rend-rei	Vous rend-rez
I rend-ran	Ils rend-ront

Futur antérieur.

Dz'ari rendu	J'aurai rendu
T'ari rendu	Tu auras rendu
L'aret rendu	Il aura rendu
N'aren rendu	Nous aurons rendu
V'arei rendu	Vous aurez rendu
L'aran rendu	Ils auront rendu

MODE CONDITIONNEL.

Présent.

Formé du présent de l'infinitif en changeant re *en* riò.

Dze rend-riò	Je rend-rais
Te rend-rei	Tu rend-rais
I rend-reit	Il rend-rait
No rend-rion	Nous rend-rions
Vo rend-riò	Vous rend-riez
I rend-rian	Ils rend-raient

Passé.

Dz'ariò rendu	J'aurais rendu
T'arei rendu	Tu aurais rendu
L'areit rendu	Il aurait rendu
N'arion rendu	Nous aurions rendu
V'ariò rendu	Vous auriez rendu
L'arian rendu	Ils auraient rendu

Second passé.

D'ucho rendu	J'eusse rendu
T'uche rendu	Tu eusses rendu
L'uche rendu	Il eût rendu
N'uchon rendu	Nous eussions rendu
V'ucho rendu	Vous eussiez rendu
L'uchen rendu	Ils eussent rendu

MODE IMPÉRATIF.

Présent.

Formé de la 2me personne de l'indicatif.

Rend	Rend-s
Rend-e	Qu'il rend-e
Rend-en	Rend-ons
Rend-e	Rend-ez
Rend-en	Qu'ils rendent

MODE SUBJONCTIF.

Présent.

Formé du participe présent en changeant en en eyo.

Que dze ren-deyo	Que je ren-de
Que te ren-deye	Que tu ren-de
Qu'i ren-deye	Qu'il ren-de
Que no ren-deyon	Que nous ren-dions
Que vo ren-deyo	Que vous ren-diez
Qu'i ren-deyen	Qu'ils ren-dent

Imparfait.

Formé du participe présent en changeant en en ucho.

Que dze rend-ucho	Que je rend-isse
Que te rend-uche	Que tu rend-isses
Qu'i rend-uche	Qu'il rend-it
Que no rend-uchon	Que nous rend-issions
Que vo rend-ucho	Que vous rend-issiez
Qu'i rend-uchen	Qu'ils rend-issent

Parfait.

Que dz'eyo rendu	Que j'aie rendu
Que t'eye rendu	Que tu aies rendu
Que l'eye rendu	Qu'il ait rendu
Que n'eyon rendu	Que nous ayons rendu
Que v'eyo rendu	Que vous ayez rendu
Que l'eyen rendu	Qu'ils aient rendu

Plus-que-parfait.

Que dz'ucho rendu	Que j'eusse rendu
Que t'uche rendu	Que tu eusses rendu
Que l'uche rendu	Qu'il eût rendu

Que n'uchon rendu	Que nous eussions rendu
Que v'ucho rendu	Que vous eussiez rendu
Que l'uchen rendu	Qu'ils eussent rendu

MODE INFINITIF.

Présent.

Rend-re. — Rend-re.

Imparfait.

Avei rend-u. — Avoir rend-u.

Participe présent.

Rend-en. — Rend-ant.

Participe passé.

Rend-u, uya (ou *euva)* — Rend-u, ue.
Ayen rendu. — Ayant rendu.

Ainsi se conjuguent: Attendre, attendo, attendzò, attenden, attendu-ya. Battre, batto, batsò, batten, battu-ya. Coure, couro, courjò, couren, couru-ya. Ainsi que: impindre, perdre, etc., etc.

VERBES IRRÉGULIERS

de la 1re conjugaison : Allé et ëté (stare)

Le verbe *ëté* exprime: état, habitude, demeure. Il se conjugue avec le verbe être.

MODE INDICATIF.

Je vai. **Présent.** *Io sto.*

Dze vò	Dz'ëto
Te và *ou* vé	Te ëte
I vat	L'ëte
N'allen	N'ëten
V'allàde	V'ëtàde
I van	L'ëton

J'allais **Imparfait.** *Io stava.*

Dz'allàvo	Dz'ëtàvo
T'allàve	Te ëtàve
L'allàve	L'ëtàve
N'allàvon	N'ëtàvon
V'allàvo	V'ëtàvo
L'allàvon	L'ëtàvon.

Parfait.

Je suis allé.	*Io sono stato.*
Dze si allà	Dze si ëtà
T'i allà	T'i ëtà
L'est allà	L'est ëtà
No sen allà	No sen ëtà
V'ëte allà	V'ëte ëtà
Son allà	I son ëtà.

Plus-que-parfait.

J'étais allé.	*Io era stato.*
Dz'ëro allà	Dz'ëro ëtà
T'ëre allà	T'ëre ëtà
L'ëre allà	L'ëre ëtà
N'ëron allà	N'ëron ëtà
V'ëro allà	V'ëro ëtà
L'ëron allà	L'ëron ëtà

Futur.

J'irai	*Io starò*
Dz'alleri	Dz'ëteri
T'alleri	Te ëteri
L'alleret	L'ëteret
N'alleren	N'ëteren
V'allerei	V'ëterei
L'alleran	L'ëteran

Futur antérieur.

Je serai allé.	*Io sarò stato.*
Dze sari allà	Dze sari ëtà
Te sari allà	Te sari ëtà
I saret allà	I saret ëtà
No saren allà	No saren ëtà
Vo sarei allà	Vo sarei ëtà
I saran allà	I saran ëtà

MODE CONDITIONNEL.

Présent.

J'irais.	*Starei.*
Dz'allerió	Dz'ëterió
T'allerei	T'ëterei
L'allereit	L'ëtereit
N'allerion	N'ëterion
V'allerió	V'ëterió
L'allerian	L'ëterian.

Je serais allé. **Passé.** *Io sarei stato.*

Dze sariò allà	Dze sariò ëtà
Te sarei allà	Te sarei ëtà
I sareit allà	I sareit ëtà
No sarion	No sarion ëtà
Vo sariò allà	Vo sariò ëtà
I sarian allà	I sarian ëtà

MODE IMPÉRATIF.

Va — L'aille — Allen	Eta — Eteye — Eten
Allàde — L'aillen.	Etàde — Eteyen.

MODE SUBJONCTIF.

Que j'aille. **Présent.** *Che io stia.*

Que dz'alleyo *ou* aille	Que dz'ëteyo
Que t'alleye	Que te ëteye
Que l'alleye	Que l'ëteye
Que n'alleyen	Que n'ëteyen
Que v'alleyo	Que v'ëteyo
Que l'alleyen	Que l'ëteyen

Que j'allasse. **Imparfait.** *Che io stessi.*

Que dz'allucho	Que dz'ëtucho
Que t'alluche	Que te ëtuche
Que l'alluche	Que l'ëtuche
Que n'alluchon	Que n'ëtuchon
Que v'allucho	Que v'ëtucho
Que l'alluchen	Que l'ëtuchen

Parfait.

Que je sois allé. *Che io sia stato.*

Que dze sio allà	Que dze sio ëtà
Que te sie allà	Que te sie ëtà
Qu'i sie allà	Qu'i sie ëtà
Que no sien allà	Que no sien ëtà
Que vo sio allà	Que vo sio ëtà
Que sien allà	Que sien ëtà

Plus-que-parfait.

Que je fus allé. *Che io fossi stato.*

Que dze fucho allà	Que dze fucho ëtà
Que te fuche allà	Que te fuche ëtà
Qu'i fuche allà	Qu'i fuche ëtà

Que no fuchen allà	Que no fuchon ëtà
Que vo fucho allà	Que vo fucho ëtà
Qu'i fuchen allà	Qu'i fuchen ëtà

MODE INFINITIF.

Aller		*Stare.*
	Présent.	
Allé.		Eté.
	Imparfait.	
Etre allà.		Etre ëtà.
	Participe présent.	
Allen.		Eten.
	Participe passé.	
Allà, allàye.		Età, ëtàye.

VERBES IRRÉGULIERS

de la 2me et 4me conjugaison

Pour faciliter la connaissance de ces verbes nous donnons ici un tableau des temps primitifs, ainsi que des imparfaits de l'indicatif, pour plus de clarté. Ces verbes sont réduits en groupe de même forme et se conjuguent sur leur modèle.

1° Ceux de la 2me avec leurs formes: *a, b, c, d,* sur *Senti,* modèle B.

2° Ceux de la 4me avec leurs formes: *e, f, g, h, j, l, m, n,* sur *Prendre,* modèle C.

MODE INDICATIF.

Je sens (Mod. B)	**Présent.**	*Je prends* (Mod. C)
Dze sento		Dze prègno
Te sen		Te pren
I sent		I prend
No senten		No pregnen
Vo sentide		Vo prende
I senton.		I prègnon

Je sentais.	**Imparfait.**	*Je prenais.*
Dze sentsò		Dze pregnò
Te sentsè		Te pregnè
I sentset		I pregnet

No sentson	No pregnon
Vo sentsò	Vo pregnò
I sentsan	I pregnan

Parfait.

Je sentis. J'ai senti.	*Je pris. J'ai pris.*
Dz'i sentu	Dz'i prei
T'a sentu	T'a prei
L'at sentu	L'at prei
N'en sentu	N'en prei
V'ei sentu	V'ei prei
L'an sentu	L'an prei

Parfait antérieur.

J'eus senti. J'ai eu senti.	*J'eus pris. J'ai eu pris.*
Dz'i avu sentu	Dz'i avu prei
T'a avu sentu	T'a avu prei
L'at avu sentu	L'at avu prei
N'en avu sentu	N'en avu prei
V'ei avu sentu	V'ei avu prei
L'an avu sentu	L'an avu prei.

Plus-que-parfait.

J'eus senti. J'ai eu senti.	*J'eus pris. J'ai eu pris.*
Dz'i avu sentu	Dz'i avu prei
T'a avu sentu	T'a avu prei
L'at avu sentu	L'at avu prei
N'en avu sentu	N'en avu prei
V'ei avu sentu	V'ei avu prei
L'an avu sentu	L'an avu prei

Futur.

Je sentirai.	*Je prendrai.*
Dze sentiri	Dze prendri
Te sentiri	Te prendri
I sentiret	I prendret
No sentiren	No prendren
Vo sentirei	Vo prendrei
I sentiran	I prendran.

Futur antérieur.

J'aurais senti.	*J'aurais pris.*
Dz'ari sentu	D'ari prei
T'ari sentu	T'ari prei
L'aret sentu	L'aret prei
N'aren sentu	N'aren prei
V'arei sentu	V'arei prei
L'aran sentu	L'aran prei

MODE CONDITIONNEL.

Présent.

Dze sentiriò	Dze prendriò
Te sentirei	Te prendrei
I sentireit	I prendreit
No sentirion	No prendrion
Vo sentiriò	Vo prendriò
I sentirian	I prendrian

Passé.

J'aurais senti.	*J'aurais pris.*
Dz'ariò sentu	Dz'ariò prei
T'arei sentu	T'arei prei
L'areit sentu	L'areit prei
N'arion sentu	N'arian prei
V'ariò sentu	V'ariò prei
L'arian sentu	L'arian prei

Second passé.

J'eusse senti.	*J'eusse pris.*
Dz'ucho sentu	Dz'ucho prei
T'uche sentu	T'uche prei
L'uche sentu	L'uche prei
N'uchen sentu	N'uchen prei
V'ucho sentu	V'ucho prei
L'uchen sentu	L'uchen prei

MODE IMPÉRATIF.

Présent.

Sens.	*Prends.*
Sent	Prend
Sente	Prègne
Senten	Preguer
Sentide	Prende
Senten	Prègnen

MODE SUBJONCTIF.

Présent.

Que je sente.	*Que je prenne.*
Que dze senteyo	Que dze pregneyo
Que te senteye	Que te pregneye
Qu'i senteye	Qu'i pregneye
Que no senteyon	Que no pregneyon
Que vo senteyo	Que vo pregneyo
Que no senteyen	Qu'i pregneyen

Imparfait.

Que je sentisse.	*Que je prisse.*
Que dze sentucho	Que dze pregnucho
Que te sentuche	Que te pregnuche
Qu'i sentuche	Qu'i pregnuche
Que no sentuchon	Que no pregnuchon
Que vo sentucho	Que vo pregnucho
Qu'i sentuchen	Qu'i pregnuchen

Parfait.

Que j'aie senti.	*Que j'aie pris.*
Que dz'eyo sentu	Que dz'eyo prei
Que t'eye sentu	Que t'eye prei
Que l'eye sentu	Que l'eye prei
Que n'eyen sentu	Que n'eyen prei
Que v'eyo sentu	Que v'eyo prei
Que l'eyen sentu	Que l'eyen prei

Plus-que-parfait.

Que j'eusse senti.	*Que j'eusse pris.*
Que dz'ucho sentu	Que dz'ucho prei
Que t'uche sentu	Que t'uche prei
Que l'uche sentu	Que l'uche prei
Que n'uchen sentu	Que n'uchon prei
Que v'ucho sentu	Que v'ucho prei
Que l'uchen sentu	Que l'uchon prei

MODE INFINITIF.

Présent.

Sentir.	*Prendre.*
Senti	Prendre

Imparfait.

Avoir senti.	*Avoir pris.*
Avei sentu.	Avei prei.

Sentant.	**Participe présent.**	*Prenant.*
Senten.		Pregnen.
Senti, sentie.	**Participe passé.**	*Pris, prise.*
Sentu, sentuya,		Prei, preisa.
Ayen sentu.		Ayen prei.

Ainsi se conjuguent tous les verbes en *enti.*

Verbes à conjuguer sur *senti*, Mod. B, selon leurs formes.

Forme	Infin.	Indic. pr.	Imp.	Part. prés.	Part. mc. p.	Part. pas. f.
A	Coueilli	coueillo	coueillichò	coueillen	coueillet	coueilleite (1).
B	Couri	couro	courjò	couren	couru	couruya (2).
C	Parti	parto	partsò	parten	parti	partia (3).
D	Teni	tëgno	tëgnò	tegnen	tëgnu	tegnuya (4).

Verbes à conjuguer sur *prendre*, Mod. C, selon leurs formes.

E	Crendre	crègno	crègnò	cregnen	crègnu	crègnuya (5).
F	Plère	pléso	pléjò	plésen	plésu	plesuya (6).
G	Nëtre	nësso	nëchò	nëssen	nëssu	nëssuya (7).
H	Conduire	conduiyo	conduijò	conduiyen	condui	conduite (8).
I	Ecrire	ecriyo	ecrijò	ecriyen	ecri	ecrita (9).
L	Trére	tréyo	tréjò	tréyen	trét	tréta (10).
M	Adzure	adzuyo	adzujò	adzuyen	adzut	adzuta (11).
N	Moure	mouyo	moujò	mouyen	mouyu	mouyuya (12).

Autres formes avec leurs dérivés.

Llière	lliëyo	llièjò	lliëyen	llià	lliata.
Miere	mieyo	miejò	mieyen	miu	miuya.
Implëre	impleisso	implichò	implissen	impli	implia.
Poursuivre	poursuivo	poursuijò	poursuiven	poursui	poursuita.
Moudre	moulo	moujò	moulen	moulu	mouluya.
Mouere	mouero	mouerjò	moueren	mor	morta.

---

(1) Ou coueilli-a ; ainsi : accoueilli, allondzi, failli, sailli et dérivés. Les verbes : servi, desservi, dourmi et dér. ont le pp. en *i-ia,* servi-a. Les verbes : uvri, creuvi, offri et dér. ont le pp. en ert-a, uvert-a.

(2) Ainsi les verbes en *ouri ;* accouri, concouri, discouri, parcouri, recouri, secouri, qui ont aussi l'infin. en *oure ;* coure, etc. Ils sont alors réguliers de la 4me conjugaison.

(3) Ainsi : departi, separti, reparti, se repenti ; mais, consenti (pour dire gâté) fait, pp. consentu-ya.

(4) Ou tenu-ya. Ainsi tous les verbes en *eni :* teni, veni et dérivés qui, au pp. font aussi tenu-ya.

(5) Ainsi : contrendre, ëtrendre, plendre ; comme aussi : apprendre, comprendre, intreprendre, reprendre, surprendre, qui au pp. font : ei-eisa, apprei-appreisa.

(6) Ainsi : caoudre, cllioure, complère, dzoure, lliëre, cllioure, dzeere, tseere et dérivés ; tseere fait plutôt, pp., tset, tseite.

(7) Ainsi : renëtre, accreitre, increitre, creitre et dérivés ; et, cognëtre, mecognëtre, recognëtre, qui font, pp., cognu-cognuya.

(8) Ainsi tous les verbe en *duire, truire ;* construire, deduire, detruire, introduire, instruire, produire, reduire, seduire, traduire et dérivés. Ces verbes font aussi à l'ind. conduiso, au p. pré. conduisen. Les verbes : fouire, lliouire et dér. ne font que : fouiyo, fouiyen.....

(9) Ainsi : decrire, inscrire, prescrire, souscrire, transcrire, qui font aussi : ind. ecrivo, ppr. ecriven.

(10) Ainsi : couére, distrére, sottrére et dérivés.

(11) Ainsi : indzure, s'indzure, redzure ; et conclliure, esclliure qui font pp. conclliu-ya, etc.

(12) De même : inmoure ; et choure qui fait aussi : Chouvre, chouvo, choujà, chouven, chouvu-ya ou chovet-choveite.

VERBES IRRÉGULIERS

de la 3me conjugaison.

Mod. D.	Mod. E.	Mod. F.	Mod. G.
possei,	**savei,**	**volei,**	**vallei.**

MODE INDICATIF.

Présent.

Je puis.	*Je sais.*	*Je veux.*	*Je vaux.*
Dze poui	Dze si *ou* sei	Dze voui	Dze vallo
Te poù	Te sa	Te voù	Te vâ
I pout	I sât	I vout	I vât
No poven	No sen	No volen	No vallen
Vo poude	Vo sàde	Vo volei	Vo vallide
I pouvon	I sàvon	I voulon	I vallon.

Imparfait.

Je pouvais.	*Je savais.*	*Je voulais.*	*Je valais.*
Dze poch-ò	Dze sayò	Dze voillò	Dze vaillò
Te poch-è	Te sayè	Te voillè	Te vaillè
I poch-et	I sayet	I voillet	I vaillet

No poch-on	No sayon	No voillon	No vaillen
Vo poch-ò	Vo sayò	Vo voillò	Vo vaillò
I poch-an	I sayan	I voillan	I vaillan

Parfait.

Ce temps exprime le parfait défini :

Je pus, j'ai pu.	*Je sus, j'ai su.*	*Je voulus, j'ai voulu.*	*Je valus, j'ai valu.*
Dz'i possu	Dz'i savu	D'zi volu	Dz'i vallu
T'a possu	T'a savu	T'a volu	T'a vallu
L'at possu	L'at savu	L'at volu	L'at vallu
N'en possu	N'en savu	N'en volu	N'en vallu
V'ei possu	V'ei savu	V'ei volu	V'ei vallu
L'an possu	L'an savu	L'an volu	L'an vallu

Parfait antérieur surcomposé.

Ce temps exprime le parfait antérieur :

J'eus pu, J'ai eu pu.	*J'eus su, J'ai eu su.*	*J'eus voulu, J'ai eu voulu.*	*J'eus valu, J'ai eu valu.*
D'zi avu possu	Dz'i avu savu	Dz'i avu volu	Dz'i avu vallu
T'a avu possu	T'a avu savu	T'a avu volu	T'a avu vallu
L'at avu possu	L'at avu savu	L'at avu volu	L'at avu vallu
N'en avu possu	N'en avu savu	N'en avu volu	N'en avu vallu
V'ei avu possu	V'ei avu savu	V'ei avu volu	V'ei avu vallu
L'an avu possu	L'an avu savu	L'an avu volu	L'an avu vallu

Plus-que-parfait.

J'avais pu.	*J'avais su.*	*J'avais voulu.*	*J'avais valu.*
Dz'ayò possu	Dz'ayò savu	Dz'ayò volu	Dz'ayò vallu
T'ayè possu	T'ayè savu	T'ayè volu	T'ayè vallu
L'ayet possu	L'ayet savu	L'ayet volu	L'ayet vallu
N'ayon possu	N'ayon savu	N'ayon volu	N'ayon vallu
V'ayò possu	V'ayò savu	V'ayò volu	V'ayò vallu
L'ayan possu	L'ayan savu	L'ayan volu	L'ayan vallu

Futur.

Je pourrai.	*Je saurai.*	*Je voudrai.*	*Je vaudrai.*
Dze porri	Dze sari	Dze voudri	Dze vaudri
Te porri	Te sari	Te voudri	Te vaudri
I porret	I saret	I voudret	I vaudret

No porren	No saren	No voudren	No vaudren
Vo porrei	Vo sarei	Vo voudrei	Vo vaudrei
I porran	I saran	I voudran	I vaudran

Futur antérieur.

J'aurai pu.	*J'aurai su.*	*J'aurai voulu.*	*J'aurai valu.*
Dz'ari possu	Dz'ari savu	Dz'ari volu	Dz'ari vallu
T'arei possu	T'ari savu	T'ari volu	T'ari vallu
L'aret possu	L'aret savu	L'aret volu	L'aret vallu
N'aren possu	N'aren savu	N'aren volu	N'aren vallu
V'arei possu	V'arei savu	V'arei volu	V'arei vallu
L'aran possu	L'aran savu	L'aran volu	L'aran vallu

MODE CONDITIONNEL.

Présent.

Je pourrais.	*Je saurais.*	*Je voudrais.*	*Je vaudrais.*
Dze porriò	Dze sariò	Dze voudriò	Dze vaudriò
Te porrei	Te sarei	Te voudrei	Te vaudrei
I porreit	I sareit	I voudreit	I vaudreit
No porrion	No sarion	No voudrion	No vaudrion
Vo porriò	Vo sariò	Vo voudriò	Vo vaudriò
I porrian	I sarian	I voudrian	I vaudrian

Passé.

Dz'ariò possu	Dz'ariò savu	Dz'ariò volu	Dz'ariò vallu
T'arei possu	T'arei savu	T'arei volu	T'arei vallu
L'areit possu	L'areit savu	L'areit volu	L'areit vallu
N'arion possu	N'arion savu	N'arion volu	N'arion vallu
V'ariò possu	V'ariò savu	V'ariò volu	V'ariò vallu
L'arian possu	L'arian savu	L'arian volu	L'arian vallu

Second passé.

J'eusse pu.	*J'eusse su.*	*J'eusse voulu.*	*J'eusse valu.*
Dz'ucho possu	Dz'ucho savu	Dz'ucho volu	Dz'ucho vallu
T'uche possu	T'uche savu	T'uche volu	T'uche vallu
L'uche possu	L'uche savu	L'uche volu	L'uche vallu
N'uchon possu	N'uchon savu	N'uchon volu	N'uchon vallu
V'ucho possu	V'ucho savu	V'ucho volu	V'ucho vallu
L'uchen possu	L'uchen savu	L'uchen volu	L'uchen vallu

MODE IMPÉRATIF.

Présent.

Ce temps n'a que les troisièmes personnes.

Peux.	*Sache.*		*Vaux.*
Pouche	Satse 2me et 3me,	Vouille	Vaille
Pouchen	Satsen	Vouillen	Vaillen

MODE SUBJONCTIF.

Présent.

Que je puisse.	*Que je sache.*	*Que je veuille.*	*Que je vaille.*
Que dze poucho	Que dze satso	Que dze vouillo	Que dze vaillo
Que te pouche	Que te satse	Que te vouille	Que te vaille
Qu'i pouche	Qu'i satse	Qu'i vouille	Qu'i vaille
Que no pouchon	Que no satson	Que no vouillon	Que no vaillon
Que vo poucho	Que vo satso	Que vo vouillo	Que vo vaillo
Qu'i pouchen	Qu'i satsen	Qu'i vouillen	Qu'i vaillen

Imparfait.

Que je pusse,	*je susse,*	*je voulusse,*	*je valusse.*
Que dze possucho,	savucho,	volucho,	vallucho.
Que te possuche,	savuche,	voluche,	valluche.
Qu'i possuche,	savuche,	voluche,	valluche.
Que no possuchon,	savuchon,	voluchon,	valluchon.
Que vo possucho,	savucho,	volucho,	vallucho.
Qu'i possuchen,	savuchen,	voluchen,	valluchen.

Parfait.

Que j'aie pu,	*su,*	*voulu,*	*valu.*
Que dz'eyo possu,	savu,	volu,	vallu.
Que t'eye possu,	savu,	volu,	vallu.
Que l'eye possu,	savu,	volu,	vallu.
Que n'eyon possu,	savu,	volu,	vallu.
Que v'eyo possu,	savu,	volu,	vallu.
Que l'eyen possu,	savu,	volu,	vallu.

Plus-que-parfait.

Que j'eusse pu,	*su,*	*voulu,*	*valu.*
Que dz'ucho possu,	savu,	volu,	vallu.
Que t'uche possu,	savu,	volu,	vallu.
Que l'uche possu,	savu,	volu,	vallu.

Que n'uchon possu,	savu,	volu,	vallu.
Que v'ucho possu,	savu,	volu,	vallu.
Que l'uchen possu,	savu,	volu,	vallu.

MODE INFINITIF.

Présent.

Pouvoir.	*Savoir.*	*Vouloir.*	*Valoir.*
Possei,	Savei,	Volei,	Vallei.

Imparfait.

Avoir pu.	*Avoir su.*	*Avoir voulu.*	*Avoir valu.*
Avei possu.	Avei savu.	Avei volu.	Avei vallu.

Participe présent.

Pouvant.	*Sachant.*	*Voulant.*	*Valant.*
Poven.	Satzen.	Volen.	Vallen.

Participe passé.

Pu, pue.	*Su, sue.*	*Voulu, voulue.*	*Valu, value.*
Possu, uya.	Savu, savuya.	Voulu, vouluya,	Vallu, valluya.

Fallei *(falloir)*, verbe *unipersonnel*, se conjugue à la 3me personne du singulier sur *Vallei.*

VERBES IRRÉGULIERS

de la 4me conjugaison.

Mod. H.	Mod. I.	Mod. J.
Dëre.	**Fére.**	**Vère.**

MODE INDICATIF.

Présent.

Je dis.	*Je fais.*	*Je vois.*
Dze dì-o	Dze fey-o *ou* fò	Dze vey-o
Te di	Te fei	Te vei
I di-t, *deut*	I fei-t	I vei-t
No dì-en, *desen*	No fey-en	No vey-en
Vo di-te, *dete*	Vo féd-e	Vo vei-de
I di-on	I fèy-on	I vey-on

Imparfait.

Je disais.	*Je faisais.*	*Je voyais.*
Dze di-jò *ou* dejò	Dze fe-jò	Dze ve-jò
Te di-jè	Te fe-jè	Te ve-jè
I di-jet	I fe-jet	I ve-jet
No di-jon	No fe-jon	No ve-jon
Vo di-jò	Vo fe-jò	Vo ve-jò
I di-jan	I fe-jan	I ve-jan

Parfait.

Ce temps exprime le parfait défini :

Je dis. *J'ai dit.*	*Je fis.* *J'ai fait.*	*Je vis.* *J'ai vu.*
Dz'i deut	Dz'i fét	Dz'i vu
T'a deut	T'a fét	T'a vu
L'at deut	L'at fét	L'at vu
N'en deut	N'en fét	N'en vu
V'ei deut	V'ei fét	V'ei vu
L'an deut	L'an fét	L'an vu

Parfait antérieur surcomposé.

Ce temps exprime le parfait antérieur :

J'eus dit. *J'ai eu dit.*	*J'eus fait.* *J'ai eu fait.*	*J'eus vu.* *J'ai eu vu.*
Dz'i avu deut	Dz'i avu fét	Dz'i avu vu
T'a avu deut	T'a avu fét	T'a avu vu
L'at avu deut	L'at avu fét	L'at avu vu
N'en avu deut	N'en avu fét	N'en avu vu
V'ei avu deut	V'ei avu fét	V'ei avu vu
L'an avu deut	L'an avu fét	L'an avu vu

Plus-que-parfait.

J'avais dit.	*J'avais fait.*	*J'avais vu.*
Dz'ayò deut	Dz'ayò fét	Dz'ayò vu
T'ayè deut	T'ayè fét	T'ayè vu
L'ayet deut	L'ayet fét	L'ayet vu
N'ayon deut	N'ayan fét	N'ayon vu
V'ayò deut	V'ayò fét	V'ayò vu
L'ayan deut	L'ayan fét	L'ayan vu

Futur.

Je dirai.	*Je ferai.*	*Je verrai.*
Dze de-ri	Dze fari	Dze verri
Te de-ri	Te fari	Te verri
I de-ret	I faret	I verret
No de-ren	No faren	No verren
Vo de-rei	Vo farei	Vo verrei
I de-ran	I faran	I verran

Futur antérieur.

J'aurai dit.	*J'aurai fait.*	*J'aurai vu.*
Dz'ari deut	Dz'ari fét	Dz'ari vu
T'ari deut	T'ari fét	T'ari vu
L'aret deut	L'aret fét	L'aret vu
N'aren deut	N'aren fét	N'aren vu
V'arei deut	V'arei fét	V'arei vu
L'aran deut	L'aran fét	L'aran vu

MODE CONDITIONNEL.

Présent.

Je dirais.	*Je ferais.*	*Je verrais.*
Dze deriò	Dze fariò	Dze verriò
Te derei	Te farei	Te verrei
I dereit	I fareit	I verreit
No derion	No farion	No verrion
Vo deriò	Vo fariò	Vo verriò
I derian	I farian	I verrian

Passé.

J'aurais dit.	*J'aurais fait.*	*J'aurais vu.*
Dz'ariò deut	Dz'ariò fét	Dz'ariò vu
T'arei deut	T'arei fét	T'arei vu
L'areit deut	L'areit fét	L'areit vu
N'arion deut	N'arion fét	N'arion vu
V'ariò deut	V'ariò fét	V'ario vu
L'arian deut	L'arian fét	L'arian vu

Second passé.

J'eusse dit.	*J'eusse fait.*	*J'eusse vu.*
Dz'ucho deut	Dz'ucho fét	Dz'ucho vu
T'uche deut	T'uche fét	T'uche vu

L'uche deut	L'uche fét	L'uche vu
N'uchon deut	N'uchon fét	N'uchon vu
V'ucho deut	V'ucho fét	V'ucho vu
L'uchon deut	L'uchen fét	L'uchen vu

MODE IMPÉRATIF.

Présent.

Di, *Dis.*	Fé, *Fais.*	Vei, *vois.*
Die	Fache	Veye
Dien, *desen*	Feyen	Veyen
Dite, *dete*	Féde	Veide
Dien	Fachen	Veyen

MODE SUBJONCTIF.

Présent.

Que je dise.	*Que je fasse.*	*Que je voie.*
Que dze dio	Que dze facho	Que dze veyo
Que te die	Que te fache	Que te veye
Qu'i die	Qu'i fache	Qu'i veye
Que no dion	Que no fachon	Que no veyen
Que vo dio	Que vo facho	Que vo veyo
Qu'i dien	Qu'i fachen	Qu'i veyen

Imparfait.

Que je disse.	*Que je fisse.*	*Que je visse.*
Que dze diucho	Que dze feyucho	Que dze veyucho
Que te diuche	Que te feyuche	Que te veyuche
Qu'i diuche	Qu'i feyuche	Qu'i veyuche
Que no diuchon	Que no feyuchon	Que no veyuchon
Que vo diucho	Que vo feyucho	Que vo veyucho
Qu'i diuchen	Qu'i feyuchen	Qu'i veyuchen

Parfait.

Que j'aie dit.	*Que j'aie fait.*	*Que j'aie vu.*
Que dz'eyo deut	Que dz'eyo fét	Que dz'eyo vu
Que t'eye deut	Que t'eye fét	Que t'eyo vu
Que l'eye deut	Que l'eye fét	Que l'eye vu
Que n'eyen deut	Que n'eyen fét	Que n'eyon vu
Que v'eyo deut	Que v'eyo fét	Que v'eyo vu
Que l'eyen deut	Que l'eyen fét	Que l'eyen vu

Plus-que-parfait.

Que j'eusse dit.	*Que j'eusse fait.*	*Que j'eusse vu.*
Que dz'ucho deut	Que dz'ucho fét	Que dz'ucho vu
Que t'uche deut	Que t'uche fét	Que t'uche vu
Que l'uche deut	Que l'uche fét	Que l'uche vu
Que n'uchon deut	Que n'uchon fét	Que n'uchon vu
Que v'ucho deut	Que v'ucho fét	Que v'ucho vu
Que l'uchon deut	Que l'uchen fét	Que l'uchen vu

MODE INFINITIF.

Présent :	Dë-re, *dire.*	Fé-re, *faire.*	Vè-re, *voir.*
Imparfait :	Avei deut.	Avei fét.	Avei vu.
Part. prés :	Dien *ou* desen.	Feyen *ou* fesèn.	Veyen.
Part. passé :	Deut, deute.	Fét, féte.	Vu, vuya.

AINSI SE CONJUGUENT :

Sur dëre : contredëre, dedëre, redëre ; mais les trois verbes suivants font, *aux temps prim. :* medi-re, so, sen, medi ; interdi-re, so, sen, interdi ; predi-re, so, sen, predi *(tenant un peu plus du français).*

Sur fére : contrefére, defére, refére, satisfére.

Sur vère : Beire, rebeire, rire, sourire, intrevère, revère, et prevère, qui fait prevoy-o, en, prevu. Viv-re, o, en *ou* viquen, vecu ; reviv-re, surviv-re sont aussi de la 2me et font à l'imparfait *vequichò.*

SUJET DU VERBE.

Le *sujet* du verbe est la personne ou la chose qui est ou qui fait ce qu'exprime le verbe : *dze* prèdzo, le *foille* tsëson ; *je parle, les feuilles tombent.*

VERBE ACTIF.

Le verbe *actif* exprime une action transmise à un régime. La plodze refrëtse la *campagne ;* lo Bondzeu ame le *meinà* obéissen ; te baille de pan i *poure.*

VERBE PASSIF.

Le verbe *passif* exprime une action reçue par le sujet : Le *mechan* saran puni di Bondzeu.

La conjugaison des verbes passifs se fait sur le verbe être en y ajoutant le participe passé du verbe que l'on veut conjuguer : No sen invità ; l'an ëtà averti.

VERBE NEUTRE.

Le verbe *neutre* n'a pas de régime : il exprime ou l'état du sujet ou une action faite par le sujet. Ex. : Vo ride, *vous riez ;* dze plaouro, *je pleure.* Ils suivent le modèle de leur conjugaison. Quelques-uns prennent le verbe *être* dans les temps composés : *dze si parti.*

VERBE RÉFLÉCHI.

Le verbe *réfléchi* exprime une action du sujet sur lui-même : dze me lagno, dze m'astëgno, te te repentei ; *je me fatigue, je m'abstiens, tu te repens.*

VERBE IMPERSONNEL.

Le verbe *impersonnel* est celui qui ne s'emploie qu'à la 3me personne du singulier de chaque temps : I ploujet, neijet, et no s-at fallu parti ; *il pleuvait, il neigeait, et il nous a fallu partir.*

Du Participe

Le **participe** est un mot qui tient du verbe et de l'adjectif. Il y en a deux sortes : le participe présent et le participe passé.

Le **participe présent** exprime une action faite par le mot auquel il se rapporte ; il est invariable. « Dza le vatse son totte atot lo mouro in l'air, *borneyen, cornaten* cella que l'an aper ». Déjà les vaches sont toutes avec le museau en l'air, *faisant* gros yeux, *donnant* de la corne à leur voisine.

Le **participe passé** exprime une action faite ou reçue par le mot qu'il modifie.

Son *féminin* se forme en ajoutant au masculin : *ye* pour la 1re conjugaison, *a* pour la 2me et *ya* pour la 3me et la 4me, et son pluriel termine en *e.* Exemple :

Dze si amà,	ti amà-ye,	son amà-ye.
Travail feni,	conta feni-a,	bague feni-e.
Bienfé reçu,	lettra reçu-ya,	lettre perdu-ye.

Mais les verbes irréguliers et ceux du supplément forment leur féminin en ajoutant *a, sa, te, ya, e, te* aux finales du masculin : *i, ei, et, u, ut, ui.* Ex.

Masculin				Féminin	
	Des deux nombres.			*Singulier.*	*Pluriel.*
Participes terminés en :	I	font :	Reparti,	reparti-a,	reparti-e.
» »	EI	»	Apprei,	apprei-sa,	appreise.
» »	ET	»	Couet,	couet-te,	couet-te.
» »	U	»	Cognu,	cognu-ya,	cognu-ye.
» »	UT	»	Redeut,	redeut-e	redeut-e.
» »	UI	»	Condui,	condui-te	condui-te.

L'ADVERBE.

L'*adverbe* est un mot invariable que l'on ajoute au verbe, à l'adjectif ou à un autre adverbe, pour en modifier la signification : Te preye ***devouta-mente ;*** v'ëte de dzen ***bien*** devou ; no leuvren ***tsecca pe cou.*** En voici quelques-uns : Adon, ***alors ;*** prau, ***assez ;*** ettot, ***aussi ;*** defoura, ***dehors ;*** pocca, ***peu ;*** a leisi, ***à loisir,*** etc.

Les adverbes en ***ment*** se forment en ajoutant ***mente*** à l'adjectif féminin. Ex. : ***Anchen, ancheina, ancheina-mente ; nouvë, novella, novella-mente ; Agouet, agouetta, agouetta-mente.***

LA PRÉPOSITION.

La ***préposition*** est un mot invariable qui sert à marquer les rapports que les mots ont entre eux. Comme : A, avouë, ***avec ;*** din, ***dans ;*** defoura, ***dehors ;*** tanque, ***jusque ;*** dei, ***depuis ;*** in, ***en ;*** pe, ***pour ;*** sans, ***sensa,*** etc.

LA CONJONCTION.

La ***conjonction*** est un mot invariable qui sert à lier les propositions, ou les parties semblables d'une même proposition. Tel que car, et, ni, se, o bin, etc.

L'INTERJECTION.

L'***interjection*** exprime une émotion vive de l'âme, comme : Ah ! bah ! ça ! eh ! hà ! hé ! héla hò ! là ! oh ! etc.

La base est jetée, je m'arrête ici. Je serai amplement récompensé de mes peines si ce premier essai pouvait être utile aux amateurs du dialecte, et si quelque compatriote, amoureux de la langue de nos mères, profitait même de mes fautes pour faire une autre grammaire plus parfaite.

DICTIONNAIRE
DU
PATOIS VALDOTAIN

PRÉFACE

Depuis de longues annees je voyais mon Dictionnaire à l'état de manuscrit. Ce qui m'engage à le publier maintenant — malgré mes 80 ans — c'est le bon accueil que mes compatriotes ont fait, depuis 50 ans, à ma prose et à mes poésies, et, d'une manière toute particulière, ce sont les encouragements des linguistes tant de l'étranger que d'Italie ; c'est surtout mon amour pour le dialecte valdôtain qui tend à se perdre, à se corrompre surtout dans les centres et dans la ville où les diverses formes du langage s'altèrent les unes les autres en s'alliant à des éléments étrangers.

Je n'entends pas faire ici de la science ni un ouvrage de linguistique donnant les variantes de prononciation des diverses localités ; cela serait au-dessus de mes forces, contraire à mon but et inutile à tout valdôtain.

Je veux seulement exposer notre dialecte le plus général, *tel que je le connaîs, après l'avoir toujours parlé et étudié depuis plus de 50 ans : je veux en favoriser l'unification en le faisant pratiquer d'une manière plus uniforme par sa lecture ; car, à quoi servirait de traiter scientifiquement du dialecte si le vulgaire venait, peu à peu, à l'oublier faute de langage écrit ! Qu'on me permette de donner, à ce sujet, deux appréciations.*

M. Paul Mariéton, dans sa « Revue Félibréenne » (avril 1893) parlant des ouvrages en langue provençale, cite les poésies en dialecte valdôtain..... comme appartenant à la langue d'Oc et qui comme telles se lisent facilement.

Le félibre, M. le Prof. L. Zuccaro, dans la Daunia *(Foggia 1892), après avoir montré le réveil des dialectes surtout en Provence, par l'œuvre de Mistral, Aubanel et Roumanille, et en Espagne par Balaguer..... dit que ce réveil des muses populaires s'est fait aussi en Italie, surtout en Piémont et en Sicile..... Il exhorte ensuite à cultiver les dialectes.*

« Del resto, dit-il, la difficoltà dell'ortografia per riprodurre con certa esattezza i suoni, esiste per qualsiasi idioma.

« Anche la Valle d'Aosta ha la sua poesia, della quale puossi dire creatore l'Abate Cerlogne. Ma quante difficoltà ha egli pure dovuto superare per riuscire ad ottenere una ortografia logica e facile.

« Coraggio adunque, poeti popolari, mille allori restano ancora da mietere in questo vastissimo campo ».

Abbé Cerlogne.

ABRÉVIATIONS

adj. adjectif.
adv. adverbe.
bv. basse vallée.
dev. devinette.
f. féminin.
F. forme.
fig. figuré.
gr. grammaire.
iron. ironique.
l. adv. locution adverbiale.
m. masculin.
M. modèle.
p. page.
pl. pluriel.
pp. participe passé.
pré. préposition.
pro. pronom.
sin. singulier.
sd. se dit.
sf. substantif féminin.
sm. substantif masculin.
sup. supplément.
tm. terme de mépris.
v. verbe actif.
v. imp. verbe impersonnel.
v. pr. verbe pronominal.
v. n. verbe neutre.
V. voyez.

---

* en tête de ligne indique que le mot se prononce comme en français.

— équivaut à la parole en tête de ligne.

s'emploie pour faire la liaison et pour unir la terminaison féminine au masculin des adjectifs.

= s'emploie pour dire que le mot suivant est de même acception.

Le dictionnaire indique la page de chaque modèle des verbes irréguliers, comme aussi leurs formes qui se conjuguent sur le Modèle B ou C.

A

a, seconde personne du présent de l'indicatif du verbe *avei,* avoir. *T'a fan,* tu as faim.
a, prép. à, *Allé a Roma,* aller à Rome.
a se met pour *a lo, a la,* sing. et pour *i* au pluriel, et ne prend jamais d'accent.
aat, sm. Haut.
aat-a, adj. Haut, haute. *Aat d'épale,* haut de taille.
abada, adv. A l'abandon.
* **abandon,** sm. Action de délaisser.
abandonnà-ye, adj. Abandonné, abandonnée.
abandonné, v. Abandonner.
abasourdi, v. n. Abasourdir.
abatardi, (s') v. pr. S'abâtardir.
abattemen, sm. Abattement.
abattoèr, sm. Abattoir.
* **abattre,** v. Renverser, démolir.
abattu-ya, pp. Abattu, ue: ou *abattu, abatteuva,* selon l'usage d'Aoste, pour tous les mots terminés en *u.*
abeiché, (s') v. pr. S'abaisser, s'humilier.
abeissemen, sm. Action de s'abaisser.
abeiré, v. Abreuver, mener boire.
abètsé, v. Donner la becquée aux oiseaux.
abbé, sm. Abbé, supérieur d'une abbaye.
abbessa, sf. Supérieure d'un couvent.
abdicachon, sf. Abdication.
abdiqué, v. Abdiquer.
abiletà. sf. Habileté.
abilo-a, adj. Habile.
abimà-ye, pp. Qui est rompu, brisé, gâté.
abimo, sm. Abîme, gouffre.
abimé, v. Abimer.
* **ab intestat,** *(mouere)* Mourir sans faire de testament. *Le bague son pà allaye* —, les choses ne sont pas allées bien.
abì-abit, sm. Vêtement.
abitablo-a, adj. Habitable.
abitachon, sf. Habitation.
abité, v. Habiter.
abiten-ta, adj. Habitant, ante.
abitenta, sf. Cloche que l'on sonne à la sépulture des simples habitants.
abituyé, v. Habituer.
abituyel-la, adj. Habituel, elle.
abituyellamente, adv. Habituellement.
abjurachon, sf. Abjuration.
abjuré, v. Abjurer.
* **ablatif,** sm. *Ètre a l'ablatif,* être à fond de cale.
abitude, sf. = *coteuma.* Habitude.
ableuchon, sf. Ablution.
aboè, smp. Abois. *Ètre i dërë s-aboè,* être à la dernière misère.
abolechon, sf. Abolition.
aboli, v. Abolir.

abominablo-a, adj. Abominable.
abominachon, sf. Abomination.
abondamente, adv. Abondamment.
abondant-a, adj. Abondant.
* **abondance,** sf. Pour indiquer que la nourriture est en abondance l'on dit: *Lei n'at pe le frà et le capetsin.*
abonné, (s') v. pr. S'abonner.
abonnemen, sm. Abonnement.
aboque, adv. En humeur. Se dit d'une chèvre. Au fig. se dit d'une machine qui se détraque.
aboré, v. Presser dessus, appuyer fort.
abordablo-a, adj. Abordable.
abordé, v. Aborder, se présenter devant quelqu'un.
abotsé, v. Incliner. — *la coppa su le pot,* incliner la coupe sur les lèvres.
abotson, adv. Contraire de: A la renverse. *Tsëre* —, tomber la face contre terre.
aboù, adv. En humeur. Se dit d'une vache.
abouné, v. Prendre en bonnes manières, apaiser.
about, adv. *Veni*—, réussir, finir.
abouti, v. n. Aboutir. — *i gran tsemin.*
abregé, v. Abréger. — *sa via.*
abrevià, adv. En abrégé. *Betté in* —, mettre en abrégé.
* **abri,** sm. *Se betté a l'*—, se mettre à couvert du vent, de la pluie. V. *S'achouté.*
abro, sm. Arbre, plante. — *de la creu,* arbre de la Croix. — *de parentà,* arbre de parenté. — *fourtsu:* ce que font les petits garçons en mettant la tête et les mains en terre et les pieds en l'air.

abruti-a, adj. Abruti, ie.
abruti, (s') v. pr. S'abrutir. — *atot lo vin.* S'abrutir avec le vin.
abu, sm. Abus.
abusé, vn. Abuser. — **(s').** v. pr. S'abuser. V. *S'ingadoyé.*
abusif-va, adj. Abusif, ive.
abusivamente, adv. Abusivement.
academia, sf. Académie.
accablé, v. Accabler.
accaoudé, (s') v. pr. S'appuyer des coudes.
accapé, v. Attraper. — *l'aousë,* attraper l'oiseau. Rejoindre en chemin.
accaparé, v. Accaparer. Donner des arrhes.
accapita, (p') adv. Par hasard.
accapité, vn. Arriver. *Cen pout* —, cela peut arriver.
accen, sm. Accent. — *circonfleice,* accent circonflexe.
accessoéro, adj. Accessoire.
acciden, sm. Accident.
acclamachon, sf. Acclamation.
accetté v. Accepter. — *beire,* accepter à boire.
acchon, sf. Action. — *da fou,* action de fou.
acchonéro, sm. Celui qui prend des causes à son compte pour agir en justice.
acclimaté, (s') v. pr. Se faire au climat.
accoblé, v. Accoupler.
accocolé, v. Choyer, adodiner. *Un meinà trop accocolà, tsagrenne qui l'at alevà.*
accodzaté, (s') v. pr. Ramasser sur soi-même. *Lo tsat s'accodzate,* le chat se ramasse sur lui-même pour se reposer.
accomodé, v. Assaisonner. — *la polenta,* assaisonner la po-

lenta avec beurre et fromage.
— **(s')** v. pr., s'asseoir, prendre ses aises.

accompagnemen, sm. Ce qu'on mange avec le pain : le fromage surtout.

accompiten-ta, adj. Qui va bien ensemble.

accompli, v. Accomplir.

accompli-a, adj. Accompli, ie.

acconci, v. Rejoindre en chemin.

accor = *accour,* sm. Accord. *D'accor come lo tsin et lo tsat.*

accordé. v. Accorder. — *grâce,* faire grâce, pardonner. — *lo meinà que plaoure,* apaiser l'enfant qui pleure.

accoucilli, v. M. B. F. A. Chasser devant soi. — *le vatse.*

accoure, v. M. C. F. F. ou *Accouri,* M. B. F. B. Accourir. *Dze poui pà —,* je ne puis pas suffire à faire chaque chose en son temps.

acrapi-a, adj. Tenace, avare.

acrepegné (s') v. pr. S'accroupir, se courber sur les jarrets.

acrepegnon, adv. Assis sur les talons.

acroque, *resté—,* adv. Etre dans le lit tenant les jambes en forme de crochet.

***accusateur.** Celui qui accuse.

accusé, v. Accuser. — *le tseuvre,* prendre les chèvres en contravention. — *le petsà,* dire les péchés.

achaton, adv. Assis sur le bât à la manière des femmes.

acheil, sm. Acier. *Deur come l' —,* dur comme l'acier.

acheillé, v. aciérer.

acheté, v. Asseoir. — *bouya,* asseoir la lessive.

acheté (s') *se chaté,* v. pr. S'asseoir.

achouatrà-ye, adj. Qui est toujours assis, étendu, ne faisant rien.

achouedzé, v. Caresser, prendre en bonnes manières.

achouedzi, v. M. B. Rendre lisse.

achouté, v. Abriter, réparer de la pluie.

acoûte, prép. Auprès. *Resté —* rester auprès.

acquerì, v. Acquérir.

acqui, sm. Acquisition, la chose achetée.

acreyaou-sa, adj. Sâle, rebutant.

acreyé, v. Avoir grande répugnance.

acro=*squivia. Cen feit —,* cela répugne.

actif-va, adj. Actif, ive.

actività, sf. Activité.

actuyel-la = *acteuvel,* adj. Actuel, elle.

actuyellamente, adv. Actuellement.

adatté, v. Adapter, ajuster.

adè, adv. Pourtant, nonobstant. *Féde — lo travail epouë dze vo payo,* commencez par faire le travail et puis je vous paye. *L'est — mor,* il est pourtant mort.

adechon, sf. Addition.

adechonné, v. Additionner.

adedzeuné, v. *le feye.* Mener les brebis manger l'herbe du blé, le matin, quand le terrain est gelé.

adejon, sf. Adhésion.

adeubé, v. Monder. — *le tsou,* approprier les choux. — *lo courti,* monder le jardin.

adevené, v. Deviner. V. *Devené.*

adjeitif, sm. Adjectif.

* **admettre,** v. Reconnaître pour vrai.

administrachon sf. Administration.

* **administrateur,** sm. — *de la polenta,* de peu de valeur.

administré, v. Régir, gouverner. — *euna tsifla,* donner un soufflet. — Donner les derniers sacrements.

admirachon, sf. Admiration.

adogné = *viteyé,* v. Répugner. *Bei aprë mè se te m'adogne pà,* bois après moi, si tu n'as pas de la répugnance.

adon, adv. Alors. *I ten d'adon,* au temps d'alors.

adopchon, sf. Adoption.

adopté, = *adotté,* v. Adopter.

adorachon, sf. Adoration.

* **adorateur,** sm. Se dit par ironie d'un courtisan.

adouché = *adouci,* v. Rendre doux.

adrëchà-ye, adj. Qui a de l'adresse, de la dextérité au travail.

adrëché, v. Adresser.

adret = bv. *invisa.* Bien, comme il faut. *Remachen Dzeu, n'en fét de bla bien —,* grâces à Dieu, nous avons fait bonne récolte de blé; *Etre —,* être à son aise, en bonne santé.

adroet-ta, adj. Adroit, oite.

adultéro-a. adj. Adultère.

adulto-a, adj. Adulte.

adverbo, sm. Adverbe.

adverchon, sf. Adversité, disgrâce.

adverse, sfp. Disgrâces fréquentes.

adverséro, sm. Adversaire. Adj. Celui qui est contraire dans un procès, dans un parti.

adversità, sf. Adversité, chagrin, misère.

adzenoillé (s'), v. pr. S'agenouiller.

adzeu, l. adv. Adieu. Terme de bienveillance envers les inférieurs, et entre égaux.

adzeublé, v. Joindre. — *le mot,* unir les mots. *S' —,* s'unir en mariage. — *la fan avouë la sei;* se dit de deux époux qui n'ont rien lorsqu'ils se marient.

adzo, sm. Fois. *Un — leuvrà, te vin poue,* une fois fini, tu viendras; *Fére un — d'éve,* faire un voyage d'eau; âge: *Bague de noutro —,* choses de notre temps. *V. eyadzo.*

adzoqué (s'), v. pr. Se jucher.

adzoque, adv. Au juchoir. *Le polaille van —,* les poules vont au juchoir. Fig. *Etre —,* être au pouvoir. *Adzoque! Adzoque!* Retirez-vous.

adzorné, v. Ajourner.

adzeundre, v. Atteindre, rejoindre. — *i tabler,* atteindre à la planche du pain. — *in tsemin,* rejoindre en chemin.

adzure, v. M. C. F. M. Apporter.

affablo-a, adj. Affable.

affamà-ye, adj. Affamé, ée.

affané, v. *son pan.* Gagner son pain.

affeibli, v. Affaiblir.

affeiblissemen, adv. Affaiblissement.

affeichon, sf. Affection.

affeichonné, v. Affectionner.

affeitachon, sf. Affectation.

affeitsé, v. Tanner. — *la pé di tsat,* tanner la peau de chat.

affermi (s'), v. pr. S'apaiser, n'être plus aussi volage.

affermi-a, adj. Etre rassis (pour les choses). Etre tranquille (pour les personnes).

affeulé, v. Affiler, donner le fil à un tranchant.
affeulà-ye, adj. Affilé, ée. *Lenga —*, mauvaise langue.
affi, sm. Fil. *Baillé l'— i rajaou*, donner le fil au rasoir.
affiché, v. Mettre des affiches.
affiliachon, sf. Affiliation.
affiermachon, sf. Affirmation.
affiermé, v. Affirmer.
affiechon, sf. Affliction.
affiedzà-ye, adj. Affligé, ée.
affiedzé, v. Affliger, causer de la peine, du chagrin.
affluyance, sf. Affluence.
affluyé, v. Affluer. *Le dzor de feira tot affluye i cabaret.*
afon, adj. Profond. *Pensé —*, penser sérieusement.
affrantsi, v. Affranchir. *— euna lettra*, affranchir une lettre. Couper franc.
affrantsi-a, adj. Qui a été affranchi. —, coupé franc.
affreu-sa, adj. Affreux, se.
affromadzà, adj. Se dit d'un fromage parvenu à sa maturité.
affron, sm. Affront. *Fére —*, faire injure, manquer aux convenances.
affrontà-ye, adj. Effronté, ée.
affronté, v. Se présenter à une personne avec insolence.
affronteri, sfp. Manières de celui qui affronte.
agaché, v. Agacer. *— lo tsin*, provoquer le chien.
agarvi, v. Rendre moins compacte. *— la coutse*, remuer la paillasse.
agi, v. Agir. *— mal*, se comporter mal.
agità-ye, adj. Agité, ée.
agitachon, sf. Agitation, trouble.
agnë, sm. Agneau.
agneillon, sm. Petit agneau.
agnelé, v. *La feya l'at agnelà*, la brebis a mis bas.
agonia = *angonia*, sf. Agonie.
agonisen-ta, adj. Agonisant, ante.
agot, sm. bv. **tour.** Bête sans lait. *I baou n'en maque de-s —*, à l'étable nous n'avons que des bêtes sans lait.
agot-ta, adj. Tari, ie. *La vatse l'est agotta*, la vache est sans lait.
agoté, vn. Tarir, être mis à sec.
agouet-ta, adj. Gai, gaie; en bonne santé.
agouté, v. Goûter, sentir le goût.
agrandi, v. Rendre plus grand.
agrandi (s'), v. pr. S'agrandir, étendre ses propriétés.
agreyemen, sm. Agrément, ce qui orne, embellit. *Prendre d'—*, se procurer du passetemps.
agriqeulteura, sf. Agriculture.
ah! int. Ah! *— pouro-mè.* Malheureux que je suis! *—! te m'innouye.* Ah! tu m'ennuies.
ail = *aille*, sm. Ail. *couta d'—*, gousse d'ail. *D'ail et d'egnon no n'en, no n'en; quan no n'en pà, no n'en planten :* son des cloches, lorsqu'on carillonne.
âilla, s. Aigle. *Te farei pouëre a l'âilla :* se dit d'une personne déguenillée.
aisi = *eisi*, sm. Petit-lait aigri. Acide dont on fait le sérac. — V. *Eisi.*
air, sm. Air; *— de la montagne.* air de la montagne. *Avei l'—*, paraître vouloir quelque chose.
ajan, sm. Agent, employé de police, du fisc.
âla, sf. Aile. *Battre di s-âle,*

aller en déconfiture. *Fallei todzor leï tappé su le s-âle,* falloir toujours lui aider.
alatto, adv. Exprès, à dessein. Ne se dit que pour ce qui est mal.
alavegnen, adv. *(tsemin).* Chemin qui monte insensiblement.
alavia, adj. Eveillé. *Meinà* — enfant éveillé. *Etre —,* avoir bu un petit coup.
alegné, v. Aligner, mettre en ligne.
alentor, adv. Alentour.
allebarda, sf. Hallebarde, espèce de lance que les jeunes gens emploient lorsqu'ils font la *badoche.*
alleman, s. m. Bêtes qui s'apprivoisent chez les malpropres.
alerta ! Int. Alerte ! *Resté —,* se tenir sur ses gardes.
alerto-a, adj. Alerte.
alevé, v. Elever. — *un meinà,* nourrir un enfant.
aliette, sfp. Aises, commodités. *N'attenden pà leur —,* nous n'attendons pas qu'ils aient pris leurs commodités.
allé, v. M. A. Aller. — *pe le brële,* se dit d'un enfant qui commence à aller de lui-même en se tenant aux banquettes.
allegro-a, adj. Gai, joyeux, en bonne santé.
alleumé, v. Allumer. V. *Avié.*
alleuné, v. Eclairer, faire lumière. *Alleuna-mè atot lo crouejeu.*
allondzi, v. M. B. F. A. Allonger. — *lo tsemin;* — *lo lacé atot d'éve.*
allouyé, v. Arranger ce qui a été gâté. — Remettre à sa place un meuble disloqué.
alta, sf. Halte. *Fére —,* s'arrêter un peu.
alte-là, sm. *(betté lo).* S'opposer, défendre.
âma, sf. Ame. *Se betté cor et âma,* s'y mettre tout de bon. Etablissant une comparaison entre l'homme et la bête, on dit : *Sarvo l'âma et lo bateimo le bëtse son come nò, l'an pouëre de la mor.*
amatsà-ye, Entassé, ée.
amatse, adv. En tas. *L'y at de resin tot —,* il y a des raisins en grande quantité.
amatsé, v. *lo bouque...* Entasser le bois...
* **ambassadeur,** sm. Par ironie, celui qui rapporte ce qu'il a vu ou entendu.
ambechon, sf. Ambition.
ambegu-ya, adj. Ambigu-uë.
ambereuil, sm. Ombilic. *Conflé l'—,* manger beaucoup. *Se gratté l'—,* rester à ne rien faire.
ambrecalle=*loufie,* sfp. Myrtilles.
amechaou-sa, adj. Animal docile qui prend facilement amitié.
* **ameçon,** sm. *ëtre prei a l'—.* Etre trompé.
amégri-a, adj. Amaigri-ie.
amégri, v. Amaigrir, rendre maigre.
ameilleric, v. Améliorer. — *lo tsan,* améliorer le champ.
amejeuse. Ainsi-soit-il *(amen).*
ameusen-ta, adj. Amusant, ante.
ami-a, s. Ami, ie. *Ami tanque a la borsa.*
amicàla, adv. *Allé a l'—,* aller amicalement.
amodo, adv. *Le bague van —,* les choses vont bien.
amoillé, v. *Le vatse commençon d'—.* Se dit des vaches lors-

qu'elles commencent à mettre du teton avant de mettre bas.

amolon, sm. Bouteille. *Fére vère lo dzàblo din l'—*, la faire payer cher.

amolonet, sm. Petite bouteille.

amon=*sù,* adv. En haut, contraire de *avà, bà,* en bas.

amoratsé (s'), v. pr. S'amouracher.

amoraou-sa, adj. Amoureux, euse.

amouellà-ye, adj. Ce qui a été chiffonné, froissé, réduit en tas.

amouellé, v. Réunir en tas ce qui est éparpillé ; *— lo fen.*

amouerià-ye, adj. Se dit d'un mets trop salé.

ampereur, sm. Empereur.

amplamente, adv. Amplement.

ampleur, sf. ampleur. *— de la teila,* largeur de la toile.

amplefié, v. Amplifier.

amplo-a, adj. Ample. *Mantë —*, manteau ample.

ampolla, sf. Pustule.

ampouie, sf. = *ampon,* sm. Framboise.

an, sm. Année. *Premië dzor d'an : Tsecca d'ëtreina-d'an, dze vo s-i pà vu pe cit an. — Le s-an se chouvon, më se semblon pà.* — Dev. *Un abro l'at doze brantse, tsaque brantse l'at quatro ni, tsaque ni l'at sat bëtson ; tseut le dzor n'en vat vià un et n'en torne un âtro.*

an, adj. Se dit quelquefois pour *euna,* une.

âna, sf. Aune. *Meseuré le s-âtre a son —*, mesurer les autres à sa mesure.

analisé, v. Analyser, faire l'analyse.

* **anarchie,** sf. anarchie.

* **ancêtre,** sm. Ancêtre.

anchaou-sa, adj. Timide, craintif.

anchen-ancheina, adj. Ancien, ancienne.

ancheinamente, adv. anciennement.

ancré vn. *i mëtzë.* Entrer, se faire au métier, y mordre.

anden=*andin,* sm. Andain. La fourmi dit à la sauterelle : *Qu'a-teu fé de tsaaten ? — Dzi sautà su l'anden.*

andrë, (saint). La saint André.

andret, sm. Endroit. *Dzen de l'—*, gens du pays.

andze, sm. Ange. Fig. Petit enfant qu'on ensevelit.

aneanti, v. Anéantir.

aneichon, sf. Annexion.

aneuflé, v. Sentir l'odeur d'une chose, flairer.

* **angelus,** sm. Angelus. *Sounon l'—*, on sonne l'angelus.

anglè-sà, Anglais, aise.

anguilla, sf. Anguille.

animà-ye, adj. Animé, ée ; *— contre nò,* en colère contre nous.

animo, sm. Courage, force. *Sensa —*, sans force ; *fére —*, faire courage. *Euna petsouda gotta de vin baille d'—.*

annada, sf. *Bouna —*. Année fertile.

annë, sm. Anneau. *Annë de l'Evêque.* Ailleurs, *verdzetta.*

annonché, v. Annoncer.

annonciachon, sf. *Fëta de l'—*. Fête de l'Annonciation.

annuellamente, adv. annuellement.

annéullé, v. Annuller.

âno, sm. Ane. Quand on fait une bétise on dit de soi : *âno que dze si.*

anonimo-a, adj. Anonyme.
* **anse,** sf. Poignée. — *de la tsaudëre,* poignée de la chaudière.
ansin, sm. Absinthe. *V. Benefor.*
antecaille, sfp. Choses vieilles. tm.
antecipé, v. Anticiper. *S'antecipé de prendre,* prendre sans permission.
antequità, sf. Antiquité.
anticrotse, sfp. Se dit de plusieurs choses de peu de valeur, mises ensemble.
antse, sf. Hanche. *Qui lëve l'— per sa bantse,* celui qui se lève d'assis perd sa place.
antséne, sf. Antienne.
antsuye, sf. Anchois. *Peulà come d'—,* serrés comme des anchois.
aoûla, sf. Marmite en gueuse.
aoûletta, sf. Petite marmite.
aoullià *de fi,* sf. Aiguillée de fil.
aoullie, sf. Aiguille. Dev. *Euna bagga que tsaque pà que feit quette se bouë.*
aoura, sf. Heure. *Levé d'— lo matin, quan lo soleil l'est pe tseut le tsemin :* lever tard.
aoure, sfp. Heures, livre de prière.
aousë, sm. Oiseau. — *de dzàva,* oiseau de cage.
aousë, sm. = *conca,* sf. Auge, instrument pour porter les cailloux ou le mortier.
aousé, v. = bv. *intsalé,* vn. Oser.
aouselet, = *aouseillon,* sm. Petit oiseau.
aoutava, sf. Octave. — *de la fëta,* octave de la fête.
aouter, sm. Autel. *Lo gran —,* le maître-autel.
aouton, sm. Automne.
aoutonné, v. sd. lorsque les feuilles jaunissent.
aoutre, adv. Outre. *Terriè —,* continuer.
apalé, v. Appeler. — *le dzelenne.* Appeler les poules. *Pi ! pi ! pina ! pina ! prette, pequé !*
aparque, prép. Sauf que *V. Sarvo.*
apareillé, vn. Préparer les rations. — *i vatse,* préparer les rations aux vaches. *V. Bletsonné.*
apeil, sm. Attache. — *i travail,* attache au travail.
apeillà-ye, adj. Attaché, ée.
apeillé, v. Attacher. — *l'âno yaou que vout lo métre,* faire comme veut le maître. — *la France,* prendre le chemin de la France.
aperceivre, v. Apercevoir.
apeis = *apeisse,* sf. Résine des sapins.
apesanté, v. Soupeser.
apesanti, v. Appesantir.
apeutrà-ye, adj. Obstrué-ée.
apeutré, v. Obstruer. Se dit d'un tube où passe un liquide. *S'—,* s'étrangler.
apeutreis, adv. Se dit des fruits âpres qui restent au gosier.
apié, v. *leiché —,* laisser aller l'eau de l' étanche jusqu'au fond. Au fig. — *la tseriéte,* boire un bon coup.
apio, sm. Celeri sauvage, ache.
aplan, adv. Au niveau. *Allé —,* ne monter ni descendre. Au fig. *Teni d'—,* avoir d'égard pour, choyer.
aplani v. Aplanir. — *lo creutset,* aplanir le monticule. Au fig. — *la tsardze.* Donner raison et tort, un peu à l'un, un peu à l'autre.
aplanté, v. Arrêter.

aplati, v. Aplatir, rendre plat. *S'—*, v. pr. Se mettre le ventre contre terre.
aplet, sm. Complaisance à l'excès.
aplon, sm. Aplomb. *Meur d'—*, mur d'aplomb. Au fig. *Prendre d'—*, faire le fier, en imposer.
apocalisse, sf. Apocalypse.
apondre, v. Joindre. — *le dò tsavon*, joindre les deux bouts. — *a la conta*, ajouter au récit.
apondzure = *pondzure*, sfp. Bandes que les femmes ajoutent au fond de leur robe.
apopleissie, sf. Apoplexie.
* **apostasie.** Action de quitter la religion catholique.
apostasié, v. Apostasier.
* **apostat,** sm. Celui qui apostasie.
aposté, v. Aposter. — *quats'un.* Aposter quelqu'un.
* **apostolat,** sm. — *de la preyëre*, apostolat de la prière.
apostolecco-a, adj. Apostolique.
apostrofe, sf. Apostrophe.
apostrofé, v. Apostrofer.
apotéqéro, sm. Apothicaire.
* **apôtre,** sm. *Fére l'—*, faire le partisan d'une cause à soi étrangère.
apouegnentsé, v. Rendre pointu.
apouprë, adv. A peu près.
apparamente, adv. A ce qu'il paraît.
apparance, sf. Apparence.
apparechon, sf. Apparition.
apparteni, vn. M. B. F. D. Appartenir.
* **appel,** sm. Sous les armes, en tribunal.
appelan, sm. Celui qui demande en justice.
appeti, sm. Appétit. *Euna bagga que quan in l'at pà in la desire, et quan in l'at, in la mande vià.*
applecachon, sf. Application. — *d'un solorgno*, application d'un emplâtre.
applequé, v. Appliquer.
appoui, sm. Appui, secours, soutien.
appouvri, v. Appauvrir.
appouyé, v. Appuyer. *S'— su le caoudo*, s'appuyer sur les coudes.
apprari, v. Convertir un champ en pré.
appreciachon, sf. Appréciation.
aprecié, v. Apprécier, estimer.
appreenchon, sf. Appréhension.
appreendé, v. Appréhender.
apprendre, v. M. C. Apprendre.
apprenteus = *apprentis*, sm. Apprenti.
apprentissadzo, sm. Apprentissage.
appresté. Préparer.
apprestemen, smp. Nourriture préparée. *Fére d'—*.
approbachon, sf. Approbation.
approfondi, v. Approfondir. — *lo croù*, faire le creux plus profond. Fig. Penser sérieusement.
approprié, v. Rendre propre. *S'— lo bien di s-âtre*, prendre le bien d'autrui.
approtsé, v. Approcher.
approtsen, prép. Environ, à-peu-près.
approuvé, v. Approuver.
apprové, v. Essayer.
approvejà-ye, adj. Apprivoisé, ée.

approvejonné, v. Approvisionner.
apré v. *la fâ.* Ouvrir la faux vers la terre.
aprë, prép. Après. — *la feira lo retor,* après un temps un autre.
aprëssé, v. *la vatse,* bv. *ameillé.* Opération que l'on fait subir à la vache avant de la traire, en pressant le pis dans la main.
apretà, sf. Apreté.
apro-a, adj. Apre, rude au goût. *La pouyà l'est —,* la montée est raide.
apto-a, adj. Apte, capable.
* **aptitude,** sf. Disposition, faculté.
aqeuil, sm. Accueil. *Fére bon —,* faire bon accueil.
aqeur, adv. A court. — *de fen,* à court de foin.
ara, adv. Maintenant, à présent.
ara, ara! Quand on prévoit quelque chose de facheux, on dit: *ara ara te tsë,* maintenant tu vas tomber.
arabe, sm. Homme avare, dur.
arabeque, sm. Alambic.
arabi-a, adj. Personne devenue avare, tenace.
aragnà, sf. Grillage en fil de fer.
aràgne, sf. Araignée. *Pouer come euna —,* sale comme une araignée.
arapé, v. Prendre, saisir, gripper.
aran, sf. Cuivre. *Eise d'—,* ustensile en cuivre. Adv. Tout près, contre, au niveau.
arandolla, sf. = *arondalla,* Hirondelle.
arandon, adv. Au niveau de; — *di bor,* jusqu'au bord. — *di precepicho,* au bord du précipice.
arapen-ta, adj. Se dit d'un fruit qui rape le gosier.
arba, sf. Aube du jour.
arbé, sm. Tremble. *Trevollé come euna foille d'arbé.*
arbeillé, v. Habiller. *Se v'arbeillàde un tron, semble un baron.*
arbeillemen, sm. Habillement.
arbeyé, v. imp. Venir l'aube. *Comence d'—,* l'aube commence à paraître.
arbion, sm. bv. Pétrin. V. *Mat.*
arbitradzo, sm. Arbitrage.
arboré, v. *lo drapò.* Arborer le drapeau.
arcàda, sf. Arcade.
arcamisa, sf. Armoise. V. *Artamisa.*
arcana, sf. Craie rouge dont on marque les brebis.
arcancheil, sm. Arc-en-ciel.
arcané, v. Marquer avec la craie.
arcange, sm. Archange.
archediacre, sm. Archidiacre.
archeprètre, sm. Archiprêtre.
archevèque, sm. Archevêque.
architeite, sm. Architecte.
arcin, sm. Ce qui reste attaché, brulé au fond de la marmite. V. *Arsin.*
arçon, sm. Arceau, arc d'une voûte.
arçon *di bâ,* sm. Partie cintrée du bat.
ardé, v. t. de jargon. Allumer. V. *Avié.*
ardi-a, adj. Hardi, e, courageux, euse. *Tsecca trop —,* un peu trop audacieux.
ardi! Cri que l'on fait aux mulets.

ardoése = *labie,* sfp. Ardoises.
ardzen, sm. Argent, monnaie.
ardzenté, v. Argenter.
ardzenteri, sf. Argenterie.
arei, adv. Tout, entièrement. *Pequé tot —,* dissiper entièrement tout. *Ci travail vat —,* ce travail va au long.
areina, sf. Haleine. *Avei croè —,* avoir mauvaise haleine.
arëta, sf. *di blà.* Arête du blé.
arevere, adv. Au revoir. Qu'en sera-t-il. *Se t'a fret de tsaaten — d'iver,* si tu as froid en été, qu'en sera-t-il en hiver.
argoillaou-sa, adj. Qui aime à s'amuser, à folâtrer.
argoillé, v. S'amuser par des ébats.
argoueil, sm. Folâtrerie. *T'a maque l'— pe la tëta,* tu n'as que le passe-temps par la tête.
argue, adv. *(dëre).* Dire quelque chose, reprocher.
ariditä, sf. Aridité.
arido-a, adj. Aride.
* **aristocrate.** Celui qui est dur, égoiste, dédaigneux.
aritmetecca, sf. Arithmétique.
* **arlequin,** sm. Bouffon.
arlequinadzo, sm. Manières d'arlequin.
arma, sf. Arme. *— a fouà,* arme à feu. *— blantse,* arme blanche.
armàda, sf. Armée.
armagné = *armagnàye.* sfp. Abricots.
armaille, sfp. Bétail. *Trei tsavon d'—,* trois têtes de bétail, race bovine.
armaillë = *vatseran,* sm. Celui qui soigne les vaches en montagne.
armanaque, sm. Almanach. *— nouvë, mensondze viëille.*
armanaqué, v. Penser, réfléchir.
armé, v. Armer.
armeura, sf. Armure.
armonia, sf. Harmonie. *Vivre in —,* vivre en bon accord.
armonaou-sa, adj. Qui fait des aumônes.
armoére, sf. Armoire.
armouna, sf. Aumône.
armurië, sm. Armurier.
aromate, sfp. *(erbe).* Herbes aromatiques.
arome, sm. Arôme. *Lo vin prend l'—,* le vin prend l'arôme.
arpa, sf. Action de mener les vaches en montagne. *Dzor de l'—,* jour de l'alpéage.
arpian, sm. Celui qui soigne les vaches dans la montagne.
arque, sm. Manière de faire, adresse. *— de trionfe,* arc de triomphe.
arra = *gadzo,* sm. Arrhes qu'on donne lors des fiançailles.
arrendzé, v. Arranger, raccommoder.
arrendzemen, sm. Arrangement. *Vâ pi un gràmo — qu'euna bouna sentense.*
arrestachon, sf. Arrestation.
arrëtail, sm. Ce qui arrête, frein. *Cetta lenga l'at pà d'—,* cette langue n'a pas de frein.
arrëté, v. Arrêter. *— de ploure,* cesser de pleuvoir.
arreuvada, sf. Arrivée.
arrié, v. Traire. *— le vatse,* traire les vaches.
arrien, adj. Qui vient d'être trait. *Lacé —,* lait qu'on vient de traire.
arrogan-ta, adj. Arrogant.
* **arrogance,** sf. *Predzé avouë —,* parler arrogamment.
arrojaou, sm. Arrosoir.
arrosadzo, sm. Arrosage.

arrosé, v. Arroser. *Arrousa ton dzardin l'aveprà, quan feit fret; quan feit tsaat, lo matin.*

arsé, vn. Brûler. Se dit d'un aliment qui reste brûlé. — *i soleil,* brûler au soleil.

arseneque, sm. Arsenic.

arsin, sm. *de la polenta.* V. *Arcin.*

artamisa, sf. Armoise.

arteficho, sm. Artifice, mécanisme, v. g. d'un moulin. *Fouà d'*—, feu d'artifice. — pl. Détours, ruses pour tromper.

artei, sm. Doigt des pieds.

arteilleri, sf. Artillerie.

articllio, sm. Article.

articulachon, sf. Articulation.

artimbàle, sfp. Réunion de choses de peu de valeur.

artisan, sm. Gens de métier.

artsà, sm. *(fi d')* Fil de fer (fil d'archal).

artse, sf. Arche. — *di blà,* arche du blé. *Intre l'artse et la teuna, fan pi gueillarda Cateleuna ;* le pain et le vin rendent Catherine plus gaillarde.

artset, sm. *di violon,* archet du violon.

artsetta, sf. Petite arche.

artson-et, sm. Coffre, petit coffre.

asar, sm. Hasard. *Aoutre a l'*—, en avant au hasard.

asardaou-sa, adj. Hasardeux, euse.

asardé, v. Hasarder. — *sa via,* mettre sa vie en péril.

ascenchon, sf. Ascension.

aschëta, sf. Assiette.

aschëtà, sf. Contenu d'une assiette.

ascondi, v. Cacher. *Lo soleil l'est* —, le soleil s'est caché.

asilo, sm. Asile, abri, refuge.

* **aspergès,** sm. Goupillon ; aspersion de l'eau bénite.

aspeque, sm. Plante odoriférante des montagnes (nard celtique).

* **asperge,** sf. Espèce de légume.

aspiré, v. Aspirer. *L'aspire a veni sentecco,* il aspire à devenir syndic.

assa ! assa-don ! int. Allons donc ! se dit pour réprimer, imposer silence.

assadé, v. Savourer, gouter. Fig. *La lei fére* —, la lui faire payer chère.

assailli, v. Assaillir.

assani, v. Guérir, rendre sain.

assarami, adj. *(pan)* Pain dur à manger.

assassené, v. Assassiner.

* **assassin,** sm. *Fan d'*—, faim enragée.

assavei, loc. adv. A savoir. *Fére* —, faire savoir, informer par message.

asseisonné, v. Assaisonner. V. *Condi.* —. Faire qu'une vache donne le veau à la saison que l'on veut.

assedu-ya, adj. Assidu, ue.

assemblà, sf. Assemblée.

assembladzo, sm. Assemblage.

assemblé, v. Assembler. — *le fèye,* réunir les brebis. *S'*—, se réunir, s'unir. On dit de certains mariages : *Qui se semble, s'assemble.*

assesseur, sm. Adjoint du syndic.

asseu = *imbë,* adv. Aussi, ainsi, pour cela. V. *Imbë.*

asseurance, sf. Assurance. — *contre lo foà,* assurance contre l'incendie.

assiegé, v. Assiéger. — *lo for,* assiéger la forteresse

assignà, sm. Papier monnaie du premier temps de la liberté.

assigné = *cité,* v. Assigner.

assise, sf. *(cour d'—)* Cour d'assise.

* **assistance,** sf. Présence, aide, secours.

assisté, v. Assister, aider, secourir.

assisten-ta, adj. Assistant, ante.

associà, sm. Associé ; uni illégitimement.

assoupi, v. Assoupir. — *lo mà,* calmer la douleur. *Resté —,* être pris par le sommeil.

astegnen-ta, adj. Sobre, retenu, ue. — *a prèdzé,* sobre à parler.

astegué, v. Agacer. *Vin pà m'— atot te mouye,* ne viens pas m'agacer avec tes grimaces.

astegueis, adj. Agaçant de caractère, nargueur.

asteguen-ta, adj. Agaçant, ante.

asteni, (s') M. B. F. D. v. pr. S'abstenir.

astrendre, v. Obliger. M. C. F. E. — *a payé,* obliger à payer.

astrologgo, sm. Prétendu devineur.

astrologué, v. pr. *(se fére).* Se faire dire la bonne fortune.

ataeuché, v. Agacer par d'imprudents jeux de main.

atantsé, v. Arrêter. — *lo relodzo,* arrêter l'horloge. *S'—,* s'arrêter.

atâté, v. Toucher, palper. — *in secotse,* toucher en poche. — *se l'est bon,* goûter s'il est bon. V. *Tâté.*

atâton, adv. A tâtons. *Allé —,* aller les yeux fermés, sans lumière, sans réflexion.

ategnen, adj. Apre. *Bouque —,* bois difficile à travailler.

ateillë, sm. Atelier. — *di favro,* forge.

atemporé, v. Calmer, apaiser.

atoffé, v. Etouffer. — *de tsaat,* étouffer de chaleur.

ator, prép. Autour. — *di mëtso,* autour de la maison.

atot, prép. Avec.

atro-a, adj. Autre. *L'un pe l'—,* l'un pour l'autre.

atroce, adj. Atroce. *Son de baggue —,* ce sont des choses atroces.

atrocità, sf. Atrocité.

atset, sm. Achat. *Fére de s-—,* faire des achats.

atseté, v. Acheter. — *atot le jeu,* acheter à crédit.

attablé, (s') v. pr. Se mettre à table.

attaqué, v. Attaquer, provoquer.

attatsé, v. Attacher. *S'—,* v. pr. S'attacher, prendre goût.

attatsemen, sm. Affection, amour.

attendre, v. Attendre. *Atten ! atten a mè !* Tu as affaire à moi !

attendri, v. Attendrir. Rendre, devenir tendre.

attotsé, vn. Toucher à ; être le tour de.

auberdze, sf. Auberge, cabaret.

* **aubergiste,** sm. V. *Cabaretsë.*

audacieu-sa, adj. Audacieux, euse.

aumentachon, sf. Augmentation.

aumenté, v. Augmenter.

aumognë, sm. Aumônier.

autan, adv. Autant. — *que cen,* autant que cela.

auten, adv. Hautainement. *Predzé* —, parler hautain.

autorisachon, sf. Autorisation.

autorisé, v. Donner autorité. *S'— de prendre,* prendre sans permission.

autrichen, sm. Autrichien.

* **autrui,** sm. On dit: *Prendre lo bien d'—* ou *di s-atre.*

autsaou, sf. Hauteur.

avà, sm. bv. En bas. *Allé* —, aller en bas.

avalé, v. Avaler.

avance, sf. Gain, épargne. *Seupa d'—,* de la soupe plus qu'il n'en faut.

avanché, v. Avancer. — *de pan,* avoir du pain de reste. — *i travail,* faire beaucoup de travail, être leste.

avandèrë, adj. Avant-dernier. — *berdzë,* sm. Avant-dernier berger.

avantet, sm. Avant-toit.

avantadzé, v. Avantager, devancer le terme. *La vatse l'at avantadzà de vouet dzor.* La vache a donné le veau huit jours avant le terme.

avàre, sm. Avare.

avarechaou-sa, adj. Avaricieux, euse.

avarechondze, sfp. Lésineries.

* **avarice,** sf. *Crapa l'—,* crève l'avarice.

avë, sm. Ave Maria. *Dëre trei* —, dire trois *Ave Maria.*

avei, v. Avoir. — *Avei la couëfe de traver,* se dit des femmes quand elles sont de mauvaise humeur. —, smp. Avoirs. *Vendre se* —, vendre ses avoirs.

aveille, sf. Abeille.

aveina, sf. Avoine. *Gagné l'—,* se dit d'un mulet qui tourne sur le dos de droite à gauche et vice versa, les quatre pieds en l'air.

aveitsé, v. Regarder. On dit d'un louche: *l'aveitse lo pan et veit lo fromadzo.* — *de fére amodo,* tacher de faire bien.

aveitse, *(pà d')* adv. Dans cette locution. *Lo meinà travaille ren! l'est pà d'aveitse, l'est se petsou:* l'enfant ne travaille pas: rien d'étonnant, on ne peut l'exiger, il est si petit.

aven, sm. Avent. *Ten de l'—,* temps de l'Avent.

avendzé, v. Atteindre. — *lo borset,* tirer dehors la bourse. — *i tabler,* atteindre à la planche du pain.

aveni, sm. Avenir. *Pensé à l'—,* penser à l'avenir.

avëprà, sf. L'après-dîner.

avergognà-ye, adj. Qui est, qui mérite d'être couvert de honte; effronté.

avergogné, v. Donner honte, confusion. Pour inspirer de la confusion aux enfants on dit: *Gni-gnòo, le bouëgno de l'âno,* en formant, avec le mouchoir ou le bout du tablier, des oreilles d'âne.

* **averse,** sf. Pluie subite et abondante. l. adv. A verse. *Plout* —, il pleut par torrents.

aversèro-e, sm. Adversaire.

aversità, sf. Adversité, chagrins, revers.

* **aveu,** sm. *Fére l'—,* avouer, faire aveu.

avidità, sf. Avidité.

avido-a, adj. Avide. V. *Gordzu.*

avié, v. Allumer. — *la tsandeila,* allumer la chandelle; — *lo fouà,* faire du feu; *fére de fouà,* ou mieux: *rëvié lo*

fouà, rallumer la braise couverte de cendre.
avili, v. pr. **(s')** S'avilir.
avilissemen, sm. Avilissement.
avinà-ye, adj. Se dit d'un tonneau d'une outre imbibé de vin. Au fig., d'une personne ivre.
avi = *avis,* sm. Avis. — *de la taille,* billet des impôts.
avisé, v. Aviser, donner avis, faire attention, penser, faire en sorte.
avolonté, v. Avoir à goût, à plaisir. *Avolontàde-vò tsecca de caillà ?* Vous fait-il plaisir d'un peu de caillé.
avorté, v. =*frasi,* bv. Avorter.
avortin, sm. Petit d'une bête avortée.
avouë, prép. Avec. — *papa,* avec le père. — *dedzou dze si preste,* pour jeudi je suis prêt.
avoüé, v. Avouer. — *sa fâta,* avouer sa faute.
avouillé, v. Aveugler. — *atot de sou,* aveugler avec de l'argent ; se dit des choses grasses : *la crâma avouille vito,* la crême ôte vite l'envie de manger, dégoute vite.
avouillo-e, adj. Aveugle. *I pay di s-avouillo, le borgno son rei.*
avouillon, sm. *(vë).* Veau né d'une génisse qui n'a pas encore deux ans.
avoutro, sm. bv. Rejeton qui pousse au bas du cep.
avri, sm. Avril. *I mei d'avri lo coucou dei veni o mor o vi. Di trenta dzor d'avri, plouyuche bin trent'un, fareit de dan a gneun.*
I mei d'avri, fat cllierié se cruvi.
* **azur,** sm. Couleur du ciel.
azuré, v. Azurer.
azurà-ye, adj. Azuré, ée. *Betté la fàda azuraye,* mettre le voile azuré.

B

bà! int. C'est ça! C'est ce qu'il fallait.

bà, adv. Bas, en bas. *Allé* —, aller en bas. *Betté* —, mettre bas.

bâ, sm. Bât. — *di meulet,* bât du mulet. V. *Bât.* Dev. *Euna bagga que vei bò betté sù, l'est todzor bâ.*

baas-sa, adj. Bas, basse.

baaillé, v. n. Bailler. *Se te — parë, te fé intseri lo blà.* Si tu bailles ainsi, tu fais enchérir le blé.

baban, sm. Fantôme, nom dont on se sert pour faire peur aux enfants.

babel, sf. Babel. *L'est euna tor de* —, c'est une confusion.

babeillard-da, adj. Babillard, arde.

babeille, sf. Babil.

babeillé, v. n. Babiller.

baborgne, sfp. Coups. *Boqué* —, recevoir des coups.

baborgné, v. Battre, donner des coups.

babotse, sm. Fou, nigaud.

babotsin-ina, adj. diminutif de *babotse.*

bacan-na, adj. Simple, imbécile.

bacannada, sf. Folie, sottise.

bacanné, v. Perdre le temps à ne rien faire.

bacannet-ta, adj. Un peu simple, sans malice.

bacus, sm. Bacchus.

bada, sf. Etat d'une chose délaissée. *Cossa de* —, adv. Voyage inutile.

badenàdzo, sm. Badinage.

badené, v. Badiner, plaisanter.

badin-a, adj. Plaisant, enjoué.

badoche, sf. *(Fére la)* Faire des offrandes à l'église le jour de la fête patronale.

badoché, sm. Celui qui dirige la *badoche.*

badzà, sf. Ce qu'on porte d'eau en une fois avec le *bàdzo.*

badzan-na, adj. Badaud, aude.

bàdzo, sm. Instrument pour porter deux seaux d'eau sur l'épaule, un devant et l'autre derrière.

bafoué, v. Bafouer.

bafré, v. Manger. — *lo pi bon,* manger le meilleur.

bagadzo, sm. Bagage. *Pleiyé* —, s'en aller.

bagatella, sf. Bagatelle, tant soit peu.

bagga, sf. Chose. — *de pocca,* chose de rien ; au pluriel : *baggue de ren,* mauvaises choses. *Fére de* — (enfantin) s'amuser. *Fére le* —, redresser la maison. — *di fëte,* vêtements des fêtes.

bagnà *à l'ouillo,* se dit d'un simple, niais, mouillé à l'huile.

bagne, sf. Difficulté. Fig. *Betté din la* —, enfoncer dans le bourbier.

bagnet, sm. Sauce verte qu'on prend avec le bouilli.

* **bah!** Interj. Marque le doute.
baillé, v. Donner. — *sèque,* frapper dur. — *de fi a tordre,* causer d'embarras. — *indèrë,* se dédire, aller plus mal. — *dèrë i travail,* faire avancer le travail. Lorsqu'entre enfants l'on veut reprendre une chose donnée, l'intéressé à la garder dit: *A qui baille et que toute, saint Martin lei ron le coute.*
bâla, sf. Balle. — *de fusi,* balle de fusil; bâlle de marchandise.
balan, sm. Equilibre. *Etre su lo* —, ne pencher ni d'un côté ni de l'autre.
* **balance,** sf. Au fig. *Peisé le s-âtre a sa* —, juger mal des autres par soi-même.
balanchë, sm. Balancier.
balanché, v. Balancer.
balandra, sf. Grande fille bonne à rien.
balarin-a, adj. Danseur, euse.
balin, sm. Sac de grosse toile; petite balle pour la chasse.
baliverna, sf. Niaiserie, conte.
balla, adj. Grosse. — *modze,* grosse génisse. — *mére,* sf. belle-mère. V. *bella.* — *seraou,* belle-sœur. V. *bella.*
balledzen! adv. Terme de compassion=*pecaire* en provençal.
ballon, sm. *(de fen).* Ballot de foin. Aérostat.
ballotadzo, sm. Ballottage.
balloté, v. Se jouer de quelqu'un.
balour-da, adj. Etourdi, ie.
balourdise, sf. Etourderie.
bamban-na, adj. Qui est lent, long aux affaires.
bambanné, vn. Aller lentement; mener au long.
bambirolé, vn. Perdre le temps allant de part et d'autre.
ban, sm. Banc. *Bou de* —, bois banni.
banastre, sfp. Choses de peu de valeur.
banca, sf. Banque.
bancarotta, sf. Banqueroute.
bancarotsë, sm. Banqueroutier.
bandi, v. Bannir. — *di pay,* bannir du pays. Sm., se dit d'un mauvais sujet.
bandou-ta, adj. Garçon courreur de nuit; fille peu retirée.
banquë, sm. Banquier.
banquetta, sf. Petit banc en bois.
bantse, sf. Long banc en bois.
bantson, sm. Banc, petit banc. — *di vatse,* banc des vaches.
baou, sm. Etable; bv. *estabio.*
baoudetta, sf. *(euna).* Un instant.
baougé, v. n. Faire la bouse.
baousa, sf. Bouse de vache.
baousachà, sf. Grosse bouse.
baoussan-na, adj. Nigaud, stupide.
baoutsan, sf. Vache qui a le devant de la tête blanc. — *veit l'erba,* vous voyez la nourriture sur table, mangez.
baquet, sm. Petit bâton.
baquetà, sf. Coup de bâton, de baguette.
baquetta, sf. Baguette.
barabas, sm. Terme d'injure.
baracca, sf. Baraque. *Fére* —, faire ribote.
barba, sf. Barbe. *Fére la barba a un âno in per la peina et lo savon.*
barbaboque, sm. Salsifis. Fig Fou, stupide.
barbë = *barbië,* sm. Barbier.
barbis, sm. Moustache.
barbison, sm. Qui est tout barbu.

barboté, v. Bredouiller. *In sà pà cen que te barbotte,* on ne sait pas ce que tu dis ; murmurer. V. *Gremouné.*

barboueillé, v. Barbouiller.

barboùta, sf. Homme de paille pour faire peur aux oiseaux ; se dit aussi d'une femme laide et mal arrangée.

barbu-ya, adj. Qui a de la barbe.

barca, sf. Barque. *Meiné la —,* conduire les affaires.

barcon, sm. Balcon.

bardaquin, sm. Baldaquin.

bardé, v. Contredire, soutenir. *Se —,* s'efforcer de tenir coup.

bardò, sm. *(fére passé)* Faire passer menteur ; nom qu'on donne aux mulets.

bareillon, sm. Petit baril.

bariolà-ye, adj. Bigarré, ée.

barlet, sm. Barillet.

barletson, sm. Petit barillet.

barma, sf. = *barmë,* sm. Antre, grotte.

barmet, sm. Cave pratiquée sous un roc.

barométre, sm. Baromètre.

baron, sm. Baron, f. *barouna.*

baroque = *barocca,* adj. Bizarre, contre le bon sens.

barqué, vn. Cesser, diminuer.

barra, sf. Barre. *— de fer,* barre de fer.

barrà, sm. Baril.

barradzé, v. Remuer des objets en faisant du bruit.

barradzo, sm. Pacage. *In tsan pe le —,* paître par les pacages.

barré, v. Barrer, fermer avec une barre.

barrëre, sf. Barrière, mur de soutien.

barricàda, sf. Barricade.

barricadé, v. Barricader.

bartavalla, adj. Femme qui parle beaucoup. —, sf. *di van,* roue à écoche qui fait trembler le crible du van.

bartavalure, sfp. Bavardages. *— di dzen.*

bartavi, sm. Qui n'a que du babil.

bàs-sa, adj. Bas, basse.

bàsa, sf. Base. *Prendre pe —,* prendre pour base.

basàna, sf. Basane. *Pë de —,* peau basanée.

basco-a, adj. Bâtard, arde ; ne se dit que des personnes.

baselecco, sm. Basilic, plante aromatique.

bassa, sf. Basse. *Fére la —,* faire la basse dans le chant.

bassecula, sf. Bascule.

bassené, v. Bassiner. *— la pléye,* bassiner la plaie.

bassenet, sm. Bassinet. *— di fusi,* bassinet du fusil. *Betté i —,* avoir peur, retirer sa parole.

bassessa, sf. Bassesse. *Fére euna —,* commettre une faute.

basta... adv. Enfin, c'est assez, ça suffit. Sf. Repli de robe de femme.

basté, v. Suffire, être assez. *Basté l' âma pe tsanté,* être habile, fameux pour chanter. *Se te baste l'âma de fére cen !* Si tu as le courage de faire cela !

basteillon, sm. Bastillon.

bât = **bâ,** sm. Bât. *— di meulet,* bât du mulet. *Porté lo —,* subir les fatigues.

bataclian, sm. Attirail. *Meiné tot lo —,* mener enfants, bétail, denrées.....

batail, sm. Battant de la cloche.

battaillar-da, adj. Qui aime à se battre.

battaillé, (se) v. pr. Discuter, se disputer.

battaille, sf. Bataille. Jeu d'enfants. *Vou-teu vendre ton fen?— Et tè, ta paille? — Dzoyen a la battaille, qui riret boqueret un bon sofflet.* Les deux combattants se soufflent l'un à l'autre au visage, et le premier qui rit reçoit le soufflet convenu.

batar-da, adj. Bâtard, arde. Enfant illégitime. Rejeton qui sort hors de la greffe. V. *basco.*

bateimo, sm. Baptême.

bateyé, v. Baptiser. Donner un sobriquet à quelqu'un.

bâti, v. Bâtir.

batimen, sm. Corps de domicile. — *de mer,* bateau, vaisseau.

batisse, sf. Corps de bâtiment.

batistéro, sm. Baptistère.

* **bâton**, sm. — *de la vieillesse,* secours, appui.

batonnà, sf. Coup de bâton.

batonné, v. Frapper du bâton.

batsaou, sm. Foulon. — *di drap,* foulon du drap. Celui qui bat le blé.

battemen, sm. Battement. — *de cœur,* battement de cœur.

batten, sm. Battant. — *d'oura,* coup de vent. — *de la pourta,* battant de la porte.

* **batteur**, sm. dans les chasses aux bouquetins.

battuya, sf. *de beurro,* ce qu'on bat de beurre en une fois. Battue. — *pe la nei,* trace sur la neige. Action des batteurs qui forcent les bouquetins à passer dans un défilé lors des chasses royales; la chasse elle-même.

* **battre**, v. *lo beurro,* battre le beurre. — *l'antifla,* perdre son temps, rester à ne rien faire. Donner des cornes. — *aprë,* être aux trousses.

bàva, sf. Bave. *Crouté le bave,* laisser couler les baves.

bavar-da, adj. Bavard, arde.

bavardé, v. Bavarder.

bavé, v. Baver. — *pe terra,* cracher par terre.

bavetta, sf. Bavette. Le haut du tablier qui couvre la poitrine.

bàye = *béye,* sf. Baie. — *de lourë,* baie de laurier.

bàye! = *boba!* bv. Défi. — *de m'accapé,* défi! de m'attraper.

* **bazar**, sm. Magasin de toute sorte d'objets.

bë, *A bë tor,* adv. Tour à tour.

bë, sm. Seconde lettre de l'alphabet. *Savei ni a ni bë,* ne savoir rien.

bë, adj. bv. Beau, bel. V. *dzen.*

bëabà, sm. *Etre i* —, être au commencement.

beatificachon, sf. Béatification.

beatitude, sf. Béatitude. *Le vouët* —, les huit béatitudes.

bebeille, sf. Bobine.

becca, sf. Pic. — *de Nouna,* pic de None.

beccachà, sf. Becquetée. *Se baillé euna* —, se disputer.

beccaché, v. Becqueter. — *aprè le s-atre,* parler mal des autres.

béché = *indzin,* sm. *Grou* —, gros, excessivement gros.

becouëre, sf. Aigle. V. *âilla,* Fig. Laide personne.

bedzolé, v. sd. des vaches qui courent levant la queue.

bedzon, sm. Bijon. *Solorgno de* —, emplâtre de térébentine.

bedzoula, sf. Action de *bedzolé.*

begat, sm. Ver à soie.

begot-ta, adj. Bigot, otte.

begoture, sfp. Bigotteries.

begueyé, v. Bégayer.
beiché, v. Descendre, baisser.
beigé, v. Baiser. — *lo meur,* donner de la tête contre un mur.
beilar-da, adj. Enfant qui pleure toujours.
beilé, sm. Bêlement.
beilé, v. Bêler. Se dit aussi des enfants en t. de mépris.
beilo, sm. Bêlement.
beillet, sm. Billet.
beilletta, sf. *(di taille).* Billet, avis des impôts.
beilloquin, sm. Petit billot.
beire, v. M. J. Boire. Fig. *Meiné — pe lo nâ,* se jouer de quelqu'un.
bella-feille, sf. Belle-fille. bv. *nora.*
bella-mére, sf. Belle-mère. bv. *marëtra.*
belle arra, adv. Sur le moment. — *mè,* même moi. — *bague pe cen,* pas de quoi pour cela.
benda, sf. Bande. — *de prà,* planche de pré. — *de dzen,* longue suite de gens. — *de làre,* bande de voleurs.
bendadzo, sm. Bandage. Ce que portent ceux qui sont herniés.
bendé, v. Bander, tendre. — *lo fusi,* armer le fusil.
bénédicité, sm. *Dëre lo —,* dire le bénédicité.
benedechon, sf. Bénédiction.
beneficho, sm. Bénéfice. V. *Profië.*
benefor, sm. Absinthe. V. *Ansin.*
benei, adv. Aussi. — *mè,* moi aussi. *Benei* est le contraire de *ponei* (non plus). *Benei?* Tu as affaire à moi.
benetsë, sm. Bénitier.
***benjamin**, sm. Benjamin, enfant gâté.
beni-a, adj. Bénit, bénite ; béni, ie.
beni, v. Bénir. Quand on ne peut pas donner l'aumône à un pauvre, on lui dit : *Que lo Bondzeu vo benisse.*
bèque, sfp. Montagnes, cimes.
bèque, sm. Bec. Fig. *Gramo —,* mauvaise langue.
beratà, adj. Buté. *Pan —,* pain buté. *Botse beratàye,* bouche délicate.
berdzé, sm. Berger.
berdzeillon, sm. Tout petit berger. Chant plaintif des petits bergers : *No sen trei berdzeillon, su un croè tsanteillon, no creven de fret : se n'embouen trop tou, no tordon lo cou ; se n'embouen trop tar no tordon lo pecar ; se n'embouen a l'aura n'en le reste de l'aoula.*
berdzëre, sf. Bergère.
berdzeretta, sf. Toute petite bergère.
berdzerot, sm. Tout petit berger.
berëcllio, sm. Lunette. V. *Leunette.*
berequin-a, adj. Gamin, ine.
berequinàda, sf. Action de gamin.
bernadzà, sf. Le contenu d'une pelle à feu.
bernadzo, sm. Pelle à feu.
berra, sf. Coiffe d'enfant.
berret, sm. bv. Bonnet.
berretta, sf. Coiffure de femme.
berrio, sm. Rocher, grosse pierre.
berta, sf. Berthe. *Betté — i saque,* ne plus rien dire. *Di ten que — feulàve,* dans les temps meilleurs.

bertolomé, sm. Barthélemy. *Dei saint —, marendzon i granë,* dès la saint Barthélemy, le goûter reste au grenier.

bertsà-ye, adj. Se dit d'un plat, d'une écuelle ébréchés.

bertson, sm. Le vide que laisse le morceau manquant d'un plat; le morceau lui-même. — *de pan,* morceau de pain. — *de tsan,* petit coin de champ.

bès-sa, adj. Fourchu, ue.

besan, sm. Gouffre, précipice.

besaque, adv. En désordre. *Fottre a —,* mettre tout en l'air, sans dessus dessous.

besognaou-sa, adj. Qui a toujours besoin.

bessatse, sf. Besace. — *de la dreudze,* besace où l'on porte l'engrais.

bessatsà, sf. Contenu de la besace.

bessatson, sm. V. *Satson.*

betise, sf. Bétise, sottise.

bètsà, sf. Becquée.

betsaille, sf. Débris d'un billot qu'on a carré.

betsaillon, sm. Copeau, petit morceau de bois. *Lo betsaillon saoute pa llioen di tron.* Tel père, tel fils.

bëtse, sf. Bête. *Bëtse a saint Dzoan, bëtse tot l'an.*

bètsé, v. Toucher, appuyer. *Lo trà betse su lo meur,* la poutre repose tant soit peu sur le mur.

bëtsetta, sf. Bestiole; homme sans foi.

betsolë-re, sm. Celui, celle qui soigne le bétail en hiver.

bëtson, sm. Petit d'un animal.

bettafouà, sm. Instigateur.

beuttaleuro, sm. Qui dérange, gâte les choses.

betté, v. Mettre. — *la rogne,* mettre la discorde. *Avei lo betté de trei vatse,* avoir de quoi tenir trois vaches.

bettecu, sm. Culbute. *Allé a —,* faire la culbute; fig. aller en déconfiture. *Etre a —,* être souffrant, maladif.

betun, sm. Foule, troupeau. — *de dzen,* foule de monde. — *de feye,* troupeau de brebis.

beublo, sm. Peuplier, tremble.

beuché, v. Frapper.

beuda, sf. Ventre. *Implere la —,* remplir le ventre.

beuffet, sm. Buffet. *Bon —,* bon estomac.

beuffon, sm. Bouffon.

beuffon-beuffouna, adj. Bouffon, bouffonne.

beuffoné, v. Se railler.

beullu-ya, sf. Action de fermenter; sd. du foin, des herbes..... *Lo fen l'at prei la —,* le foin a fermenté.

beumëre, sf. Grosse fumée.

beur-ta, adj. Laid, laide.

beurdet, sm. Bâton.

beurdatsà, sf. Coup de bâton.

beurdzeillé, v. Remuer. — *lo fouà,* remuer les tisons.

beurlafer, sm. Personne précipitée au travail.

beurlé, v. Brûler. — *de voya,* brûler de désir. — *lo paillon,* s'en aller, s'échapper.

beurleura, sf. Brûlure.

beurrà, sf. Le contenu de la baratte. — *de crâma.*

beurayon, sm. = *beuseya,* sf. babeurre.

beurré, v. Battre le beurre. bv. *Meiné lo beus.*

beurrëre, sf. Baratte. bv. *Beus.* Dev. *Euna bagga qu'in pren pe la cuya et que reboudze pe la panse.*

beurro, sm. Beurre. — *collà,* beurre fondu.

beus, sm. Buste. *Lo — de la sardze,* le haut des robes de femme (mode ancienne).

beustequé, v. Toucher, prendre. — *d'ardzen,* prendre d'argent en secret. *Vin pa me —*, ne viens pas m'ennuyer, me déranger.

beutsë, sm. Boucher.

beutseri, sf. Boucherie. *A la beutseri lei vat pi de pë de tsevrei que de pë de tseuvra.* La mort prend plus de jeunes que de vieux.

beveron = *beire blan,* sm. Farine avec de l' eau qu'on donne aux vaches.

beveur, sm. *(bon).* Qui aime à boire.

bevuya, sf. Bévue. *Fére euna —*, se tromper, prendre une chose pour une autre.

bi, adj. Bis. *Mindzé de pan —*, manger du pain bis.

bibla, sf. Bible.

bibliotéca, sf. Bibliothèque.

bibliotequéro, sm. Bibliothécaire.

bicllio-a, adj. Louche.

bidon, sm. Vase, marmite en fer blanc.

bië, *(de)* adv. De travers, en travers, de biais.

* **bien**, sm. *Vendre son —*, vendre ses possessions. *Rendre lo bien pe lo mà,* rendre bien pour mal.

bien, adv. Beaucoup, comme il faut. *Etre —*, être à son aise, en santé.

bieneureu, smp. Les saints du Paradis.

bienfé, sm. Bienfait, bonne œuvre.

bienfesen-ta, adj. Qui fait du bien.

bienseance, sf. Politesse. *Montré la —*, enseigner la politesse.

bientou, adv. Bientôt.

* **bienveillance**, sf. *Fére de —*, recevoir avec grâce.

biére, sf. Cercueil. Bière (boisson). *Beire la —*.

biffé, v. Voler de petites choses adroitement.

bigarà-ye, adj. Bigarré, ée.

* **bijou !** sm. *Quin —*, quel bijou ! se dit par ironie.

bila, sf. Bile, dépit, colère. V. *Bisca.*

bilanché, v. Bilancer. — *d'ardzen,* sortir, fournir de l'argent.

bima, sf. Chevreau qui ne met bas qu'à deux ans.

bin pe cen, adv. Peu importe, pas de quoi pour cela.

bincheur, adv. Sans doute.

biné, v. Biner, dormir à deux au même lit.

binque, prép. Pendant que, quoique.

biò, adj. Gros, beau. — *peisson,* gros poisson. — *faouder,* beau et joli tablier. V. *Bò.*

biolei, sm. Lieu planté de bouleaux.

bioula, sf. Bouleau.

bisareri, sf. Bizarrerie, caprice.

bisaro-a, adj. Bizarre.

* **bise**, sf. *Crendre ni ven ni bise,* n'avoir peur de rien.

bisca, sf. Colère. *Me vint la —*, il me vient la colère.

bisqué, v. n. Bisquer, avoir la colère.

biseste, adj. Bissextile. *L'an —*, l'année bissextile.

blà, sm. Blé. — *de seila,* blé de seigle.

blagga, sf. Blague. *Avei ma-*

que de —, n'avoir que des paroles, n'être bon à rien.
blagué, v. n. Faire le gaillard. *Allé* —, aller dire partout.
blamé, v. Blâmer, mépriser.
blan, sm. Blanc. *Fére vère — pe ner,* faire passer une chose pour l'autre.
blantsaou, sf. Blancheur.
blantsâtro-a, adj. Blanchâtre.
blantseyé, v. n. Tendre à devenir blanc.
blantsi, v. Rendre blanc.
blantsissadzo, sm. Blanchissage.
blasfémateur, sm. Blasphémateur.
blasfémé, v. Blasphêmer.
blasfèmo, sm. Blasphème.
blàyo-e, adj. Pâle, blême, de peu de couleur.
blayet-ta, adj. Un peu pâle.
blèché, v. Blesser. — *la lëvra,* blesser le lièvre. — *le dzen,* offenser le monde.
blesseyé, v. Balbutier.
blesseura, sf. Blessure.
blet-ta, adj. Mouillé, ée. *Ten* —, temps humide.
blëta *(di fen),* sf. Tas de foin au fenil.
bletson, sm. Ration de foin.
bletsonné, v. Préparer les rations.
bletti, v. Mouiller.
bleyé, v. Courber, plier. *Lo lan bleye,* la planche plie.
bloce, sfp. Pinces. — *di fouà,* pinces à feu. sm. —, *de peivro,* pincée de poivre.
bloché, v. Pincer, serrer, prenen main. — *lo larre,* empoigner le voleur.
blon-da, adj. Blond, onde.
blondi, v. n. Blanchi. *Le pei començon a* —, les cheveux commencent à devenir blancs.
blondin-a, s. Blondin, ine. Terme flatteur qu'on donne à un garçon, à une fille. Si l'on dit : *blonda* à une fille, (par apparence d'humilité) elle répondra : *Blonda d'Egite, coleur di marmite.*
bloque, sm. Bloc. *Grou* —, gros bloc.
blot, sm. La totalité. *Atseté a* —, acheter à tant le tout.
blòda, sf. = *roullière.* Blouse de charretier.
bò ! *l'est parë.* Sans doute ! il en est ainsi.
bò, bv. *bë,* adj. Beau, joli. V. *biò*
boba, sf. bv. Défi. — *de m'accapé,* je te défie de m'attraper. V. *fegga.*
bocon, sm. Morceau.
boconnà, sf. Bouchée.
boconné, v. Manger à gros morceaux.
boconnet, sm. Petit morceau.
bodouye, sf. Grand feu, feu de joie.
boeisson, = *boueisson,* sm. Buisson.
boffa, sm. bv. Petit garçon.
boffé, u. Eclater, se fendre. *Le s'où boffon a l'eigue coueisenta,* les œufs éclatent à l'eau bouillante.
bolail, sm. Débris de foin, de paille.
bolaillé, v. Eparpiller, mettre pêle-mêle.
bolë, = *bolëro,* sm. Champignon.
bolequé, vn. Cuire à gros bouillons.
bolené, vn. Bouillir. *Lo vin lei bolenne pe la tëta,* le vin lui bout dans la tête.
bolin, = *botsin,* sm. But (jeu de boules).

bolina, sf. Le manger. *Fére la —*, faire le manger.
bolochë, sm. Prunier.
bolosse, sf. Glande, pustule, fruit du prunier.
bolotta, sf. Petite boule, *— de beurro,* beurre en forme de pelote. *— de nei,* pelote de neige. V. *Polotta.*
bomba, sf. Bombe.
* **bombance** sf. *(fére),* faire bonne chère.
bombardé, v. Bombarder.
bombardemen, sm. Bombardement.
bombonaille, sfp. Bombons, friandises.
bon-bouna, adj. Bon, bonne.
* **bon** sm. *Que dete vò de —,* Qu'y a-t-il à votre service? *Bon!* int. C'est ça! c'est bien!
bonda, sf. Qualité de raisin.
bondan-na, adj. Qui est fait à la bonne.
bondan-ta, adj. Abondant, te. *Peis bondan, meseura bondanta.*
bondé, v. Mettre de l'eau dans une auge afin qu'elle ne perde pas. *Lo goveil l'est ecreili, fât lo bondé.*
bonlei, adv. Volontiers. *Allé de —,* aller vite; *prëté de —,* prêter volontiers, sans difficulté.
bondzeu. Dieu. *Quan lo Bondzeu mande lo tsevegnon, mande ettot lo boeisson.* Quand Dieu envoit le chevreau (l'enfant) il envoit aussi le buisson (le pain) pour le nourrir.
bonleisi, adv. Peu importe, il y a le loisir. bv. *binllioà.*
bonprofàce, loc. adv. Grand bien vous fasse. Lorsqu'on présente la coupe à boire en disant: *santë, saluyo!* l'on répond: *bonprofàce.*
bonten, sm. Bon temps. *Fére —,* faire beau temps. *Avei —,* être à son aise, tranquille. *Bonten qui lo sę pren, màten qui lo se baille.*
bonvëpro, sm. Bonsoir.
boqué, v. Attraper, recevoir. Fig. *— marenda,* recevoir des coups. *— d'éve,* bv. *paré,* recevoir de l'eau dans son seau à la fontaine. *— le vatze,* détourner les vaches afin qu'elles ne mangent pas l'herbe du voisin.
boque, sm. Bouc. *Te n'en sa pa pi que lo —,* tu n'en sais rien.
boquetin, sm. Bouquetin.
boralé, vn. Mugir.
boralemen, sm. Mugissement.
borcllia, sf. Boucle, maille.
borcllié, v. Boucher.
bordalla, adj. *(vatze).* Vache qui ne tient pas le bœuf, bv. *boverentze.*
bordé, = *orlé* v. Border.
bordeura, sf. Bordure. V. *orlo.*
bordonné, vn. Bourdonner.
bordzeisa, sf. Cloche qu'on sonne pour une classe de la bourgeoisie.
borenflé, vn. Devenir enfle.
borenfleura, sf. Enflure.
borenflo-a, adj. Enfle.
borga de ren, sf. Mauvais sujet.
borgaté, v. Remuer. *Dze sento —,* j'entends remuer. *— de ver,* fourmiller des vers.
borgno-e, adj. Borgne. *Tsambra —,* chambre sans fenêtre.
borgnon, sm. Petite ouverture. *— di polaille,* trou rond fait à la porte et par où passent les poules.
borgo, sm. = *feulerë,* bv. Rouet.
borlet, sm. Bourlet. Coussinet qu'on met autour de la tête

des enfants pour amortir les coups qu'ils pourraient prendre en tombant.

borna, sf. Trou. — *de la clliâ*, trou de la clef. *Euna bagga que pi l'ei nat, men peise,* un vêtement plein de trous.

borneille, sf. = *borneilletta.* Tout petit trou.

borneillon, sm. Petit trou.

bornelu-ya, adj. Poreux, euse; qui a des trous.

borneyé, v. Faire de gros yeux, bouder.

borsa, sf. Bourse. *Coppa* —, coupe bourse, filou.

borsaquin, sm. Petite bourse.

bosquet, sm. Bouquet. *Betté un — a quats'un,* faire un mauvais renom à quelqu'un, lui inculpant une faute.

bosqueté, v. Orner de bouquets.

bosse, sf. Tonneau.

bossu-ya, adj. Bossu, ue.

bot, sm. bv. *babi.* Crapaud. V. *Crapot.* Outre en peau de vache.

bot-ta, adj. Obtus, se. — *come un cu de tenna,* obtus comme un cul de tine. V. *Boutro.*

botecca, sf. Boutique. *Faouder de* —, tablier qu'on achète en boutique. Dans l'ancien temps nos villageoises ne portaient que des tabliers de toile dont le fil était passé par leurs doigts.

boteil, sm. Mollet, gras de la jambe.

boteille, sf. Bouteille.

boteillin, sm. Petite bouteille.

boteillina, sf. Petite bouteille.

boteillon, sm. Grosse bouteille.

boteura, sf. Bouture.

botognëre, sf. Boutonnière.

boton, sm. Bouton. *Te vâ pà un* —, tu ne vaux pas un bouton.

botonné, v. Boutonner. V. n., pousser des boutons.

botonnure, sf. Boutonnière. *Sarré pe la* —, attaquer, prendre par la boutonnière.

botsaille, sf. Bocage, lieu où croît le petit bois.

botsarda, sf. Nom de vache mouchetée.

botsardé, v. *atot d'entso,* salir avec de l'encre.

botse, sf. Bouche. *A la botse di fou lo rire l'y abonde. Toppé* —, répondre *ad hoc,* faire taire.

bôtse, sf. Boule. *Dzoa di* —, jeu de boules.

botsé, v. Bouler, déplacer une boule avec une autre.

botsëre, sf. Maladie qui vient sur les lèvres des chèvres et des enfants.

botset, sm. Petit rameau avec son fruit.

bôtso, sm. Boursoufflure. *Fi plen de* —, fil qui n'est pas égal.

botta, sf. Soulier. V. *Soler. Fâ pà trére le — devanque allé dourmi,* il ne faut pas se défaire de son bien avant la mort.

botté, (se) v. pr. Se guêtrer pour aller par la neige.

bou, sm. Bois.

boù, sm. Bœuf. *Tsi sè, la vatse bât lo boù,* chez soi l'on peut dire sa raison.

bouat, sm. Bercail, bergerie. *Betté a* —, mettre en prison.

bouatta, sf. Cahute.

boubou, sm. Mal. *Feit* —, (enfantin) il me fait mal.

boudé, v. Bouder. Faire mauvaise mine.
boudzé, v. n. Bouger. V. pr., se dépêcher.
boudze, sf. Sac en cuir, poche.
bouë, sm. Boyau. *Crouta* —, se dit de ceux qui perdent toujours quelque chose.
bouegneina, sf. Coup de la main sur l'oreille.
bouëgno, sm. Oreille.
boueil, sm. Bassin de l'eau. — *di dzelenne,* conque où l'on donne à manger aux poules.
boueillatré, v. Barbouiller.
boueillâtro-a, adj. Se dit de celui qui fait mal un travail.
boueillatrà-ye, adj. Qui a le visage barbouillé.
boueillet, sm. Ration du pourceau. Lorsqu'on se plaint qu'un serviteur n'est pas nourri, son maître dit: *Fât pà aveitsé lo boueillet, fât aveitsé lo portset,* c.-à-d. il faut voir si le serviteur se porte bien.
boueillon, sm. Bouillon. *Baillé lo — d'onz'aoure,* empoisonner pour faire mourir. — *pe le mor,* chose inutile.
bouére, sf. *(Groussa)* Grosse déchirure.
bouëte, sf. Boîte.
boufro, int. Diantre!
bougraché, v. Ravauder, faire des bagatelles.
bougreyé, v. n. Dire diantre, diable.
bougreri, sfp. Diableries, niaiseries.
bouiné, v. Prendre par les oreilles.
bouis, sm. Buis.
bouiya, sf. Lessive.
bouiyandë-re, s. Celui, celle qui blanchit le linge.
bouiyé, v. Lessiver.
bouli, sm. Bouilli.
bounë, sm. = *bouna,* sf. Petit lait aigri. V. *Eisi.*
bouque, sf. Bois. *Vià pe lo* —, loin par la forêt.
bourra, sf. Ecume. — *di lacë.*
bourratsu-ya, adj. Qui est plein d'écume.
bourru-ya, adj. Se dit d'un visage plein, enfle.
bousaron, adj. Espiègle...
boutré, v. n. Heurter. — *di nà,* heurter du nez.
boutro-a, adj. Emoussé. *Rajaou* —, rasoir non affilé; *parole boutre,* paroles qui n'ont point de sens, saugrenues.
bouye, sf. Serpent.
bouyé, v. Vaincre, amollir. *Fére — le nëpie,* faire amollir, mûrir les nèfles en les mettant sur la paille ou dans le foin.
bouyo, int. *que t'i dzen,* comme tu es beau.
bovàta, sf. = bv. *lovatun,* sm. Epi du maïs; cône du pin, sapin....
bôyo = *booyo,* sm. Bourreau.
brà, sm. Bras. V. *Bré.*
bramafan, sf. *(tor de)* Tour de ce nom.
bramé, v. n. Beugler; désirer, (pour les personnes).
bràmo, sm. Cri. *Le vatse fan qu'un* —, les vaches ne font qu'un cri, crient toutes ensemble.
bran, sm. Le plus épais de la branche. — *d'oura,* coup de vent. — *d'éve,* eau de pluie qui vient tout d'un coup. *Tot pe* —, adv. d'une manière intermittente.
brancar, sm. Brancard.
branlé, v. Branler. *Fâ pà* —, il ne faut pas broncher.
branlemen, sm. *(gran)* Grand changement, remuement.

branlo, sm. Braule. *Etre su lo —,* être indécis, en équilibre.

brantsu-ya, adj. Branchu, ue.

bràsa, sf. Braise.

brasë, sm. Brasier.

brasseri, sf. Brasserie.

bravamente, adv. Assez, beaucoup, copieusement.

bravo-a, adj. Sage, bon, bonne. — *pan,* joli pain. — *faouder,* beau tablier. — *levreya,* joli ruban. — *somma,* somme rondelette (mode ancienne).

bré = *brà,* sm. Bras. *Resté le — crouëjà,* rester à ne rien faire.

brë, sm. Berceau d'enfant.

brëce, sf. Peigne du chanvre.

brëché, v. *lo tsenèvo,* peigner le chanvre. — *lo meinà,* bercer l'enfant.

brëchure = *breichure,* sf. Planche qu'on met à côté du lit pour y bercer les enfants durant la nuit.

bredoillar-da, adj. Qui court partout.

bredoille, sf. Fille, femme mondaine.

bredoillé, v. n. Se dit des garçons qui courent la nuit.

bregàda, sf. Brigade.

bregadzë, sm. Brigadier.

bregaillon, sm. Morceau de branche. V. *Tsacot.*

bregau-da, sm. Fripon, malfaiteur.

bregandàdzo, sm. Brigandage.

breni-a, adj. Se dit d'un linge bien usé.

brenva, sf. Mélèze.

brenvetta, sf. Petit mélèze.

brestou, sm. bv. Gilet. V. *Dzepon.*

brëtse, sf. Rayon de miel.

bretella, sf. Bretelle. *Porté le bretelle,* gouverner la maison.

bretonné, v. Bredouiller. *In sà pà cen que bretoune,* on ne sait pas ce qu'il dit. *Lo mondo bretoune,* les gens murmurent.

breuché, v. Aigrir, décomposer. *Lo tsaat feit — lo lacë,* la chaleur fait cailler le lait.

breusque-breusca, adj. Brusque. *Predzé —,* parler sérieusement.

breuda, sf. Bride. *Teni la —,* gouverner.

breudé, v. Brider. — *le meinà,* être rigide envers les enfants.

breudon, sm. Bridon. *Lâtsé lo —,* laisser tout faire.

breuffé, v. n. Jaillir; se dit d'un jet précipité d'un liquide. — *de rire,* pouffer de rire.

breula, sf. Crotte. — *di tseuvre,* engrais de crotte de chèvre.

breussa, sf. Ce qui vient sur le petit lait prêt à bouillir.

broussin, broussolin, sm. Boutons, éruptions qui viennent sur la peau.

breuvetta, sf. *(euna).* Un instant. V. *Briva.*

brevet, sm. *d'invenchon,* brevet d'invention.

breviéro, sm. Bréviaire.

breyé, v. Broyer. — *lo pan.*

bréye, sfp. Culottes. *Se terrié su le —,* se tirer d'affaire.

breyetta, sf. Ouverture des pantalons. *Teni la man a la —,* rester à ne rien faire.

bride, sf. Bruit. (S'entend particulièrement des eaux). On dit de ceux qui n'ont rien: *L'at lo tsan di s-aousë et la bride de l'éve.*

brillé, v. n. Briller.

brille, sf. Se dit de la tige, herbe du blé, en automne.

briva, sf. bv. Instant. V. *Breuvetta.*

brivo-a, adj. Qui fait les choses avec précipitation.

broché, v. Brosser. — *lo tsevâ,* brosser le cheval.

brodé, v. Broder. — *le baggue,* mélanger les affaires.

brogné, v. Brouiller. — *lo fi,* brouiller le fil.

broillar, sm. Brouillard.

broilleri, sf. Brouillerie.

bron, sm. Marmite en bronze.

broncin, sm. Dim. de *bron.*

bronchà, sf. Contenu de la marmite.

brontsé, v. n. Broncher. *Te fâ pà* —, il te faut filer droit.

broquin, sm. Clou fait à main. *Fére* —, battre des dents quand on a froid.

broquiné, v. *le soque,* planter l'empeigne au bois des galoches.

brot, sm. Sarment.

brotta, sf. Branche souple de saule..... de bouleau, dont on se sert pour faire des balais...

brotse, sf. Clou. — *di soler,* clou des souliers. Broche. — *di routi,* broche du rôti.

broùa, sf. = *broùva, di s'egnon,* tige de l'oignon.

brout = *broù,* sm. Feuille des sapins et des mélèzes.

brun-bruna, adj. Brun, brune. *Pan brun,* pain noir.

brun = *brin,* sm. Deuil. *Fére lo* —, faire le deuil.

* **brutal-a,** adj. Brutal, ale. Se dit d'un homme dur, grossier, et de choses grossièrement forgées.

bù, sm. But. *L'est mon* —, c'est mon but, mon intention. Vide, espace. *Se feit-ë din se bosse a peina un petsou bù, vouet barrà son lé plen pe lei dzeundre dessù.*

bù-buya, adj. Creux, creuse.

butse, sf. Brin, fétu, buche (bv. *fëti). Terrié le butse,* tirer les buches, tirer au sort. Les enfants disent que quand un fétu entre dans l'œil il faut former le signe de la croix avec les cils, en disant: *Butse dedin, butse defoura ; sainte Lucia terria-la foura.*

butse, sf. Rien, pas du tout. *Dzi comprei* —, je n'ai rien compris. — *de fen a l'âno,* rien, pas du tout.

C

Ch, des mots patois, tient souvent lieu de *c, s, ss, ti* des mots français.
Ch, des mots français, se change fréquemment en *ts* dans le patois.
çà! int. *vito.* Allons! vite.
çà, çà! int. Vite, vite.
cabàla, sf. Cabale, intrigue.
cabalé, v. n. Cabaler, intriguer.
cabanna, sf. Pauvre maisonnette.
* **cabaret**, sm. *Beire i —,* boire à l'auberge.
cabaretsë-re, s. Cabaretier, cabaretière.
cabouata, sf. Hutte de berger.
cabouaton, sm. Mauvais réduit.
cabriòla, sf. Cabriole. *Fére la —,* faire la culbute.
cabu, adj. Cabus. *Tsou —,* chou cabus.
cacca, sf. (Enfantin). Tout ce qui est malpropre. *Fére la —,* aller du nécessaire.
caccabon, sm. Tache d'encre sur le papier.
caccapian, adj. Qui est lent, sans vigueur.
* **cachet**, sm. Pain à cacheter.
cacheté, v. Cacheter.
cadance, sf. Cadence. *Monté —,* gronder, reprocher.
cadastréro, sm. Cadastraire.
cadastro, sm. Cadastre.
cadàvro, sm. Cadavre.
cadet-ta, adj. Habile, adroit, gentil.
cadet, sm. Le plus jeune. V. *Tsoeini.*
cadeuque, adj. Caduc. *Ma —,* mal caduc.
cadò = *regal,* sm. Cadeau, présent.
cadrateura, sf. Etat d'une chose carrée.
cadro, sm. Cadre.
caé = *ecavé.* Couper la pointe de la queue.
cafetsë-re, sm. Cafetier, ière.
cafetsëre, sf. Vase où l'on fait le café, cafetière.
caforé, v. bv. *Pité,* piétiner. *— lo tsat,* mettre le pied sur la patte du chat. Fig. Donner tort, mépriser.
cagnar-da, adj. Menteur, euse.
cagnardise, sfp. Menteries.
cagne, sfp. Mensonges. *Tsasché de —,* dire des mensonges. *Cagne,* sf. Chienne. On dit de ceux qui ne prient pas le matin et le soir: ***Drumi come le tsin, levé come le cagne; soppaté le bouëgno et vià in campagne.***
cagnon, sm. Petit de la chienne. *Fére le —,* vomir le vin étant ivre, quitter un maître.
cail, sm. Présure. *Conflé lo —,* faire des efforts. *Cen et lo cail avouë,* cela et quelque chose en plus.
caillà, sf. Caillé. *Fére la —,*

faire le fromage, etc. *Seupé la —,* manger le caillé.
càille, sf. Caille, oiseau. *Ten pe ten, ten pe ten, deut la caille :* après ton tour, viendra le mien.
caillé, v. n. Cailler. *Betté —,* mettre cailler le lait.
caillette, sf. Mets de viande de porc hâchée.
caillon, sm. Bouton qui sort de la peau. Graisse. — *di marmotte,* graisse de marmotte.
cala, sf. Diminution.
calabra, sf. *(battre la).* Divaguer, rester à ne rien faire.
calamita, sf. Aimant. *Atterrià pe la —,* attiré par les appas, les attraits.
calamità, sf. Calamité, grand malheur.
calandriё, sm. Calendrier.
calé, v. Diminuer. — *à la rètse,* diminuer le vivre.
caletta, sf. = *casquetta.* Casquette.
calicho, sm. = *galicho.* Calice
caligrafie, sf. Calligraphie.
calmé, = *carmé,* v. Calmer, apaiser.
calmo-a, adj. = *carmo.* Calme.
calmo, sm. Calme. *Vivre din lo —,* vivre dans le calme.
calonnie, sf. Calomnie.
calonnié, v. Calomnier.
calotta, sf. Calotte. *Fottre euna —,* donner de la main derrière les oreilles.
cambio, adj. *(seucro).* Sucre candi.
camentran, sm. Carnaval. *Fére —,* faire bombance.
camesoula, sf. = *landzetta.* Habit à queue d'hirondelle.
campagnar-da, adj. Campagnard, arde.
campana, sf. Clochette.
campanin, sm. Petite clochette. *Sonné lo —,* aller dire, raconter ce que l'on sait.
campé, vpr. **(se).** Tenir les pieds à distance l'un de l'autre, étant droit. *Se campé,* faire effort.
campemen, sm. Campement.
campion, sm. Homme vaillant.
campo-a, adj. *(ëtre).* Etre hors de maladie, hors de danger.
canalla, sf. Cannelle.
candidà, sm. Candidat.
canfro, sm. Camphre.
caniqeula, sf. Canicule.
canna, sf. Canne. — *de la pëtse,* canne de pêcheur, — *di fornet,* tuyau de poële.
cannaille, sm. Canaille.
canognë, sm. Canonnier.
canon, sm. Canon.
canonà, sf. Coup de canon.
canonàda, sf. Suite de coups de canon.
canque, prép. *(lé).* Jusque là. Mieux : *tanque.*
çantima, sf. Centime.
cantina, sf. Cantine, débit de vin.
canton, sm. *(dzen di).* Gens de la fraction.
cantonà, sf. Angle extérieur. *S'arrëté a totte le —,* s'arrêter partout.
caoudo, sm. Coude. *Impleyé le —,* travailler.
caoudre, v. M. C. F. G. Coudre. bv. *cusi.*
caoutë, sm. Couteau. *Mon caouté l'at non : Dzan Gaspar ; de cen que coppe vout sa par.*
caoutelà, sf. Coup de couteau.
cap, sm. Chef. — *métre,* qui est habile dans son art. *Arbeillé de pia in —,* habiller des pieds à la tête.

capablo-a, adj. Capable.
capacità, sf. Capacité.
capàra, sf. Arrhes.
caparé, v. Donner les arrhes.
capetsin, sm. Capucin. *Etre—*, être sans argent.
capeutson, sm. Capuchon.
capitàla, sf. Capitale. — *di mondo,* capitale du monde.
capiténo, = *capiteino* sm. Capitaine.
capitulachon, sf. Capitulation.
capitulé, v. n. Capituler.
capon, sm. Chapon.
caponé, v. *lo polet.* Châtrer le poulet.
* **caporal**, sm. *L'est gramo lo — que pense pà a veni general.*
capot sm. *(resté).* Rester déçu, confus.
capotë, sm. *(grou).* Affublé d'une grosse capote.
cappa, sf. *di tsafiaou.* Ouverture de la cheminée. Adv. *baillé —*, laisser sortir, laisser aller. *Baillé cappa i vatse... i rire... a l'aousë.*
cappé, vn. Prendre racine. Se dit de ce qu'on transplante et qui prend racine.
capsula, sf. Capsule. *Fére parti la —*, faire éclater la capsule.
captivé, v. pr. **(se)**. Attirer à soi.
caquet-ta, adj. Personne bonne à rien.
* **caquet** sm. *Fére beiché lo —*, imposer silence, faire taire.
carabegnë, sm. Gendarme.
carabina, sf. Carabina.
carabotsé, v. Ecrire mal, salir le papier.
carabotsin, sm. Celui qui écrit mal.
carattéro, sm. Caractère.
caravanna, sf. Caravane.
carcaché, = *carcavalé,* v. se dit du cri des poules. Fig. — *pertot,* dire, répandre partout.
* **carcasse** sf. — *de meison,* mauvaise habitation, dont les murs seuls sont bons.
carcul, = *carqeul,* sm. Calcul.
carculé, v. Calculer.
careché, v. Caresser.
careillon, sm. Carillon. Tapage, dispute en famille.
careilloné, v. Faire le carillon.
careima, sf. Carême. *Fére —*, manquer du nécessaire.
careimé, v. Accomplir la loi du Carême. *Poure dzen di campagne, no careimen tot l'an, et trifolle et tsatagne, fan noutro camentran.*
carestia, sf. Pénurie, disette.
careya, sf. Chaise.
caricateura, sf. Caricature.
carmé, v. Calmer. — *lo fouà,* Ralentir le feu. — *la malece,* apaiser la colère.
carmo, sm. *(féta di).* Fête du Mont-Carmel.
carnachë-re, adj. Carnassier, ière. Qui mange beaucoup de viande.
carnadzo, sm. Carnage, massacre.
carògne, sf. Charogne, bête morte, corrompue. Fig. mauvais sujet, homme de rien.
caròtse, sf. = *voèteura,* Voiture.
caròtsë, sm. Voiturier.
carotta, sf. Betterave. *Planté euna —*, tromper.
carpachà, sf. Grande quantité.
carra, sf. Coin, angle intérieur.
carrà, sm. = *Sonnaille.* Sonnette des vaches. *Euna bagga quand lo vi beit, lo mort tsante.*
carrà-ye, adj. Carré, ée.

carré, v. Carrer, donner une forme carrée.
carro, sm. Endroit, place. *Betté in —, betté a —*, mettre de côté quelque chose.
carrojeusto, sm. Equerre.
carron, sm. Carreau. — *de fenëtra*, carreau de fenêtre.
carta, sf. *de partadzo*. Acte de partage. *Baillé carta blantse*, laisser aller, laisser faire comme on veut.
carta, sf. Carte. *Dzoà di carte*, jeu de cartes.
cartatouche, sf. Cartouche.
cas, sm. Cas. *Dze fo* —, je fais cas; *in tot* —, en tout cas.
casacca, sf. Casaque. *Verrié*—, faire volte-face.
casandë-re, s. adj. Casanier, ière.
cascàda, sf. Cascade.
case, = *casemente*, adv. Presque.
caserna, sf. Caserne.
cassà-ye,, adj. Contusionné, ée, *Ommo* —, homme avancé en âge.
cassachon, sf. Cassation. *Allé in* —, recourir en Cassation.
cassé, v. casser. *Fére — lo vin*, faire tiédir le vin.
cassen-ta, adj. Cassant, fragile.
cassenàda, sf. Cassonade, sucre.
casseròla, sf. Casserole.
casserolin, sm. Petite casserole.
cassin, sm. Meurtrissure. *Ner di*—, livide de la meurtrissure.
cassolà, sf. Plein la truelle.
casson, sm. Chaudron.
cassoula, sf. truelle. C'est passé en proverbe dans ceux de la Valleise, pays essentiellement maçon, que, lorsqu'un jeune homme a fini ses études, on lui dit: *O la cassoula o l'ëtoula*. Ou prêtre ou maçon.
cataclismo, sm. Cataclysme.
* **catafalque**, sm. = *Tsaillet* s'il n'est pas trop grand.
* **catalogue**, sm. = *cataloggo*.
catalla, sf. Poulie, bobine.
cataratta, sf. Cataracte.
catarré, v. n. Jeter des catarrhes.
catarro, sm. Crachat, catarrhe.
catastrofe, sf. Catastrophe.
caté, sm. Motte de terre. — *de la peilà*, grumeau de la bouillie. Fig. Homme lent.
catécimo, sm. Catéchisme. *Fére lo* —, remontrer avec autorité.
catedràla, sf. Cathédrale.
categoria, sf. Catégorie. *Gràma* —, mauvaise race.
catolecco-a, ad. Catholique.
catroille, sf. Saleté qui reste attachée aux cuisses des vaches.
catsé, v. Cacher. — *lo fen*, retirer le foin. *S'en* —, dissimuler une chose.
catse-bien, sm. Jeu des veillées d'hiver.
catse, sf. Cache; lieu où les enfants cachent leurs joujoux.
catsemeille, sf. *Fére de* —, soustraire des choses de la maison.
catsemeillar-da, adj. Porté à faire des petits vols.
catson (a) adv. En cachette.
causa = *còsa*, sf. Cause. *Etre in* —, être en cause.
cosa, (a) adv. A cause.
cavalla, sf. Cavale.
cavallé, v. Se dit des bêtes lorsqu'elles sautent les unes sur les autres.
cavalleri, sf. Cavalerie.

cavallina, sf. Petite cavale. Jeu d'enfant.
cavallon, (a) adv. A califourchon.
caverna, sf. Caverne.
cayé, v. Jeter. — *de perre,* jeter des pierres. — *tsi no,* passer chez nous.
cayon, sm. Porc, cochon. V. *Pouer.* — *que t'i,* saligaud que tu es.
ce = *ceu,* adv. Ici, en cet endroit.
cecaillar-da, adj. Qui bégaye.
cecaillé, v. Bégayer.
cèdé, v. Céder, fléchir.
cedila, sf. Cédille.
cedula = *cedeula,* sf. Cédule.
cegnoula, sf. Manivelle.
cëla, sf. Seau.
ceilà, sf. Plein un seau.
ceilë = bv. *sebrë,* sm. Qui fait des seaux.
ceillon, sm. Petit seau.
celë, sm. *(de collé).* Cellier où l'on met le lait.
celebrachon, sf. Célébration.
celebré, v. Célébrer. — *la féta,* sanctifier la fête.
celèbro-a, adj. Célèbre.
celerà-ta, adj. Scélérat, ate.
celeri, sm. Céleri.
celibà, sm. Célibat.
celibatéro, sm. Célibataire.
cella, pro. Celle. — *lé,* celle-là.
cemeterio, sm. Cimetière.
cen, pron. Ça, cela.
cen-lé, pron. Cela, cette chose là.
cenllia, sf. Ceinture de l'âne, du mulet.
cenllio-a, adj. Simple. *Fi* —, un seul fil. *Fleur* —, fleur qui n'est pas double.
cenllié, v. Ceindre.
* **cent**, adj. Cent. sm. *Un* — *d'où,* un cent d'œufs.
centeina, sf. Centaine. — *de la flotta,* centaine de l'écheveau.
centëmo, adj. Centième.
centenéro-a, s. adj. Centenaire.
centimètre, sm. Centimètre.
cercllié, v. Cercler.
cercllio, sm. Cercle.
cerdzaou, sm. Lieu où chacun va choisir ses brebis à l'arrivée du troupeau.
ceré, sm. Ceras. — *gras,* celui qu'on tire d'un lait qui n'a pas été écrémé. *Lo freté de nequedé, feit ni breussa ni ceré.*
ceremougne, sfp. *(sensa).* Sans cérémonie, sans façon.
ceremounia, sf. Cérémonie.
cergo, sm. Cierge.
ceriëse, sf. Cerise. *Ci que l'at fé lo mandzo di ceriëse :* Dieu. *Le ceriëse son panco maoure.* Le temps n'est pas encore venu.
certen-certeina, adj. Certain, aine.
certeinamente, adv. Certainement.
certificà, sm. Certificat.
certifié, v. Certifier.
cervalla, sf. Cervelle.
cervë, sm. Cerveau.
cerveillon, sm. *(Laou).* Loup cervier.
cesail, sm. Ciseau des tailleurs de pierre.
ceschon, sf. Cession.
cessachon, sf. Cessation.
cessé, = *quetté,* v. Cesser. *Cesse de ploure,* il cesse de pleuvoir.
cetta, pro. Cette. *Cetta-ceu,* celle-ci. *Cette-ceu,* Celles-ci.
cetti-a, adj. Qui est adroit ; qui a un pas leste et non pesant. *Fi* —, fil mince, sub-

til. *Man cettia,* main adroite à faire des choses délicates.
chàle, sm. Châle. *Porté lo —,* être dame.
chancelan-ta, adj. Irrésolu, e.
chancelé, v. Chanceler. V. *Trambellé.*
chancelleri, sf. Chancellerie.
chancellië, sm. Chancelier.
champètre, adj. *(garda)* Garde champêtre.
chantië, sm. Chantier.
chaou, sf. Sueur.
charità, sf. Charité, amour du prochain ; aumône. V. *Armouna.*
charaban, sm. Char-à-bancs.
charitàblo-a, adj. Charitable.
charman-ta, adj. Charmant, ante.
charmo, sm. Charme. — *de senti,* charme d'entendre.
* **charron,** sm. Celui qui fait des chariots.
chartreu, sm. Chartreux.
chartreusa, sf. Chartreuse.
chastetà, sf. Chasteté.
chasto-a, adj. Chaste.
chàta, sf. Endroit pour s'asseoir.
chatà-ye, adj. Assis, ise.
chaté = *achaté,* v. Asseoir. — *lo meinà,* asseoir l'enfant. *Se —,* s'asseoir.
chaton, (a) adv. Assis sur le bât, non à califourchon.
* **chef** = *cap,* sm. — *di bregan,* chef des brigands.
chence = *cience,* sf. Science.
* **cher-chère,** adj. Dans le seul sens d'aimer.
cherdre, v. Choisir.
cherduya, sf. Choix. *Fére euna —,* choisir, couper les raisins les plus mûrs.
* **chère,** sf. *Fére bouna —,* faire bombance.
* **chéri,** sm. *L'atten son —,* elle attend son amant.
cheur, sm. Suif, graisse dont on fait les chandelles.
cheur-chura, adj. Sûr, sûre.
chevaillë, sm. Chevalier. — *d'industria,* homme qui sait vivre aux dépens des autres.
chifoné, v. Froisser. — *lo lindzo,* froisser le linge. Fig. Se moquer. — *le dzen,* se railler du monde.
choè, sm. Choix. *Baillé lo —,* donner le choix.
chor-da, adj. Sourd, sourde. *Chor come un doil.*
chordeivo-a, adj. Qui est un peu sourd. On dit d'un sourd: *L'at euna grandze a Chordeivo (Sordevolo).*
chouatta, sf. Civière. Fig. Femme sale, malpropre. On dit: *Gueillarda fille, chouatta fenna.*
chouattà, sf. Plein la civière.
chouatré, v. Salir, chiffonner.
chouàtro-a, adj. Qui salit, chiffonne.
choué, v. n. Suer. — *a grousse gotte,* suer à grosses gouttes.
chouë, adj. Six. — *dzor,* six jours.
chouedzo-e, adj. Uni, luisant, lisse. *Pei —,* cheveux lissés.
chouejëmo, adj. Sixième.
chouesen, sm. *(battre i)* Battre le blé à six.
chouisse, sm. Suisse. *T'i un bon, un joli —,* (ironique) tu es un bon, un joli garçon.
chour = *sor,* sf. Qualité. *De cella —,* de cette qualité.
chour, sf. Race. *Grama —,* mauvaise race.
choure = *chouvre,* v. M. C. Suivre.
churamente, adj. Sûrement.

* **chute,** sf. *Fére euna —,* tomber, faire une faute.

ci, pro. Celui. *Ci-ceu,* celui-ci. *Ci-lé,* celui-là.

cibla, sf. Cible. *Terrié a la —,* tirer à la cible.

ciboère, sm. Ciboire, pourboire.

cigàla, sf. Cigare. *Feumé la —,* fumer le cigare. Cigale. *La — tsante,* la cigale chante.

* **cilice,** sm. Habit de pénitence.

cima, sf. Sommet de montagne.

ciman, sm. Ciment. *Batsé in —,* bassin en ciment.

cimanté, v. Cimenter.

cin, adj. Cinq. *Cin cou,* cinq fois. V. *Cinque.*

cina, sf. Souper. *Aoura de —,* heure de souper.

cindre, sf. Cendre. *La qeusèunëre l'est tseite i cindre.* Se dit lorsque le dîner se fait attendre.

cindrë, sm. Cendrier: linge qu'on met sur le cuvier de la lessive pour recevoir la cendre.

cindro, sm. *de voûta.* Cintre de voûte.

cindroillà-ye, adj. Qui est plein de cendre; qui est couleur de cendre.

cindroille, sf. Cuisinière mal mise.

cinquanta, adj. Cinquante.

cinquantëmo, adj. Cinquantième.

cinque, adj. Cinq. *Posé — et levé choué,* voler. *Lo cinque di meisse,* le cinq du mois.

cinquëmo, adj. Cinquième.

circonferance, sf. Circonférence.

circoncejon, sf. Circoncision.

circonci, v. Circoncire; part. qui a reçu la circoncision.

* **cire,** sf. *Incerié lo fi,* enduire le fil de cire.

ciré, v. Cirer. *Ciré le soler,* cirer les souliers.

cirqeulé, v. Circuler.

cirqeulère, sf. Circulaire.

cisterna, sf. Citerne.

citachon, sf. Citation.

citadèla, sf. Citadelle.

citadin-a, s. Nos compagnards, par ironie, appelaient ainsi ceux de la cité d'Aoste, devenue depuis, *ville.*

cité, v. Envoyer l'huissier; on dit aussi: *mandé lo boque.*

* **citoyen,** sm. Honnête homme, patriote.

civilamente, adv. Civilement.

civilisachon, sf. Civilisation.

civilisé, v. Civiliser.

civilo-a, adj. Civil, civile.

clarinetta, sf. Clarinette.

* **classe,** sf. *Secounda —,* seconde classe.

classefié, v. Classifier.

* **clause,** sf. Disposition particulière d'un contrat.

* **clavecin,** sm. Espèce de piano.

* **clergé,** sm. Corps des ecclésiastiques.

clerical, sm. Nom que les libéraux donnent aux catholiques.

clìan, sm. Client.

cliantella, sf. Clientèle.

cllià, sf. Clef. *— de la man,* poignet.

clliafar-da, adj. Qui parle et rit fort.

clliafardà, sf. Risée à gorge déployée.

clliafardé, v. n. Faire des risées.

clliap, sm. Vase en terre.

Martsan di —, marchand de vases en terre.

clliapa, sf. Une moitié en long. — *de lar,* longe de lard.

clliapà-ye, adj. Fendu, ue.

clliapé, v. Fendre, casser. — — *lo bouque,* fendre le bois. — *lo veiro,* casser le verre.

clliapei, sm. Lieu tout en grosses pierres. V. *Perrëre.*

clliapin, sm. Morceau cassé séparé de l'objet auquel il appartenait. — *de meulet,* morceau du fer d'un mulet.

clliemacllio, sm. Crémaillère. V. *Cremacllio.*

cllienda, sf. Haie. *Gambé la* —, outrepasser la mesure. *Tapé la sottana su la* —, jeter le froc aux orties. *Gran prà, gran clliende,* grande maison grandes dépenses.

clliendà-ye, adj. Entouré de haies.

clliendé, v. Faire une haie.

cllier, sm. Liquide. — *di bou tordu,* jus de la vigne.

cllier-ére, adj. Clair, e. *Lo ten l'est* —, le temps est beau clair. *Resté cllier,* se dit d'un œuf qui n'éclot pas, et, au fig., de ceux qui ne concluent pas un marché projeté. *Tsambra* —, chambre bien éclairée. *Seupa* —, soupe qui n'est pas épaisse.

cllierdze, sf. Tonsure.

clliére, sf. *d'où,* blanc d'œuf. Vue. *Pèdre la* —, perdre la vue.

cllerié, v. Voir. *Fére* —, éclairer avec la lampe.

cllieya, sf. Claie. — *di bouat,* claie qui renferme les brebis.

clleyon, sm. Traverse d'une échelle, d'une claie.

cllin-a, adj. Penché, incliné. *In vëgnen vioù, in vin cllin*

clliotse, sf. Cloche. *Fât senti le dòve —, pe savei quinta l'at pi bon son,* il faut entendre l'un et l'autre pour savoir qui a raison. Dev. *Euna vielle, dessu sa tor, atot euna den, l'appàle le dzen di contor.*

clliotsé, sm. Clocher.

clliotsetta, sf. Petite cloche.

clliotseton, sm. Petit clocher.

clliou, sm. Clou.

clliou-te, adj. Fermé, ée; clos, close.

cllioure, v. M. C. F. G. p. 51. Fermer, non à clef; clore. *Dz'i pà clliou le jeu,* je n'ai pas fermé l'œil.

cllioutre, sm. Cloître.

cllioutrë, sm. Qui fait ou vend des clous.

cllioutreri, sfp. Diverses sortes de clous.

coabitachon, sf. Cohabitation.

coabité, v. Cohabiter.

coàché, v. Crier comme les corbeaux, coasser.

coaché v. = *quaché,* bv. Tresser. — *le pei,* tresser les cheveux. V. *Trèché.*

coajuteur, sm. Coadjuteur.

coasse, sf. Tresse de cheveux que portent les femmes sur la tête. V. *Pleyure.*

cobla, sf. Couple. — *de pindzon,* couple de pigeons.

coblà-ye, adj. Qui est couplé.

coblé, v. Coupler.

* **cocagne,** sf. *Bonten de* —, très bon temps.

cocalàno, sm. *(Tot a)* Tout en l'air, tout en désordre.

cocarda, sf. Cocarde. *Betté euna* —, faire à quelqu'un mauvais renom.

cocca, sf. Ongle d'animal.
cochon, sm. Saligaud; f. *cochouna.*
cochonneri, sf. Saleté, vilainerie.
cochonnet-ta. Petit saligaud.
cocuya, sf. Cigüe, chalumeau.
codeura, sf. Couture. *Feit ta* —, se dit à celui qui se mêle de ce qui ne le regarde pas.
codzat, sm. Trou, lieu où les chats, les poules vont se mettre à leur aise.
codzu-ya, adj. Contraint-e. *Dze si ëtà* —, j'ai été obligé, forcé.
coëfe = *couëfe,* sf. Coiffe de femme. *Avei la — de traver,* être de mauvaise humeur.
coeretë-re, s. Cohéritier, ière.
* **cœur,** sm. *Prëté de bon* —, prêter volontiers. *Recité pe* —, réciter de mémoire.
cognëssance, sf. Connaissance.
cognéssen-ta, s. Qui connaît.
cognëtre, v. M. C. F. G. p. 51. Connaître.
coillaou, sm. Gros entonnoir. — *di lacë,* couloir du lait.
colachon, sf. Petit repas. *Mindzé* —, manger collation.
colecca, sf. Colique. *Innoyaou come la* —.
colegnà, sf. *de rita,* ce qu'on met en une fois de filasse sur la quenouille.
colègne, sf. Quenouille.
colenë, sm. *(de la coutse).* Colonne du lit.
colenna, sf. Colonne, poutre droite qui supporte quelque poids. — *de meison,* soutien de la famille.
colerà, sm. Choléra-morbus.
* **colère,** sf. *Se betté in* —, se fâcher, s'irriter.
coletta, sf. Collecte.
coleur, sf. Couleur.
coleura, sf. Coulure. — *di resin,* coulure des raisins.
colla, sf. Colle.
collé, v. Coller, attacher avec de la colle.
collé, v. Couler. — *lo lacë,* couler le lait.
collèdzo, sm. Collége.
collié, sm. Collier. V. *Corà, coulàna.*
colochë, sm. Celui qui garde le troupeau de chèvres, de brebis.... des gens du quartier.
colomba, sf. Colombe.
colombë, sm. Colombier.
colon, sm. Pigeon. *Quan le colon son plen, le ceriëse vëgnon amère.*
colonna, sf. Colonne. V. *Colenna.*
colori-a, adj. Qui a belle couleur.
colosse, sf. Troupeau de brebis et de chèvres.
coloutro, sm. Premier lait que donne la vache après avoir fait le veau.
comanda, sf. Commande. *Fét de* —, fait de commande.
comandan-ta, s. Qui commande. *Fére lo* —, vouloir commander.
comandé, v. Ordonner, commander.
comba, sf. Vallée, vallon.
combatten, sm. Combattant.
combattre, v. Soutenir, faire valoir ses raisons, combattre.
combetta, sf. Petit vallon; bv. *Valei.*
combinachon, sf. Combinaison.
combiné, v. Combiner. — *le baggue,* disposer ce qu'il y a à faire.
comblé, v. Combler.

comblo-a, adj. Comble.
come, adv. Comme. *Beurt — la nët,* laid comme la nuit.
comechon, sf. Commission.
comechonné, v. Commissionner.
comechonnéro, sm. Commissionnaire.
comedie, sf. Comédie. *L'est euna* —, c'est un désordre.
comen, adv. Comment.
comen! interj. Comment!
comenché, v. Commencer.
comencemen, sm. Commencement.
comeradzo, sm. Commérage.
comerçan, sm. Commerçant.
comerce, sm. Commerce. *Fére lo* —, mener mauvaise vie.
comére, sf. Commère.
comessevoille, adv. Comme ce soit, sans attention.
cometta, sf. Comète.
comettre, v. Commettre.
comi, sm. Commis.
comisséro, sm. Commissaire.
comodamente, adv. Facilement.
comodità, sf. Lieu privé.
comodo-a, adj. Commode, aisé, facile.
compà, sm. Compas. *Baggue féte i* —, choses faites à la perfection.
compachon, sf. Compassion.
compachon! interj. Equivaut à *Pecaire!*
compachonnaou-sa, adj. Qui est porté à la compassion.
* **compagne**, sf. *come la fan et la sei,* compagne inséparable.
compagni, sf. Compagnie.
compagnon, sm. Camarade. *Le trë —,* constellation d'Orion; bv. *le trë Rei.*
comparablo-a, adj. Comparable.
compàre = *compére,* sm. Compère.
comparé, v. Comparer.
comparécense, sf. Comparution. *Fére dove* —, paraître deux fois en justice.
compari, v. Comparaître.
comparti, v. Partager. — *euna pomma intre trei,* partager une pomme entre trois.
compartimen, sm. Compartiment; paroi qui sépare deux chambres; ces chambres elles-mêmes.
compati, v. Compatir.
compatiblo-a, adj. Compatible.
compatissen-ta, adj. Compatissant, ante.
compatriot-ta, s. Compatriote.
compensachon, sf. Compensation.
compensé, v. Compenser. *Un an bon compense un gràmo.*
compére = *compàre,* sm. Compère.
competen-ta, adj. Compétent, ente.
competence, sf. Compétence.
compleichon, sf. Complexion. *Feiblo de* —, faible de tempérament.
complente, sf. Chanson plaintive, complainte.
complère, v. M. C. F. G. p. 51. Complaire.
complèsance, sf. Complaisance.
complèsen-ta, adj. Complaisant, ante.
complèt-a, adj. Complet, ète.
complètamente, adv. Complètement.
complèté, v. Compléter.
complicà-ye, adj. Compliqué, ée.

complicachon, sf. Complication.
* **complice**, sm. Qui a part au crime d'un autre.
complie, sfp. Complies.
complimen, sm. Compliment.
complimentaou-sa, adj. Qui fait trop de compliments.
complimenté, v. Donner des louanges.
* **complot**, sm. Complot.
comploté, v. Tenir complot.
componchon, sf. Componction.
comporté, v. pr. **(se)** Se comporter.
composà-ye, adj. Composé, ée.
composé, v. Composer.
composechon, sf. Composition.
compra, sf. Qualité. *De mëma* —, de même qualité.
comprenaille, sf. Compréhension, intelligence. *T'a pà de* —, tu ne comprends rien.
* **comprendre**, v. M. C. p. 51. Comprendre.
compressa, sf. Compresse.
* **compromettre**, v. — *son honneur*, exposer sa réputation.
comeuna = *comuna*, sf. Commune.
comun-euna = *qeumin*, adj. Commun. *Cen l'est* —, cela tous le savent.
comunal-a, adj. Communal, e. *Taille comunala*, impôt communal.
comunicachon, Communication.
comunié, v. Recevoir la Communion.
comunion, sf. Communion. *Vivre in* —, vivre, habiter ensemble.
comuniqué, v. Communiquer.
conatë, sm. Ami.
conca = *boueilletta*, sf. Tronc creusé où l'on donne à lécher au bétail.
concheichon, sf. *(fëta de la)*. Immaculée Conception.
concentrà-ye, adj. Qui est concentré en lui-même.
concer, sm. Concert, accord, harmonie.
concerné, v. Concerner. *Cen que me* —, ce qui me regarde, qui m'appartient.
concerté, v. **(se)** Se concerter.
concevablo-a, adj. Qui peut être compris.
conchence, sf. Conscience.
conchon, sf. Caution.
conchonné, v. Cautionner. *Qui conchonne paye.*
conchonnemen, sm. Cautionnement.
conci, sm. Rigole. — *de l'ëve*, rigole d'eau.
conciliachon, sf. Conciliation.
* **conciliateur**, sm. Juge de paix.
concilié, v. Concilier. — *de s-ennemi*, réconcilier des ennemis.
* **concitoyen**, sm. Citoyen du même pays.
* **conclave**, sm. Assemblée de cardinaux qui nomment le Pape.
conclujon, sf. Conclusion.
* **conclure**, v. M. C. F. M. p. 51. Conclure. Ces deux mots font aussi : *conclliujon, conclliure.*
concorda, sf. Concorde.
concordé, v. Concorder, être d'accord. — *lo meinà que plaoure*, apaiser l'enfant qui pleure.
concour, sm. Concours.
concoure = *concouri*, v. M. B. F. B. Concourir.
concubina, sf. Concubine.

concubinadzo, sm. Concubinage.
concurance, sf. Concurrence.
condamnà-ye, adj. Qui n'est pas sain : attaqué sérieusement dans l'intérieur par la maladie.
condannachon, sf. Condamnation.
condanné, v. Condamner.
condeçandance, sf. Condescendance. *Trop de* —, trop de complaisance des parents envers leurs enfants.
condechon, sf. Condition.
condeciplo-a, sm. Condisciple.
condi, v. Assaisonner.
condi-a, adj. Assaisonné, ée. — *atot euna leina tsaada,* mettre le beurre à la soupe avec une alêne chaude (en mettre très peu).
condimen, sm. Ce qu'on met pour assaisonner.
condui, sm. Conduit. — *de l'ëve,* conduit de l'eau.
* **conduire,** v. M. C. F. H. *Se bien* —, se bien comporter.
* **conduite,** sf. *Meiné bouna* —, tenir bonne conduite. *Payé la* —, payer le port.
conduteur, sm. Conducteur.
condzà, sm. Congé. *Baillé* —, donner la permission. Congé de soldat.
condzeublé, v. Unir ensemble. De deux époux qui n'ont rien, l'on dit: *L'an condzeublà la fan avouë la sei.*
condzeuré, v. Conjurer. — *lo folet,* chasser le malin esprit.
condzuya = *condzure,* sf. Beurre, graisse dont on assaisonne les nourritures.
confaron, sm. Bannière d'église.
confechon, sf. Confession.
confechonal, sm. Confessionnal.
confederachon, sf. Confédération.
conferance, sf. Conférence.
conferé, v. n. Parler ensemble.
confessé, v. Confesser, avouer. *Confessé sa foè,* se montrer bon chrétien.
* **confesseur,** sm. Prêtre qui confesse.
confian-ta, adj. Qui se confie.
* **confiance,** sf. *in Dzeù,* confiance en Dieu. *Ommo de* —, homme probe.
confidance, sfp. Confidences.
confié, v. Confier.
confiermà-ye, adj. Confirmé, ée. V. *Creimà.*
confiermachon, sf. Confirmation. V. *Creima.*
confiermé, v. Donner la Confirmation. V. *Creimé.* Assurer qu'une chose est vraie.
confin, smp. Confins. *Passé le* —, passer les limites.
confiné, v. n. Confiner.
confiscà-ye, adj. Confisqué, ée.
confiscachon, sf. Confiscation.
confisqué, v. Confisquer.
confiteura, sf. Confiture.
confla, sf. Neige que le vent accumule.
confla-bouë, sm. Mauvais potage qui ne fait que gonfler les boyaux.
conflé, v. Gonfler. — *la peteufla,* faire de grands efforts. *Se* —, faire le gros, le grand.
conflo-a, adj. Gonfle.
* **confondre,** v., *euna bagga avouë l'âtra,* mêler une chose avec l'autre. Donner de la confusion, réduire au silence.
conformé, v. pr. **(se)** Se conformer.
conformo-a, adj. Conformé.

confor, sm. Secours, assistance, consolation.

conforté, v. Conforter, consoler.

confrari, sf. Confrérie. — *di ratë,* en font partie ceux qui dérobent ça et là.

confrére, sm. Confrère.

confronté, v. Confronter.

confu-ya, adj. Confus, use.

confujon, v. Confusion. — *de dzen,* foule de monde. *Fére* —, faire honte.

congedié, v. Congédier.

congrè, sm. Congrès. — *pe la péce,* congrès pour la paix.

congregachon, sf. Congrégation.

congruya, sf. Traitement du Curé.

conjonchon, sf. Conjonction.

conjugué, v. Conjuguer.

conjuguèson, sf. Conjugaison.

conqué, v. n. Se dit des planches qui deviennent concaves par l'action du soleil ou de l'humidité.

conqueran, sm. Conquérant. Se dit de deux garçons qui parlent à une fille.

consacrà-ye, adj. Consacré, ée.

consacrachon, sf. Consécration. — *de messa,* consécration de la messe.

consanguin-a, adj. Consanguin, consanguine.

conscrechon, sf. Conscription.

conscri, sm. Conscrit.

consecan-ta, adj. Conséquent, ente ; important, e.

consecance, sf. Conséquence. *Papë de* —, papiers d'importance.

consegne, sf. Consigne.

consegné, v. Consigner. — *a l'ajan di tasse tot cen qu'in at,* consigner à l'agent des taxes tout ce que l'on a.

* **conseil**, sm. — *de comeuna,* conseil communal. *Baillé un* —, donner un avis.

conseillé, v. Conseiller.

conseillë, sm. Conseiller.

consentemen, sm. Consentement.

consenten-ta, adj. Celui, celle qui consent.

consenti, v. n. M. B. p. 51. Consentir, donner son consentement. Fig. Se gâter. *Lo vin commence a* —, le vin commence à se gâter.

consentu-ya, adj. *pe dedin,* qui est attaqué à l'intérieur par une maladie.

conserva, sf. Conserve, confiture.

conservà-ye, adj. Conservé, ée.

conservachon, sf. Conservation.

conservé, v. Conserver. *Savei se* —, vivre bien, travailler peu.

conseumé, v. Consumer. *Tot* —, tout dissiper.

conseumo, sm. Consommation. — *di café,* consommation du café; ce qui a été consumé.

conseurta, sf. Consultation.

conseurté, v. Consulter.

consideràblo-a, adj. Considérable.

consideràchon, sf. Considération, égard.

consideré, v. Considérer.

consisté, v. Consister.

consolachon, sf. Consolation. — *di dannà,* celle qui consiste à penser qu'on n'est pas seul à souffrir.

* **consolateur**, sm. *L'Esprit.* Le Saint-Esprit.

* **consolatrice,** sf. *N.-D.* La Sainte-Vierge.
consonchon, sf. Consomption. *Prei de* —, pris de consomption.
consòna, sf. Consonne.
consor, sm. Quartier, village. *Bouque di consor,* forêt à laquelle tout le quartier a part.
consorteri, sf. Consorterie.
conspirachon, sf. Conspiration.
* **conspirateur,** sm. Celui qui conspire.
conspiré, v. Conspirer.
constan-ta, adj. Constant, ante.
* **constance,** sf. *Avei de* —, avoir de fermeté, de persévérance.
constaté, v. Constater. — *lo damàdzo,* constater le dommage.
consternà-ye, adj. Consterné, ée. *Ci desastro no s-at* —, ce désastre nous a abattus.
constipé, v. n. Constiper.
constipà, sm. Nom qu'on donnait par ironie à ceux qui voulaient la constitution.
constituchon, sf. Constitution.
construchon, sf. Construction.
construire, v. M. C. F. H. p. 51. Bâtir, faire un palais.
consul = *conseul,* sm. Consul.
conta, sf. Histoire, affaire. *Pà tan de conte,* pas tant d'histoires, dépêchez-vous.
contadzon ! Int. Exclamation de colère.
contageu-sa, adj. Contagieux, euse.
contajon, sf. Contagion.
contapa ! int. Sapristi. — *que me gràve,* oh ! qu'il me fâche.
conté, v. Compter, conter.
conteille, sfp. Historiettes. *Dére de* —, dire des historiettes.
contemplachon, sf. Contemplation.
contemplé, v. Contempler. *Se — i meriaou,* se regarder au miroir.
conten-ta, adj. Content, ente.
conteni, v. M. B. F. D. p. 51. Contenir.
contenté, v. Contenter.
contentemen, sm. Contentement.
contessa, sf. Comtesse.
contesta, sf. Contestation. *Ëtre in* —, être en contestation.
contestablo-a, adj. Contestable.
contestachon, sf. Contestation.
contesté, v. Contester.
continjan, sm. Contingent. *Di mémo* —, de la même levée militaire.
continuyachon, sf. Continuation.
continuyé, v. Continuer.
continuyel-la, adj. Continuel, elle.
continuyellamente, adv. Continuellement.
conto, sm. Comte.
contor, sm. Environs. *Dzen di* —, gens des environs. *Garçon di mëmo* —, garçon du même âge.
contorchon, sf. Contorsion.
contradechon, sf. Contradiction.
contradië, v. M. H. p. 60. Contredire, vouloir avoir raison.
contrarié, v. Contrarier, dire, faire le contraire.
contrarietà, sf. Contrariété.
* **contraste,** sm. — *di fret et di tsat,* contraste entre le

froid et la chaleur.
contrat, sm. Contrat.
contraté, v. Contracter.
contràre! interj. — *di bague!* se dit lorsque les affaires ne vont pas bien.
* **contre,** prép. — *lo meur,* contre le mur.
contrebarré, v. Discuter, contredire.
contrebenda, sf. Contrebande. *Adzure de —,* apporter de la contrebande.
contrebendzë, sm. Contrebandier.
contrebeuchon! int. Juron.
contrebuyé, v. Contribuer. V. *Contribuyé.*
* **contre-cœur,** adv. *Fére à —,* faire à regret.
contrechon, sf. Contrition.
contredëre, v. M. H. p. 60. Contredire.
contrefére, v. Contrefaire. V. *Desseuyé.*
contrefor, sm. Contrefort.
contremandé, v. Contremander. V. *Decondzé.*
contremarca, sf. Partie de la taille que les teinturiers donnent à leur clientèle.
contremétre, sm. Celui qui dirige les ouvriers.
contremeur, sm. Contre-mur.
contrepei, sm. Contre-poil. *A contre-pei,* adv. à rebours.
contrepeisse, sm. Contrepoids.
contrepoeison, sf. Contre-poison.
contreten, sm. Pluie, grêle qui gâte la campagne.
contri-te, adj. Contrit, ite.
contribuchon, sf. Contribution. *Payé le —,* payer les impôts.
contribuyé, v. Contribuer.
contristà-ye, adj. Contristé, ée.
contristé, v. Rendre triste.
controlé, v. Contrôler.
controversa, sf. Controverse. *Ètre in —,* être en désaccord.
contse, sf. Petit morceau de bois que les bergers passent à la boutonnière des bretelles, enfilées à un trou qu'ils font aux pantalons, pour remplacer les boutons qu'ils ont perdu au jeu. On met aussi la *contse* à la *fourtse* et à la *tsenevalla.* La *contse* est aussi la chaine en fer ou en corde que l'on met sous les traineaux pour les empêcher d'aller trop vite. — *Doze pouin lo bouton! C'en l'est pà bagatelle. Surtou quan fat copé ci que tin le bretelle.*
contso, sm. Compte, calcul. *Fére lo —,* donner le salaire au serviteur qu'on renvoie.
conteumaça, sf. Contumace. *Prendre in —,* prendre en contumace.
convalecen-ta, adj. Convalescent, ente.
convegnen-ta, adj. Qui convient.
convegnàblo-a, adj. Convenable.
convegnance, sf. Convenance. On dit aussi d'une manière plus moderne: *convenen, convenàblo, convenance.*
convenchon, sf. Convention.
convenchonnel-la, adj. Conventionnel, elle.
convencre, v. Convaincre.
convenqui, v. Obliger à croire.
conver-sa, adj. Convers, erse. *Frére —, sœur —.*
conversachon, sf. Conversation.
conversé, v. Converser; par-

ler de choses utiles et honnêtes.

converti-a, adj. Qui a été converti.

converti, v. Convertir. *Se —,* v. pr. Changer de vie, se corriger.

convià, sm. Convié.

convié, v. Convier. — *a dené,* convier à un repas.

* **convive,** sm. *Tseut le —,* tous les convives.

convocachon, sf. Convocation.

convoè, sm. Convoi, cortège de noces, de sépulture.

convoèté, v. Convoiter. — *lo bien di s-atre,* convoiter le bien d'autrui.

convoètise, sf. Désir avide, manège secret pour avoir.

convoqué, v. Convoquer.

convulchon, sf. Convulsion.

cooperachon, sf. Coopération.

coopéré, v. Coopérer, aider, prendre part.

copa, sf. Taille. *Baillé la —,* donner la coupe des plantes.

copaborsa, sm. Coupe-bourse.

copé, v. Couper. — *lo pan,* couper le pain. — *qeur,* couper court, dire peu de mots.

copetë, adv. **(a)** Califourchon. *Porté lo meinà a —,* porter l'enfant à califourchon sur le dos.

copeura, sf. Coupure.

copía, sf. Copie.

coplé? loc. adv. S'il vous plaît? Vous plaît-il de répéter ce que vous avez dit?

coplet, sm. Couplet. *Avei son dèèrë —,* avoir son dernier mot.

coppa, sf. Coupe. *Coppa plana,* coupe à quatre oreilles où l'on boit à la ronde. Nos bons campagnards disent en buvant : *L'est mioù de beire euna coppa, que de pantsé euna gotta.*

coque, sfp. Ongles du pied des animaux. Sm. —, *de la benda,* chef de la bande. *Tsarbon de —,* charbon de cock.

coqueille, sf. Coquille.

coquetta, sf. Vaniteuse qui cherche à plaire.

coquin, sm. (Enfantin) Œuf.

coquin-a, adj. Coquin, ine; fripon, onne.

coquineri, sf. Friponnerie.

cor, sf. Cour, place devant les domiciles.

cor, sm. Corps. *Lo — et l'âma,* le corps et l'âme.

corà, sm. Graines, perles enfilées, dont les femmes entourent leur cou : collier.

coradzaou-sa, adj. Courageux, euse.

coradzo, sm. Courage, audace.

corbé, sm. Corbeau. *Mesadzë di —,* mauvais messager.

corbetson, sm. Petite serpette.

corbetta, sf. Serpette.

corda, = *courda,* sf. Corde. *Te vâ pà la corda d'un pendu,* tu ne vaux rien.

cordalla, sf. Cordon tressé.

cordallé, v. Mettre des cordons, des rubans à la robe : — *lo coteillon.* Se dit encore d'un liquide épaissi qui fait le fil en tombant. *Lo cllier di beurro trop vardà cordalle,* le lait de beurre trop gardé fait la corde en coulant.

cordelë, sm. Celui qui fait des cordes.

cordetta, sf. Petite corde courte.

cordin, sm. *Cordina,* sf. Petite corde mince.

cordognë, = *cordagnë,* sm. Cordonnier.

cordzo-e, adj. bv. Tardif, ive.
coren-ta, adj. Courant, ante. *Pri* —, prix courant.
corenta, sf. Courante. *Avei la* —, avoir la diarrhée.
coridon, sm. Corridor.
corna, sf. Corne. Fig. Se dit d'une personne dure, qui donne peu, presque jamais.
cornà, sf. Coup de corne.
cornaille, sf. Femme dure.
cornaillé, = *cornaté,* v. Donner des cornes.
corné, v. Sonner le cor, le cornet.
corneillon, = *cornita, cornetta,* sm. Le diable.
cornet, sm. Corne de bouc que les bergers sonnent pour annoncer le départ et l'arrivée du troupeau.
corniflé, v. Epier, tendre le nez pour voir ce qui se passe chez les autres.
cornifleur, adj. Celui qui épie.
cornu-ya, adj. Cornu, ue.
coronna, sf. Couronne.
coronel, sm. Colonel.
coronnà-ye, adj. Couronné, e.
coronnemen, sm. Couronnement.
corpa, = *courpa,* sf. Faute. *Cen l'est pe ta* —, cela est arrivé par ta faute.
corporachon, sf. *religeusa.* Corporation religieuse.
corporateura, sf. Forme du corps. *Ommo de voutra* —, homme qui vous ressemble par la forme du corps.
corporel-la, adj. Corporel, elle.
corporellamente, adv. Corporellement.
corredzé, v. Corriger.
corredziblo-a, adj. Corrigible.
correichon, sf. Correction.
* **correspondance,** sf. Relation, liaison.
* **correspondre,** v. — *i bien que no fan,* correspondre au bien qu'on nous fait.
corruchon, sf. Corruption.
corruteur, sm. Corrupteur.
corsa, sf. Course.
* **cors,** = *tardi* adj. Se dit des fruits de la terre tardifs.
* **corset,** sm. Le buste, le haut de la robe de femme.
* **cortège,** sm. *fére* —, environner, suivre, accompagner.
cortei !, int. *parë* (Bien bon ! trop généreux !) vous dit un pauvre, si après lui avoir donné à manger, vous lui donnez encore à boire.
cortei-sa, adj. Généreux, euse ; qui est porté à donner ; courtois.
corteisa, sf. Triangle en fer qu'on accroche à la crémaillère pour y poser la poële à frire.
corvé, sm. Corvée. *Fére un* —, faire une corvée.
cos, sm. *Allé a gran* —, aller à toute hâte, au grand galop, à la course. Sf. Pierre à aiguiser.
cos, sm. Cette partie du plancher entre une poutre et l'autre.
cosàque, sm. Nom connu jadis de ceux de la Grande armée.
cosë, = *covë,* sm. Etui où on met la *cos* ou *moletta* (pierre à aiguiser).
cossa, sf. *de bada.* Voyage, course inutile.
cota, sf. Cote. — *di taille,* cote des impôts.
coteillon, sm. Jupe, robe de

femme. Espèce de jeu de cartes.

coteletta, sf. Cotelette. *Vivre a* —, vivre somptueusement.

coterià, sf. *de fi.* Aiguillée de fil.

cotet, sm. Cahier de la quote des impôts.

coteuma, sf. Coutume, usage.

coteura, sf. Engrais pour la campagne.

coteurà-ye, Terrain engraissé, cultivé.

coteuré, v. Mettre de l'engrais, cultiver.

cotisachon, sf. Cotisation.

cotisé, v. Cotiser. *Se* —, fournir sa quote-part.

* **coton,** sm. *Teila de* —, toile de coton.

cotonna, sf. Nos mères accoutumées à n'avoir que des tissus filés de leurs mains, appelaient de ce nom l'indienne qui se vend dans les boutiques.

cotsar, sm. Maître (jargon).

cotsarda, sf. Maîtresse, gouvernante.

cotson, sm. Dos. Fig. *Betté su lo* —, inculper.

cotsonné, v. Porter à dos.

cotta, sf. *epaousa.* Robe en étoffe du jour du mariage.

cottu-ya, adj. Qui a la laine longue. *Maouton cottu,* par opposition à *raset,* (mouton qui est tondu de frais).

cou, sm. Cou. *Tordre lo* —, étrangler. — *de caoutë,* coup de couteau. *Dëre sat* —, dire sept fois. Adv. Parfois. *De cou l'accapite,* parfois il arrive. C'est par : *Un cou* (une fois) que nos gens commencent leurs contes.

couar, sm. Le haut de la queue de bovine.

couarché, v. Enlever l'écorce. — *la brantse,* séparer la branche du tronc en la déchirant.

couche, sf. Courge. Boue d'eau et de neige.

couchot, sm. Petite courge précoce.

* **coucou,** sm. *I mei d'avri, lo coucou dei veni, o mor o vi.* V. *Couellet.*

coucouque, adv. Tard. *Drumi tanque* —, dormir jusque tard le matin.

coudra, sf. Coudrier. *Bou de* —, bois de coudrier.

coudrë, sm. Coudrier, noisetier.

coueillë = *coueiller,* sf. Cuiller.

coueilleite, sf. Récolte. *Pocca* —, peu de récolte.

coueilli, v. M. B. F. A. p. 51. Cueillir. — *de pereut,* cueillir des poires. *Coueille cen que t'a croutà,* ramasses ce que tu as laissé tomber. — *de màladi,* prendre, contracter des maladies.

coueillerà, sf. Cuillerée.

coueisen-ta, adj. Se dit d'un liquide bouillant, cuisant, brûlant. *Seupé lo lacë coueisen,* manger le lait bouillant.

coueison, sf. Cuisson. *De bouna* —, facile à cuire.

coueisse, sf. Cuisse.

coueisson = *coeisson,* sm. Petite cuisse.

couellet, = bv. *geutset,* sm. Coucou. Fig. personne dure, sans cœur.

couer, sm. Cuir. *Le vioù l'an lo couer deur,* les vieux ne meurent jamais.

couére, v. M. C. F. L. p. 51. Cuire, bouillir ; bv. *boudre.*

couet-ta, adj. Cuit, cuite. En descendant la marmite de dessus le feu l'on dit : *O couet o cru, lo fouà l'at vu,* ou cuit ou cru, ça été sur le feu.

couette, sm. Hâte. *Dzi* —, je suis pressé.

coufë = *cordagnë,* sm. Cordonnier.

couis = *qeus,* sm. Tourmente, vent qui emporte la neige en tourbillons.

couista, sf. Quête. *Allé à la* —, aller à l'aumône.

couistan, sm. Gueux, mendiant, parasite.

coulàna, sf. Collier de mulet.

cour, sm. *di tet* = *pièce mètressa,* pièce du faîte.

cour = *cor,* sf. Cour. — *di rei,* cour du roi. Adv. *A contrecour,* à contre-cœur. *Fére a contre* —, faire avec répugnance. V. *Cœur.*

courbé, v. Courber. — *la tëta,* baisser, courber la tête.

courbo-a, adj. Qui est plié, incliné, courbe.

coure, v. n. Courir. — *le moundo,* courir le monde.

* **coureur,** sm. *de nët,* garçon qui court la nuit.

coursa, sf. Course. *Allé a la* —, aller au galop.

courti, sm. Jardin. *Vagné lo* —, semer le jardin.

courtisan-a. Celui, celle qui cherche à plaire. (Se dit en mauvaise part).

couta, sf. Cote, côteau, colline. — *d'ail,* gousse d'ail. Coût. *Cen l'est pà de gran* —, cela n'est pas de grande valeur.

coutaou-sa, Qui est de grand prix, qui coûte beaucoup.

coutë, sm. Côté. *A* —, prép. A côté. *Allé di croè* —, aller du mauvais côté, empirer.

couté, v. Coûter. *Coute ren de dëre,* il ne coûte rien de dire.

coutse, sf. Lit. — *de plume,* lit de plumes.

coutsé, v. Coucher. — *lo petou,* mettre l'enfant au berceau.

coutsen = *meussen,* sm. Couchant. *Allé di* —, aller plus mal, dépérir.

coutsetta, sf. Petit lit.

couvà, sf. Couvée.

couvé, v. Couver. *Betté* —, mettre couver.

couvëre = *couëre,* sf. Couveuse.

cracar-da, adj. Menteur, euse.

cracheu, adj. Grossier, saligaud.

crâma, sf. Crême. *Cen que dit l'est pà tot de* —, ce qu'il dit n'est pas tout vrai.

cramé, vn. Ecrémer. *Leiché* —, laisser venir la crême.

cramenta, adj. *(potse)* Louche pour écrémer.

cranco-a, adj. Qui est souffrant, maladif.

crâno, sm. Gaillard. *Fére lo* —, faire le gaillard.

crapa, sf. L'épais qui reste du beurre fondu. *Te vâ pà euna* —, tu ne vaux rien.

crâpa, sf. Crevasse.

crapà-ye, adj. Crevé, ée.

crapachà-ye, adj. Crevassé, ée.

crapaché, v. pr. **(se)** Se crevasser.

crapé, vn. Mourir, crever.

crapot = *bot* = bv. *babi,* sm. Crapeau.

craque, sfp. Mensonges. *Dére de* —, dire des mensonges.

crâque, *(fére)* Se rompre, faire crac.

cratsé, v. Cracher. — *lo san,* cracher le sang. V. *Cupi.*

cratsin, sm. *de nei,* légère couche de neige.

cravatta, sf. Cravate. *Prendre pe la* —, être usurier, vendre trop cher.

crayon, sm. Crayon.

crayonné, v. Crayonner.

creachon, sf. Création.

creance, sf. Créance. *Avei de* —, avoir à exiger. Bonnes manières : *montré la* —, enseigner la politesse.

creanchë-re, s. Créancier, ère.

crecca, sm. = *peclliet,* sm. Loquet.

createur, sm. Créateur. *Dzeu* —, Dieu Créateur.

credence, sf. Armoire.

credeulo-a, adj. Qui croit trop facilement.

credi, sm. Crédit. *Vendre a* —, vendre à crédit. *Pèdre lo* —, perdre l'estime, la confiance.

cregnëre, sf. Crinière.

creima, sf. Sacrement de Confirmation.

creimé. v. Confirmer.

creire, v. M. J. Croire. — *lo papa,* obéir au père.

creissen, sm. Gâteau.

creissu-ya, adj. Qui a crû, grandi. *Lo pri l'est* —, le prix a augmenté.

creissuya, sf. Excroissance, croissance.

creitre, v. n. M. C. F. G. Grandir, augmenter.

cremàcllio = *clliemacllio,* sm. Crémaillère.

cremaillon, sm. Crochet qu'on accroche à la crémaillère.

crendre, v. M. C. F. E. Craindre. — *ni ven ni bisa,* n'avoir peur de rien. — *ni Dzeu ni dzablo,* être sans foi, sans religion, sans conscience.

crente, sf. Crainte.

crentif-iva, adj. Qui est timide.

crep, sm. Coup. *Baillé un* — *pe terra,* donner un coup par terre. *N'en dzà fé un bon* —, nous sommes déjà avancés.

crepegnon, adv. (a) Accroupi, le cul sur les talons.

crepion, sm. Hanche; bv. *gallon.*

crequé, v. Fermer avec le loquet. — *eun'aleumetta,* faire craquer une allumette.

cresteille, sf. *de pan,* croûte de pain.

cresteillé, v. Croustiller.

cret, sm. Crasse.

crëta, sf. Crête. — *di poù,* crête du coq. *Levé la* —, se défendre, se révolter. Sommet, monticule.

cretecco, adj. Critique. *An* —, mauvaise année.

cretequé, v. Critiquer, parler mal de quelqu'un.

cretin, sm. Crétin.

cretina, sf. *(bouna)* Fille, femme simple.

crètsen-eina, s. adj. Chrétien, chrétienne. *Pereut* —, poire bon-chrétien.

cretta, sf. Jouet d'enfant.

cretté, v. Asperger. — *d'ëve,* jeter de l'eau. Fig. — *in l'air,* sauter en l'air, s'emporter, se mettre en colère.

creu = *croé,* sf. Croix. *Sainte* —, jour de sainte Croix. *Dzordzet, Marquet, Creuset, son trei patron di fret.*

creublé, v. Cribler. Perdre, laisser tomber. bv. *Creubië.* Trembler des mains.

creublin, sm. Le grossier qui reste au crible.

creublo, sm. Crible.

creudepardë, sf. Croix de par Dieu : petite croix qui se trouvait dans les syllabaires (tablettes) d'autrefois avant les lettres de l'alphabet. *Ëtre a la —*, être au commencement, être en arrière, n'en savoir rien.

creuque, sm. Monticule. *Prà tot a —*, pré qui n'est pas uni.

creutset, sm. Monticule.

creuvi, v. Couvrir. *— la fâta*, cacher, dissimuler la faute. *Meiné — la vatse,* mener la vache au bœuf.

crevà-ye, adj. Qui est percé, troué.

creuvé, v. Crever. *— la marmita,* percer la marmite. *— de rire,* rire à plein ventre.

creyen, sm. Croyant. *Bon —*, bon croyant. *Ma —*, mécréant.

crie, sf. Proclamation de mariage. *Fére le —*, publier un mariage.

criaillé, v. Criailler.

* **cric-crac,** *(aoutre)* Vite, comme ce soit, sans attention.

crié, v. Crier, appeler. V. *Querié.*

criminel-la, adj. Criminel, elle.

crimo, sm. Crime.

cròca, sf. Vache vieille, maigre.

croè-ye, adj. Mauvais, méchant. bv. *Croï.*

croëjà = *croeijà,* sf. Croisée.

croëjé, v. Croiser, rayer.

croëjeu = bv. *Croeijou.* Lampe de nos ancêtres.

croëse, sf. Coque. *Où a la —*, œuf à la coque.

croëselet, sm. Partie du *croëjeu* où l'on met la mèche.

croësetta, sf. *(fére)* Rester sans manger.

crolé, v. Se dit des fruits qui tombent avant leur maturité.

crolemen, sm. Croulement.

cropa, sf. Croupe.

croque, adv. *(drumi a)* Dormir avec les genoux près du menton.

crosatà-ye, adj. Marqué de la vérole.

* **crosse,** sf. Bâton pastoral. Béquille. *Allé atot le —*, aller avec les béquilles.

crotsé, v. Crocheter.

crotset, sm. Croc, crochet. Fig. Excuse, vétille.

crotseté, v. Fermer avec des crochets.

crotson, sm. Morceau, crouton de pain.

crotsu-ya, adj. Crochu. *Avei le dei —*, être avare.

crotta, sf. Voûte. *— di vin,* cave du vin.

crotté, v. Voûter.

crottin, sm. *Crottina,* sf. Petite cave.

crotton, sm. Prison des soldats.

croù, sm. Fosse. *— de la man,* creux de la main. *Etre protso di croù,* être près de mourir.

croupi, vn. *de fret, de fan.* Endurer le froid, la faim, faute d'énergie.

crouta, sf. Croûte. *Avei de boune croute,* être à son aise, être riche.

crouta-bouë, sm. Celui qui perd toujours quelque chose.

croûlé, v. Laisser tomber par terre.

cru-ya, adj. Cru, crue, qui n'est pas cuit. *Iver cru,* hiver dur, rigoureux.

crucifi, sm. Crucifix. *L'est pà-më qu'un* —, se dit d'un malade décharné.
crutse, sf. Son. — *di blà*, son du seigle.
cruyel-la, adj. Cruel, elle.
cruyellamente, adv. Cruellement.
cu, sm. Cul. *Verrié lo* —, tourner le dos. *L'âno tappe di* —, l'âne lève les fers.
cubé, v. Cuber.
cubo, sm. Cube. *Métre* —, mètre cube.
cuirachë, sm. Cuirassier.
cuirassa, sf. Cuirasse.
culatta, sf. Culasse.
culteura = *qeulteura* = *qeurteura*, sf. Culture.
cultivé = *qeultivé* = *qeurtivé*, v. Cultiver.
cultivateur = *qeurtivateur*, sm. Cultivateur.
cupi, sm. Crachat. *De cen dze n'en baillo pà un cupi, euna bava.* De ça je n'en donne pas un crachat, une bave.
cupi, v. Cracher. — *i vesadzo*, cracher au visage.
cupidità, sf. Cupidité.
cupido-a, adj. Cupide.
cuivre = *aran*, sm. Cuivre.
cura, sf. Cure, habitation, biens du curé.
curatella, sf. Curatelle. *Etre dèèsot man de* —, être sous curateur.
* **curateur**, sm. *No sen tsi nò que locatéro ; no curon noutre curateur* (chanson de Carnaval).
cutelemet, sm. Culbute. *Baillé lo* —, faire banqueroute.
cutemelé, v. Culbuter.

D

Le *dz* tient souvent la place de *d, g, j,* des mots français. *Dz'attendzò lo dzeudzemen,* j'attendais le jugement.

dabon, adv. Tout de bon, sérieusement. *Dzoyé —,* mettre une prime pour intéresser le jeu.

dabor, prép. En premier lieu, — *que dze dio,* puisque je dis.

dâille, sf. Douille. — *di fossaou,* douille de la pioche. Pin sylvestre. *Pin de —,* bois de daise.

dagué, v. Couper le blé en maniant la faucille à la manière de la faux.

dama, sf. Dame. — *levetta,* dame pauvre.

damadzo, sm. Dommage. *L'est —,* c'est fâcheux.

damedzàna, sf. Dame-jeanne.

damië, sm. Damier.

damon, prép. Dessus. *Velladzo —,* village d'en dessus. *Verrié — dèèsot,* tout renverser. *Le — van avouë le dèèsot,* se dit lorsque le sommeil ferme les paupières.

damouisella, sf. Demoiselle.

dan, sm. Dommage. *Pren varda de fére de —,* prends garde de laisser manger par le troupeau l'herbe d'autrui. *La pouëre sarve pà di —,* la peur ne sauve pas du péril, du dommage, du danger.

danché, v. Danser. *Fére —,* se venger de quelqu'un, le poursuivre en justice.

dandané, v. Lambiner.

dandzé, sm. Danger.

dandzeraou-sa, adj. Dangereux, euse.

dâné, v. Perdre goutte à goutte.

dannà, sm. Damné.

dannà-ye, adj. Damné, ée.

dannachon, sf. Damnation.

danné, v. *(fére)* Tourmenter, chagriner.

d'aoura, adv. Tôt, de bonne heure.

daouteur, sm. Docteur.

daplan, adv. *(teni)* Choyer, ménager.

dâtre, pron. Autre. *Leiché a —,* laisser à d'autres.

dâtrecou, adv. Autrefois.

dâtro, sm. *(pà)* Pas autre chose.

dauba = *dòba,* sf. Daube.

* **de,** prép. *De pan de seila,* du pain de seigle.

dé, sm. = *dià,* bv. Dé à coudre. V. *Veréta.*

debà, sm. Débat.

debaladzo, sm. Déballage.

debalé, v. Déballer.

debarqué, v. Débarquer.

debarraché, v. Débarrasser

debarré, v. Débarrer, ôter la barre.

debâté, v. Débâter, ôter le bât. *Se —,* ôter l'habit pour travailler ; jeter la faute sur autrui.

debattre, v. Agiter, contester. V. pr. S'agiter, faire des mouvements.
debattu-ya, adj. Ce qui a été débattu.
debauche, sf. Débauche.
debaucheur, sm. Qui vit dans la débauche.
debenda, *(a la)* loc. adv. A la débandade.
debenta, sf. Débit. *Bouna* —, facilité de parler. *Groussa* —, grosse vente.
debiè, adv. De biais. *Copé in* —, couper de travers.
debilavan, adv. Malheureusement. Ce mot est très en usage en dialecte: il équivaut au piémontais: *D'bel avanss* et à l'italien: *Pur troppo.* Il exprime toujours grand regret.
deboèlé = bv. *debèlé*, v. Gâter, défaire.
deboère, sm. Discorde, déplaisir.
debonère, adj. Débonnaire, simple.
debordà-ye, adj. Débordé, ée.
debordé, v. n. Sortir des bords.
debordemen, sm. Débordement.
deborsé, v. Débourser. — *di sin,* payer du sien, de son argent.
debotonné, v. Déboutonner.
debourdzonné, v. Ebourgeonner.
debouté, v. *di bien.* Débouter de la possession du bien.
debrantsà-ye, adj. Qui est dépouillé des branches.
debrantsé, v. Ebrancher.
debreudé, v. Débrider.
debri, sm. Débris. — *de la planta,* branches, coupures qui restent d'une plante.
debroillé, v. Débrouiller.
debrolé, v. Faire tomber les fruits d'un arbre en le secouant.
decadance, sf. Décadence. *Betté la* —, mettre le désordre.
decagràme, sf. Décagramme.
decàla, sf. Diminution.
decalé, v. Diminuer.
decalitro, sm. Décalitre.
decalogue, sm. Décalogue. *Tsanté un* —, réprimander avec autorité.
decampé, v. n. Décamper.
decaoudre, v. M. C. F. F. Découdre.
decapé, v. Ne reposer plus sur, échapper. *Lo trà décape di meur,* la poutre ne tient plus que par un bout sur le mur, échappe du mur.
decè, sm. Décès. *Atto de* —, acte de décès.
dècé *et dèlé,* adv. Deçà et delà.
decedé, v. n. Décéder, mourir.
decembro = *dzësembro,* sm. décembre.
decembrina, adj. Du mois de décembre. *Nei* —, *trenta nët a la brina,* neige du mois de décembre, trente nuits à la gelée blanche.
decenden-ta, adj. Descendant, ante.
decenden, smp. Descendants, postérité.
decherdre, v. Reconnaître, discerner une personne parmi les autres; choisir, séparer; choisir les grains de blé parmi ceux de froment.
dechonnero, sm. Dictionnaire.
dechu-ya, adj. Déchu, ue.
decidà-ye, adj. Décidé, ée.
decidé, v. Décider. — *come fat fére,* décider ce qu'il faut faire.
decijon, sf. Décision.

decimal, adj. *(sistémo)* Système décimal.
decimétre, sm. Décimètre.
decisif-decisiva, adj. Décisif, ive.
declarachon, sf. Déclaration.
declaré, v. Déclarer.
decliné = *declliné*, v. Décliner. *Lo malado decline*, le malade va vers sa fin.
declinèson, sf. Déclinaison.
dëcllié, v. Pencher, incliner. — *la coppa su le pot*, pencher la coupe sur les lèvres.
dëcllio-a, adj. Qui est un peu en pente. *Le plan vegnon* —, se dit d'une chose qui n'arrive pas comme l'on aurait espéré.
decllin, sm. Déclin. — *de l'adzo*, déclin de l'âge.
decoblà-ye, adj. Qui a été dépareillé.
decoblé, v. Découpler. — *le meulet*, détacher les deux mulets qui trainent ensemble la charrue.
decollé, v. Décoller, détacher ce qui était collé. V. pr. Se décoller.
decombré, v. Oter ce qui encombre.
decombro, sm. Décombre.
deconcerté, v. pr. **(se)** Se déconcerter.
decondzé, v. Congédier, licencier. — *le s-ouvrë*, dire de ne plus venir aux ouvriers que l'on avait engagés.
deconflé, v. Dégonfler. V. pr. fig. Dire tout.
deconfortà-ye, adj. Chagriné, affligé.
deconforté, v. Déconforter. V. pr. Perdre courage, s'affliger.
deconsacrà-ye, adj. Qui a perdu la consécration.
decopé, v. Découper.
decopeura, sf. Chose découpée.
decoqué, v. Oter l'ongle aux animaux. — *le tseuvre*, couper l'ongle du pied aux chèvres.
decorachon, sf. Décoration.
decoradzà-ye, adj. Découragé, ée.
decoradzé, v. Décourager.
decoradzemen, sm. Découragement.
decoradzen-ta, adj. Qui décourage.
decordé, *(le vatse)* v. Sortir les vaches quelques jours en printemps, avant l'alpéage, afin de les habituer à marcher.
decoré, v. Décorer. — *l'elliëse*, orner, parer l'église.
decou, adv. Parfois.
decredité, v. Décréditer. V. pr. Perdre le crédit, la réputation.
decrepi-a, adj. Décrépit, ite.
decreuvi, v. M. B. F. A. Découvrir. — *saint Antoéno, pe creuvi saint Antonin*, défaire ce qui vaut de plus pour faire ce qui vaut moins.
decrié, v. Décrier. — *le beillet*, décrier le papier-monnaie.
decroté, v. *le soler*, décrotter les souliers.
decroteur, sm. Décrotteur.
dedentà-ye, adj. Qui n'a plus de dents.
dedëre, v. M. H. Dédire. V. pr. Se dédire.
dedicace, sf. *(fëta de la)* Fête de la Dédicace.
dedin, sm. Dedans. *Lo* —, le dedans. Adv. *Entré* —, entrer dedans.

dedoblé, v. Déplier, ouvrir ce qui est plié.

dedoché, v. Ecosser. — *le fâve*, tirer les fèves de la cosse.

dedomadzé, v. Dédommager.

dedomadzemen, sm. Dédommagement.

deduchon, sf. Déduction.

deduire, v. M. C. F. H. Déduire.

dedzà! Int. Approbation ironique, qui équivaut à: rien d'étonnant. *L'est venu vito reutso. Haou! dedzà! a force de robé.* Il s'est enrichi rapidement, rien d'étonnant! à force de voler.

dedzalé, v. n. Dégeler.

dedzalin, sm. Dégel.

dedzeuneun, sm. Déjeuner.

dedzoindre, v. M. C. F. E. Disjoindre.

dedzointe, sf. Jointure. — *di dei*, jointure des doigts.

dedzoqué, v. Déjucher. Fig. Renverser du pouvoir.

dedzoù, sm. Jeudi. *Payé la semàna di trei* —, ne payer jamais. *L'est pà todzor fëta pe* —, se dit lorsqu'on refuse des bombons aux enfants.

defaillance, sf. Défaillance. *Tsére in* —, tomber en défaillance.

defailleite, sf. *(an de)* Année de pénurie.

defailli, v. n. Manquer, dépérir.

defarqué, v. pr. **(se)** Se justifier d'une accusation; jeter sa faute, sa charge sur les autres.

defâ, sf. Défaut. *No betten le defâ din lo mëmo doblë; devan cice di s-âtre et le noutre dèèrë*, nous mettons les défauts dans le même bissac: ceux des autres dans la poche de devant et les nôtres dans celle de derrière.

defavorablo-a, adj. Défavorable.

defé-te, adj. Défait, te.

defecilamente, adv. Difficilement.

defecilo-a, adj. Difficile. — *pe lo vivre*, difficile à contenter, exigeant pour la nourriture.

defecultà = *defeqeurtà*, sf. Difficulté.

defegueuré, v. Défigurer.

defeiché, v. Enlever les langes.

defendre, v. Défendre.

defére, v. M. I. p. 50. Défaire, désassembler.

defensa, sf. Défense. *Beté la* —, mettre la défense. *Fére sa* —, se défendre en justice.

defenseur, sm. Défenseur.

defeni, v. Définir, éclaircir, terminer les affaires.

defer-ta, adj. Qui n'est pas fermé à clef.

defeulé, v. Défiler. Faire perdre le fil à un tranchant.

defi, sm. Défi. *Baillé lo* —, donner le défi.

defiance, sf. Défiance.

deficelé, v. Oter les ficelles.

defié = *mafié*, **(se)** v. pr. Se défier.

defloreison, sf. Défloraison.

deflouré, v. Oter la doublure. — *la mëilla*, ôter les feuilles de l'épi du maïs.

deflouri, v. Défleurir.

defoillé, v. Couper les branches, ôter les feuilles.

defonchà-ye, s. Celui qui mange beaucoup; celui qui est hernié.

defonché, v. Défoncer, ôter le fond, creuser.

defoura, adv. Dehors. *Allé* —, aller dehors. Sm. Le dehors, l'extérieur.

defourné, v. *lo pan.* Tirer le pain du four.

defrëmé, v. Ouvrir avec la clef.

defreyé, v. pr. **(se)** S'amuser. *Se — a mindzé,* manger à son soûl. *Se — a rire,* rire beaucoup, au dépens des autres.

defun-ta, s. adj. Défunt, unte. On dit en parlant des trépassés: *Noutre bon defun.*

degadzà-ye, adj. Dégagé. *Ti — a torné,* tu es leste à revenir.

degadzé, v. Dégager. — *lo bien,* dégager le bien hypothéqué. V. pr. Se dépêcher, faire vite.

degarni, v. Oter les garnitures. *Ëtre — de tot,* manquer du nécessaire.

degat, sm. Dégat. *L'éigue l'at fé de gran* —, l'eau a fait de grands ravages.

degeneré, v. Dégénérer.

degga, sf. = *barrëre,* Digue.

degnemente, adv. Dignement.

degnità, sf. Dignité.

degno-e, adj. Digne.

degnoué, v. Dénouer.

degordzà-ye, adj. Qui a la poitrine découverte. Fig. Qui parle sans arrêt.

degoté, v. n. Tomber goutte à goutte.

degotsàne, sfp. Reste d'eau qui court dans un vallon.

degou, sm. Dégoût. *Avei de* —, avoir de l'aversion.

degourdi, v. Faire agir, rendre actif.

degourdi-a, adj. Habile, éveillé, actif.

degouté, v. Dégoûter. V. pr· prendre du dégoût.

degrà, sm. *(ëtre, savei)* Etre reconnaissant, savoir gré.

degradachon, sf. Dégradation.

degradé, v. pr. **(se)** Se gâter, s'avilir.

degrané, v. Ecosser. — *le peset,* écosser les pois. — *lo tsapelet,* dire le chapelet, grain par grain.

degranen, adv. *Le dzen vegnon in* —, les gens viennent peu à peu, à distance les uns des autres.

degreiché, v. Dégraisser.

degreté, v. Se dit du cri des perdrix. — *lo pater,* dire le pater bien et vite.

degringolé, v. Dégringoler.

degroché = *degrossi,* v. Dégrossir, ôter le plus gros.

degroillé, v. n. Se dit de ce qui tombe à terre peu à peu, tel que les grains de raisins, de blé.

degueneillà-ye, adj. Déguenillé, ée.

deguisé, v. Déguiser. V. pr. Se montrer autre que ce que l'on est.

dei ara, adv. Depuis aujourdhui, désormais.

dei, sm. Doigt. *Fât incò se beijé le quatro dei et lo poudzo,* il faut encore se baiser les quatre doigts et le pouce, se contenter de cela, c.-à-d., c'est encore beaucoup d'avoir cela.

dei, prép. Dès, depuis. *Dei tsi nò tanque tsi vò, dzi perdu la berra de mon megnò:* j'ai perdu le bonnet de mon petit, entre ma maison et la vôtre. — *que dze vivo,* depuis que je vis.

deicen = *deinque,* adv. Ensuite, après cela.

dei inque, adv. Depuis ici.

deillo-e, adj. Sensible, susceptible. — *come un où ëquë,* sensible comme un œuf sans coque.

deique, conj. Puisque. — *te me di,* puisque tu me dis.

deisara, adv. Tout à l'heure, désormais. — *a cina,* ce soir à souper.

deivre, v. M. C. F. N. Devoir, avoir des dettes. — *a tseut cice que peusson,* devoir à tout le monde. — *fére,* devoir faire, être obligé.

delabrà-ye, adj. Delabré, sans force.

delabré, v. pr. **(se)** S'épuiser au travail.

delapidé, v. Dilapider. — *son bien,* tout manger.

delaté, v. Accuser, rapporter. Oter les lattes de dessus le toit.

delateur, sm. Celui qui fait des rapports.

delavà-ye, adj. Qui a perdu sa couleur.

dèlé, adv. Delà. — *le bèque,* au delà des cimes.

delecat-ta, adj. Délicat, pas robuste. Difficile pour le manger. Dans ce sens on dit aussi : *noublo.*

delecatamente, adv. Délicatement.

delecatesse, sf. Manière affectée.

deledzen-ta, adj. Diligent, te.

delegachon, sf. Délégation.

delegué, v. Déléguer, députer.

delei, sm. Délai. *Prendre un* —, prendre un délai.

deleichà-ye, adj. Délaissé, ée.

deleiché, v. Délaisser, manquer de soin.

delètsé, v. Sevrer. — *lo meinà,* Sevrer l'enfant.

deliberachon, sf. Délibération.

deliberé, v. Délibérer. *Lo conseil l'at deliberà,* le conseil a délibéré. — *le s-âme,* délivrer les âmes du purgatoire.

deliré = *vareyé,* v. Délirer.

delivré, v. Délivrer. — *lo certificà,* délivrer le certificat. — *de preison,* délivrer de la prison.

dellière, v. M. C. F. L. Délier.

delliere, v. M. C. F. F. Choisir, monder: se dit des gousses, des grains que l'on choisit.

delodzé, v. Changer de logement. *Fére* —, faire déloger, faire partir.

delodzemen, sm. Délogement. Action de transporter les pénates ailleurs.

delombà-ye, adj. Qui a les jambes affaiblies, fatiguées par un excès de marche.

delombé, v. pr. **(se)** Se fatiguer les jambes, avoir les jambes fatiguées.

delouyé, v. Disloquer. — *l'épàla,* disloquer l'épaule.

deluge, sm. Déluge.

delun, sm. Lundi.

demailloté, v. Démailloter. V. *Remoué.*

deman, sm. Demain. *Dzen que lan pà de* —, gens sans économie, sans prévoyance.

demanda, sf. Demande.

demandé, v. Demander. — *son pan,* mendier.

* **demandeur**, sm. Celui qui demande en justice.

demandzé, v. Oter le manche.

demantelé, v. pr. **(se)** Quitter le manteau.
demarcachon, sf. Démarcation: ce qui marque la fin de deux choses voisines.
demarqué, v. Démarquer, rayer.
demartse, sf. Démarche.
demars, sm. Mardi.
demasqué, v. Démasquer.
demechon, sf. Démission.
demechonnéro, sm. Démissionnaire.
demëcro, sm. Mercredi.
demedzu-ya, adj. Qui est impatient, qui démange, qui brûle de faire vite et tout à la fois.
demegnadzé, v. Déménager.
demegnadzemeu, sm. Déménagement.
demendze, sf. Dimanche.
dementé, v. pr. **(se)** Se tourmenter.
dementi, sm. Démenti. *Baillé lo —*, donner le démenti.
dementi, v. Démentir. *Se —*, se contredire.
dementsé, v. n. Se dit des chairs qui se détachent en suite de chute, d'entorse, et du fil qui se défile.
demenuyé, v. = *calé*. Diminuer.
demereté, v. Démériter
demettre, v. pr. **(se)** Se démettre.
demeublé, v. Démeubler.
demeura, sf. Demeure.
demeuré, v. Demeurer. V. *Resté*.
demi = *dzemë*, adj. Demi. — *aoura*, demi-heure.
demia = *dzemia*, sf. Demi-heure. *Souné la —*, sonner la demi-heure.
democracia, sf. Démocratie.
democràte, sm. Démocrate.
demoli, v. Démolir.
demon, sm. Démon. V. *Dzàblo*.
demoniaque, s. adj. Possédé, méchant, emporté.
demonté, v. Défaire pièce par pièce. *Se —*, s'emporter, se fâcher.
demordre, v. n. Démordre. *Vout pà —*, il ne veut pas céder.
demoré, v. n. S'amuser (se dit des enfants). V. *Argoillé*.
den = *dë*, sf. Dent. *Quan lo bondzeu toute le dë, l'elardze lo gourbë*, quand le bon Dieu enlève les dents, il élargit le gosier. *Dze si allà vià atot le den echute*, je me suis en allé sans qu'on m'eût rien présenté. Dev. *Un petsou baoutson plen d'agneillon, vei bò lei fére de lliet, son todzor blet. Veni a grousse —*, dire de gros mots l'un à l'autre. — *de saouceusse*, saucisse longue un doigt, morceau de saucisse compris entre deux ligatures; on dit aussi *dei*.
denateurà-ye, adj. Qui est méchant, pervers.
denateuré, v. Fausser, dire le contraire de la vérité.
dené, sm. Dîner. Repas de onze heures ou de huit heures du matin durant les grands travaux.
deniché, v. Faire aller loin du nid.
denigré, v. Dénigrer, mépriser.
denonça, sf. Dénonciation. *Fére la —*, dénoncer.
denonché, v. Dénoncer.
dense, adv. *(que)* A mesure que.
dentà, sm. Soc de la charrue. sf. *Se baillé euna —*, se dire deux ou trois violentes paroles.
denteura, sf. Denture. *Beurta —*, dents laides, mal rangées.

dentor, prép. Vers. — *l'avëprà,* vers le soir. *Se betté — lo travail,* se mettre au travail, à travailler.

dentré, v. Tirer dehors. *Se — di pacot,* se tirer de la boue.

depar, sm. = *partance.* Départ.

deparqué, v. Mettre dehors les brebis du parc.

departemen, sm. Département.

departi, v. Départir, partager.

depeillà-ye, adj. Détaché, ée.

depeillé, v. Détacher; détacher les vaches, les chèvres... *Se —,* bv., se peigner.

depen, sm. Ce qu'on dépense en voyage.

depensa, sf. Dépense.

depensé, v. Dépenser.

deper, adj. Impair. *Betté le tsaousson deper, un blan et l'âtro ner.*

deperdechon, sf. Perte, dépérissement.

deperdre, v. Oublier ce qu'on a appris. *Se —,* manquer le chemin, s'égarer.

deperdu-ya, adj. Eperdu-e. *Resté —,* rester évanoui, sans sentiment.

deperi, v. n. Dépérir.

deperissemen, sm. Dépérissement.

deper-mè, adv. Moi tout seul. *Deper-sè,* de soi-même. *Deper-vò,* vous tout seuls. *Deper-leur,* eux tout seuls, sans aides, sans guides.

depeuplé, v. Dépeupler. — *lo bouque,* dépeupler la forêt.

depeutré, v. Oter ce qui obstrue un passage. V. pr. Fig. dire, se disputant, tout ce qu'on veut dire, vider le sac.

depeutraillé, (se) v. pr. Se mettre à découvert le cou, la gorge.

depi, adv. De plus, davantage.

depiché, v. Défaire, gâter.

depië, sm. Dépit, déplaisir. *Prendre a —,* avoir à déplaisir.

depieutsé, (se) v. pr. Se dit des oiseaux qui abandonnent leur nid dès qu'on le leur a touché.

deplaché, v. Déplacer. — *le baggue,* changer de place aux choses.

deplanta, adv. Tout-à-fait, sans compliments, tout de suite.

depleisen-ta, adj. Déplaisant, ante.

depleisi, sm. Déplaisir.

deplère, v. M. C. F. F. Déplaire.

deplетté, v. Déplisser. — *lo vesadzo,* dérider le visage.

depleyé, v. Deplier.

deploràblo-bla, adj. Déplorable.

deploré, v. Déplorer.

depoille, sf. Dépouille.

depoillé, v. Dépouiller. — *lo vilain,* jeu badin qu'on fait durant les veillées d'hiver.

depondre, v. Disjoindre (contraire de *apondre). Sensa —,* sans cesser, sans discontinuer. *Se —,* se disjoindre.

deposé, v. Déposer en justice; mettre en dépôt.

deposechon, sf. Déposition de témoins.

depositéro, sm. Dépositaire.

depossèdé, v. Déposséder.

depourvu, adv. *(ëtre i)* Etre au dépourvu.

depouti, v. pr. **(se)** Se défaire de ce qui est importun.

depravà-ye, adj. Dépravé, ée.

depravachon, sf. Dépravation.
depredachon, sf. Déprédation.
depredé, v. Malverser, ruiner.
depreisonné, v. Mettre hors de prison.
deputachon, sf. Députation.
deputé = *deputà,* sm. Celui qu'on envoie au Parlement.
deqeuver-ta, adj. Tout ce qui n'est pas couvert.
deqeuverta, sf. Découverte. — *d'un trasor,* découverte d'un trésor.
dèque, sm. Marc de raisin.
dequè, sm. De quoi. *Avei de* —, avoir du moyen, des richesses, de quoi faire face.
dequetechaou, sm. Démêloir.
dequeti, v. Démêler. — *lo tsenèvo,* démêler le chanvre.
dequeti, sm. Peigne grossier des peigneurs.
deracené, v. Déraciner. *Se deracené di pudze,* se défaire des puces.
deradze, adv. Précipitamment. (de rage).
derdre, v. Lever. — *de peterra,* lever de par terre. — *la tëta,* lever la tête. *Se* —, se lever, se dresser.
dëre, v. M. H. Dire. — *la veretà,* dire la vérité. — *ni foutre ni bergoutse,* ne dire rien du tout.
dèrë-re, adj. Dernier, ière.
dèrë, sm. Derrière. *Verrié lo* —, tourner le dos.
dereidi, v. Déroidir. V. pr. Se dépêcher, hâter le pas.
derëillà-ye, adj. Déréglé, ée.
derëillemen, sm. Dérèglement.
derëisonnàblo-a, adj. Déraisonnable.
dereisonné, v. Déraisonner.
derènà-ye, adj. Ereinté, ée.
derèné, v. Ereinter.
derendzé, v. Déranger, incommoder.
derendzemen, sm. Dérangement.
dèrëremente, adv. Dernièrement.
derëse = *darëse,* sfp. Balustrade, grillage d'une chapelle.
deridé, (se) v. pr. S'égayer.
derigé, v. Diriger. *Se* —, se bien conduire.
derijon, sf. Dérision.
derobé, v. Prendre des denrées à la maison ; on appelle aussi cela : *fére Fatsei.*
derontre, v. Affiler. — *la fâ,* donner le taillant, le fil à une faux neuve. *Se* — *i travail,* se faire, s'habituer au travail.
derontre, v. Tiédir. — *l'éve,* faire tiédir l'eau, y mêler du vin.
derot-ta, adj. Habitué, ée. — *i mëtsë,* habitué au métier.
derotsà-ye, adj. Qui est précipité, tombé en ruine. *A pri* —, à vil prix.
derotsé, v. n. Tomber d' un mont, d'un rocher.
derotta, sf. Déroute.
derouté, v. pr. **(se)** Se dérouter, se décourager.
desabità-ye, adj. Qui n'est plus habité.
desabusé, v. Désabuser.
desaccor, sm. Désaccord. — *a meison,* discorde en famille.
desagreablo-a, adj. Désagréable.
desalteré, v. Désaltérer.
desaprobachon, sf. Désapprobation.
desaprouvé, v. Désapprouver.
desarbeillé, v. Déshabiller.
desarmé, v. Désarmer. — *la crotta,* ôter ce qui arme la

voûte. — *le meletsot,* prendre les armes aux miliciens.
desarme, sm. Désarmement.
desarpa, sf. *(dzor de la)* jour où les vaches descendent de la montagne (contraire de *arpa).*
desarpé, v. Descendre de la montagne.
desastro, sm. Désastre.
desastreu-sa, adj. Désastreux, euse.
descenden, smp. Descendants, la postérité. V. *Decenden.*
descendence, sf. Descendance, race.
descendre, v. Aller en bas. V. *Beiché.*
descente, sf. Descente.
descrichon, sf. Description.
desegné, v. n. Désigner.
desenflé, v. Désenfler.
deser, sm. Désert.
deser-ta, adj. Désert, erte. *Meison —,* maison où il n'y a rien.
deserté, v. Déserter.
deserteur, sm. Celui qui déserte.
desesperà-ye, adj. Qui est désespéré.
desespéré, v. Désespérer.
desinterechà-ye, adj. Désintéressé, ée.
desir, sm. Désir. V. *Vòya.*
desiré, v. Désirer.
desobèi, v. Désobéir.
desobèissen-ta, adj. Désobéissant, ante.
desoccupà-ye, adj. Désoccupé, ée.
desolà-ye, adj. Désolé, ée.
desolachon, sf. Désolation.
desolé, v. Désoler.
desolen-ta, adj. Qui désole.
desonnêto, adj. Déshonnête. *Pri —,* prix au-dessus de la valeur de la chose.
desonneur, sm. Déshonneur.
desonnoré, v. Oter, faire perdre l'honneur.
dèsot, prép. Dessous. — *lo tet,* sous le toit.
Dèsot, sm. *(lo).* Le dessous.
dèsot, adv. Dessous. *In —,* en dessous.
descudre, sm. Désordre. *Lo — meine l'oudre,* le désordre amène l'ordre.
despensé, v. n. Prendre de la nourriture. *Lo malàdo pout pamë rèn despensé,* le malade ne peut plus prendre aucune nourriture. — *de tabaque,* faire usage du tabac. *Se —,* v. pr. s'exempter.
dessalé, v. Dessaler.
dessando, sm. Samedi.
dessarré, v. Desserrer.
dessègné, v. Distinguer. bv. *dechëdre. Dze dessègno pà se l'est un tsat o euna lëvra,* je ne distingue pas si c'est un chat ou un lièvre. *Se dessègne que l'an prei de fen,* on s'aperçoit, on voit qu'on a pris du foin.
desseisoné, v. *(lo prà).* Manger l'herbe, couper le foin avant la saison.
dessen, sm. Dessein, projet.
desseullié, v. Oter la sangle.
desser, sm. Dessert.
desservan, sm. Qui dessert une cure.
desservi, v. M. B. F. A. Desservir.
dessètsé, v. Dessécher.
dessiné, v. Dessiner.
dessu, sm. *(lo).* Le dessus. — *lo martsà,* sur le marché, en plus. *In —,* prép., en dessus. *Volei lo —,* vouloir avoir raison.

dessuyé = bv. *détordre*, v. Contrefaire une personne.

destagnà-ye, adj. Qui a perdu l'étamage.

* **destin,** sm. Sort, fatalité.

destinachon, sf. Destination.

destiné, v. Destiner. — *le merleutse pe la careima,* réserver les merluches pour le carême.

destituchon, sf. Destitution.

destituyé, v. Destituer.

destruchon, sf. Destruction.

destruteur, sm. Celui qui détruit.

desuni-a, adj. Désuni, e. *Fameille —,* famille où manque l'union.

desunion, sf. Désunion.

detail, sm. Détail. *Vendre in —,* vendre en détail.

detaillé, v. Détailler. — *bagga pe bagga,* détailler chose par chose.

detané, v. Faire sortir de la tannière. — *lo reinar.* — *de vieille conte,* déterrer de vieilles questions.

detatsé v. Détacher. V. pr. Perdre l' attachement. V. *Depeillé.*

detatsemen, sm. Détachement de soldats.

dëtë, sm. Gouttière. *L'éve di —,* l'eau de la gouttière.

dete ! fenna ! Dites donc ! femme !

detempra, sf. Action de détremper.

detempré, v. Détremper, ôter la trempe.

detenchon, sf. Détention. *Sorti de —* sortir de prison.

deteni, v. M. B. F. D. Détenir.

detenteur, sm. Détenteur. — *di bien di s-âtre,* détenteur du bien d'autrui.

detenu-ya, adj. Prisonnier, ière.

determinachon, sf. Détermination.

determiné (se), v. pr. Prendre une résolution.

deterré, v. Déterrer.

deterioré, v. Détériorer.

detestablo-a, adj. Détestable.

detestachon, sf. Action de détester.

detesté, v. Détester, avoir en horreur.

detoppà-ye, adj. Qui est débouché, découvert.

detoppé, v. Déboucher, ôter ce qui couvre.

detor, sm. Détour. — *di tsemin,* détour du chemin. — *de la vouéce,* modulation de la voix.

detorbà-ye, adj. Qui est interrompu dans ses occupations.

detorbé, v. Incommoder, causer du dérangement, interrompre.

detourbo, sm. Action d'incommoder; dérangement.

detourné, v. Détourner. — *d'allé a messa,* détourner d'aller à la messe.

detsaouché, v. Déchausser. — *la meilla,* ôter un peu de terre au pied de la plante de maïs. *Se —,* tirer sa chaussure.

detsas, adj. Déchaussé. *Allé —,* aller nu-pieds.

detsarboté, v. Démêler. — *lo fi,* débrouiller le fil.

detraqué (se), v. pr. Se détraquer.

detresse, sf. Détresse, angoisse, misère.

dëtret, sm. Etau pour serrer.

detroné, v. Détrôner.

detroussé, v. *(la pléye).* Défaire les bandes qui enlevaient la plaie.

detruire, v. M. C. F. H. Détruire.

detto, sm. Dette. Fig. *Payé le —*, se dit quand on bat du derrière par terre.

* **deuil,** sm. *Fére lo —*, faire le deuil. V. *Brun.*

deur-dura, adj. Dur, dure. *Prendre a la deur*, parler, insister sérieusement. *Prendre la Sainte Vierdze a la deur*, prier la Sainte-Vierge avec une confiance telle, qu'elle l'oblige à accorder ce qu'on lui demande.

deurà, sf. Durée.

deuré, v. Durer.

devalisé, v. Dévaliser. *— meison*, emporter tout ce qu'il y a dans la maison.

devan, sm. Devant. *Allé i —*, aller au devant. *Devan que*, adv. *Devan que mouere*, avant que de mourir.

devanché, v. Devancer.

devantë, smp. Ancêtres.

devastachon, sf. Dévastation.

devasté, v. Dévaster, ruiner.

developé, v. Développer.

devendro, sm. Vendredi. *Devendro, lo pi bò o lo pi mendro.*

devené, v. Deviner. *Bei aprë mè, te devenne poue ma pensà.* (manière galante).

deveni, v. M. B. F. D. Devenir. *Dze devëgno d'arreuvé,* il me tarde d'arriver.

devergondà-ye, adj. Dévergondé, ée.

devergondé (se), v. pr. Devenir sans honte, sans pudeur.

deveroillé, v. Déverrouiller. Tirer de la prison

deveti, v. Dévêtir. *Se —*, v. p., se dévêtir. *Fâ pa se deveti, devan qu'allé dourmi.* Il ne faut pas se désaisir du sien avant la mort.

deveusé, v. n. Discourir, s'entretenir.

devijon, sm. Division, partage. V. *Divijon.*

devisé, v. diviser, partager. V. *Divisé.*

devochon, sf. Dévotion.

devoilé, v. Dévoiler un secret, un coupable.

devoèr, sm. Devoir.

devoré, v. Dévorer. *Se dévoré a travaillé,* se tuer à travailler.

devou-ta, adj. Dévot, te.

devoûé (se), v. pr. Se dévouer.

devouedzé, v. Dévider. *— la bebeille,* dévider la bobine pour mettre le fil en écheveau.

devouedzet, sm. Dévidoir pour mettre les écheveaux en pelotons.

di, particule, tient lieu de: *Des, du. Di dzen di pay, dze me fièyo,* des gens du pays je me fie.

***diacre,** sm. *Fére —*, célébrer la messe solennelle.

diadèmo, sm. Diadême.

dialeite, sm. Dialecte.

***dialogue,** sm. Entretien entre deux personnes.

diaman, sm. Diamant.

diamétre, sm. Diamètre.

diantre, = *dzantre*, int. Diantre!

diaré, sm. = *fouëre*, sf. Diarrhée.

dictà, = *dittà*, sf. Dictée. *Ecrire a la —*, écrire sous dictée.

dicton, = *ditton*, sm. Dicton. *L'est son —*, c'est sa manière de dire.

difamachon, sf. Diffamation.

difamateur, sm. Diffamateur.
difamé, v. Diffamer.
diferé, v. Différer. — *a deman,* renvoyer à demain.
diferen, sm. Différent. *Partadzé lo* —, partager le différent.
diferen-ta, adj. Différent, ente.
diference, sf. Différence.
diferenché, v. Différencier.
diformità, sf. Difformité.
diformo-a, adj. Qui n'a pas la forme qu'il devrait avoir.
diga, sf. Digue, rempart contre l'eau.
digeré, v. Digérer. — *le trifolle,* digérer les pommes de terre.
digué, v. Endiguer.
dimente *que,* adv. Pendant que.
din, prép. Dans. *Dze torno — trei dzor,* je retourne dans trois jours.
dindo, sm. Dinde. *Fére lo* —, être têtu.
d'impremië, adv. Tout d'abord, au commencement.
diocése, sm. Diocèse.
diocesen, s. adj. Qui est du diocèse.
direichon, sf. Direction.
direiteur, sm. Directeur.
direitoéro, sm. Directoire de l'office divin.
diret-ta, adj. Direct, ecte.
direttamente, adv. Directement.
dirigé, v. Diriger. *Savei se* —, savoir se conduire.
discerné, v. Discerner. — *lo blan di ner,* distinguer le blanc du noir.
discernemen, sm. Discernement.
disciplina, sf. Discipline.
disciplinà-ye, adj. Discipliné, ée.
disciplo, sm. Disciple. *Le doze* —, les douze apôtres.
discontinuyé, v. Discontinuer.
discorda, sf. Discorde. *Betté la* —, mettre la discorde.
* **discordance,** sf. *Etre in* —, être en désaccord.
discour, sm. Discours. *Tsandzé* —, dire autres choses.
discouri, v. n. M. B. F. B. Discourir.
discrechon, sf. Discrétion.
discredi, sm. Discrédit.
discreditä-ye, adj. Discrédité, ée.
discredité, v. Faire perdre le crédit, parler mal de quelqu'un.
discret-ta, adj. Discret, ète. — *a predzé,* prudent à parler.
discrettamente, adv. D'une manière judicieuse.
discuchon, = *disqeuchon* sf. Discussion.
disculpé, v. Disculper.
disetta, = *carestia,* sf. Disette.
* **disgrâce,** sf. Malheur, infortune.
disgracià-ye, adj. Malheureux, euse.
disloqué, v. Disloquer.
disparëtre, v. n. M. O. F. G. Disparaître.
dispenchaou-sa, s. adj. (*petsou*). Qui mange peu.
dispensa, sf. Lieu où l'on tient la nourriture. — *de fére grà,* permission d'user de la viande.
dispensé, v. Manger. *Lo malado pout pamë ren* —, le malade ne peut plus rien prendre. V. *despensé.*
dispercé, v. Disperser.

disponibla, sf. Portion disponible.
disponiblo-a, adj. Ce dont on peut disposer.
disposé, v. Disposer.
disposechon, sf. Disposition.
dispou, adj. Dispos, prêt à.
disputa, = *dispéuta,* sf. Dispute.
disputé, = *dispeuté,* v. Disputer.
dissipà-ye, adj. Dissipé.
dissipachon, sf. Dissipation.
dissipé, v. Dissiper, prodiguer.
dissolu-ya, adj. Qui est sans mœurs.
dissuyadé, v. Dissuader, détourner quelqu'un.
distan-ta, adj. Distant, ante.
* **distance,** sf. *(resté a).* Se tenir éloigné.
distilachon, sf. Action de distiller.
distilateur, sm. Celui qui distille.
distilé, v. Distiller — *lo dèque,* distiller la vinasse.
distinchon, sf. Distinction.
distingué, v. Distinguer.
distintamente, adv. Distinctement. *Lliëre* —, lire couramment.
distrachon, sf. Distraction.
distrére, v. Distraire, v. pr. *Se* —, se divertir, se dissiper.
distret-a, adj. Distrait, aite.
distribuchon, sf. Action de distribuer.
distribuyé, v. Distribuer.
dittà, sf. Dictée. V. *Dictà.*
ditton, sm. Dicton. V. *Dicton.*
dittateur, sm. Dictateur.
divagué, v. Divaguer.
diverjance, sf. Divergence, désaccord sur quelque chose.
diverse, adj. plur. *Baggue* —, plusieurs choses.
» **diverti,** v. Divertir.
» **divertissemen,** sm. Divertissement.
» **divertissen-ta,** adj. Qui divertit.
» **dividande,** sm. Dividende.
» **divijon,** sf. Division, partage.
» **divin-a,** adj. Divin, ine.
» **divinachon,** sf. Divination. Art de tromper, d'escroquer.
» **Divinità,** sf. Divinité.
» **divisé,** v. Diviser.
» **divisiblo-a,** adj. Qui peut être divisé.
» **diviseur,** sm. Nombre par lequel on en divise un plus grand.
* **divorce,** sm. *Loé di* —, loi du divorce.
divorchà-ye, s. Qui a fait divorce.
divorcé, v. Divorcer.
divulgué, v. Divulguer, rendre public ce qui était secret.
dò, adj. Deux. *Allé dò a dò,* aller deux à deux. *Do-trei,* deux ou trois, quelque. *Do-trei pereut,* quelques poires.
doblà-ye, adj. Ce qui' est plié.
doblamente, adv. Doublement. — *conten,* content pour deux raisons.
doblé, v. Plier, mettre un double sur l'autre. — *la somma,* doubler la somme. Vn. — *indèrë,* rebrousser chemin.
doblë, sm. Bissac, besace.
doblë-re, adj. *Fleur* —, fleur double.
doblo-a, adj. Double.
doblo, sm. Espèce de taille

N. B. — Les mots ainsi (») notés s'écrivent aussi : *De. Deverti, devisé,* etc.

pour retirer les objets de chez le teinturier.

doche, sfp. Gousses des fèves, des pois.

docilamente, adv. Docilement.

docilità, sf. Docilité.

docilo-a, adj. Docile.

dogana, sf. Douane. *Payé la —,* payer la douane.

doill = *doille,* sm. Vase où l'on met le beurre fondu, l'huile, etc.

dojëmo-a, adj. Douzième.

dolen-ta, adj. Qui a du regret, de la douleur.

doleur, sf. Douleur.

doloreu-sa, adj. Douloureux, euse.

domadzàblo, adj. Dommageable.

domàdzo, sm. Dommage, perte, préjudice.

domestecco, sm. Domestique, serviteur de gens de condition.

domestecco-a, adj. Domestique.

domestso-a, bv. Se dit des animaux domestiques.

domicilià-ye, adj. Domicilié, ée.

domicilo, sm. Domicile.

dominachon, sf. Domination.

dominé, v. Dominer. — *la fameille,* faire filer droit la famille.

* **don,** sm. *Fére un —,* donner quelque chose. Faculté, grâce.

don-tè ? N'est-ce pas, toi ?

don-vò ? N'est-ce pas, vous ?

dorà-ye, adj. Doré, ée.

doré, v. Dorer. V. *Indoré.*

* **doreur,** sm. Celui qui dore.

doreura, sf. Dorure.

dorenavan, adv. Dorénavant.

dorgno, sm. Durillon. *La guë de feit un —,* la pièce fait un replis, une bosse.

dormian-na, adj. Qui aime dormir. V. *Drumian.*

dosa, sf. Dose, certaine quantité. *Fére payé la —,* la faire payer cher.

doseina, sf. Douzaine. *Ouvrë de la —,* mauvais ouvrier.

dota, sf. Dot. *Payé la —,* payer la dot.

doté, v. Doter, donner la dot.

dou, sm. Dos. *Verrié lo —,* tourner le dos. — *di caoutë,* dos du couteau.

douce, adv. Doucement. *Fat allé —,* il faut aller avec ménagement.

douce, adj. Doux. *Ten —,* temps humide.

doucemente, adv. Doucement, pas trop vite.

douègnë = *gapian,* sm. Douanier.

douna, sf. Aumône que l'on fait à l'occasion d'une sépulture.

doutance, sf. Doute. *Dzi pà de —,* je n'ai pas de doute, pas de soupçon.

doute, sm. Doute. Sans doute adv. s'exprime par : *Bincheur,* bien sûr.

douté, v. Douter. V. pr. *Se —,* soupçonner.

douteu-sa, adj. Douteux, euse.

douva, sf. Douve. *Beuché un cou su la — et un cou su lo cercllio,* donner raison et tort un peu à l'un et un peu à l'autre.

dòve, adj. f. Deux.

* **doyen,** sm. Le plus ancien, le plus âgé.

drà, sm. Linge, vêtement. — *di fëte,* habillements des jours de fêtes. *Epaté le* —, étendre le linge.

dradzé, sm. Grenaille pour la chasse, dragée.

* **dragon**, sm. Cavalier, gaillard. — *volan*, monstre fabuleux.

dragouna, sf. Fille, femme grande, gaillarde.

drap = *drat*, sm. Etoffe grossière de laine.

drapet, sm. Etoffe non croisée. V. *Sardzetta.*

drëché, v. Dresser. — *de pe terra*, lever de par terre.

dret-dreite, adj. Droit, oite. *Resté* —, être debout. *Lo dret premië*, le premier de tous.

dret, sm. Part. *Mon* —, ma part, ce qui me vient.

dreiteura, sf. Droiture.

dreudze, sf. Engrais, fumier.

droga, sf. Drogue.

droqué, v. n. Aller, courir.

* **droit**, sm. *Avei* —, avoir droit, avoir part.

drolo-a, adj. Drôle. Qui n'est pas selon l'usage ordinaire d'être.

dru-ya, adj. Gras. *Tsan* —, champ bien engraissé.

drumi = *dourmi*, v. M. B. F. A. Dormir. *Qui drume avouë le tsin, se lëve atot de pudze*, qui dort avec les chiens, se lève avec des puces. *Allé a* —, se rendre dormir le soir là où l'on veut être le matin. — *atot le jeu uver*, faire semblant de dormir.

drumian-na, s. Qui dort toujours.

duc = *deuque*, sm. Duc.

duchessa = *deuquessa*, sf. Duchesse.

dupa, sf. Dupe. *Etre* —, être victime d'une tromperie.

dupé, v. Tromper par fourberie.

duràblo-a, adj. Durable.

duràda, sf. Durée. *De ma* —, du temps que je vis.

duré, = *deuré*, v. Durer. *Travaillé di men que la pë di qu no dure.* Travailler jusqu'à la mort.

Le *Dze* des mots patois tient la place de *d*, *g*, *j*, des mots français.

dzà, adv. Déjà.

dzàbla, adv. *Fét a la* —, fait à la diable.

dzablessa, sf. Diablesse.

dzableyé, v. Dire des bougres, des diables, jurer.

dzablo, sm. Diable.

dzabolecco-a, adj. Diabolique.

dzaffrà, sf. Reproche. *Se fottre euna* —, se disputer d'une manière mordante.

dzaffré, v. n. Trouver à dire en se refrognant.

dzagra! int. Diantre! — *de bague*, juron familier.

dzagreyé, v. n. Dire bougre, diable.

dzalà, sf. Gelée. — *blantse*, gelée blanche.

dzalà-ye, adj. Gelé, ée.

dzalaou-sa, adj. Jaloux, ouse. Se dit particulièrement de jalousie entre mari et femme.

dzalerë-re, s. Qui craint beaucoup le froid.

dzalin, sm. Froid qui glace la terre.

dzalousi, = *jalousi*, sf. Jalousie.

dzambéro, sm. bv. Ecrevisse, *planète.*

dzambon, sm. Jambon. — *de boque*, jambon de bouc salé.

dzan, sm. Jean. V. *Dzoan.*

dzâno-a adj. Jaune. *Terrié su lo* —, être jaunâtre, tirer sur le jaune.

dzantre! int. Diantre!

dzappa sf. Langue. *Meiné la* — Mener la langue, parler mal du tiers, du quart. *Bouna* —, bonne langue.

dzappà sf. Aboiement. *Euna* —, un abois. Fig. *Baillé euna* —, réprimander brusquement.

dzappé, v. Aboyer.

dzappemen, sm. Aboiement.

dzàque, sm. *Féro lo* —, faire le fier, le gros Jacques.

dzaraté, v. Remuer comme font les poules qui cherchent des vers dans la terre. Fig. — *de baggue vieille*, rechercher des questions vieilles.

dzaratëre, sf. Jarretière. On dit d'une fille bonne à rien: *Vâ pà le — de sa mére.*

dzardegnadzo, sm. Jardinage.

dzardegné, v. Travailler le jardin.

dzardegnë-re, s. Jardinier, ère.

dzardin, sm. Jardin.

dzaret, sm. Jarret.

dzargo, sm. Jargon.

dzasé, v. Jaser, causer, babiller. — *de fierle*, conter des mensonges.

dzatse! int. Diable!

dzàva, sf. Cage. *Betté in* —, mettre en prison.

dze, pro. Je. *Dz'àmo*, j'aime.

dzë, adj. Dix. Dev. *Dzë et dzë, doblo dzë, vintequatro et trente chouë* (cent).

dzeere, v. M. C. F. F. Coucher. — *pe terra*, mettre à terre ce qui est droit. *Se* —, se mettre sur le lit.

dzeivro = *dzëvro*, sm. Givre.

dzëjëmo-a, adj. Dixième.

dzelenna, sf. Poule. On dit de celui qui a fait une fredaine et qui en parle pour savoir ce qu'on en pense: *La premiëre dzelenna que tsante, l'est cella que l'at fé l'où.*

dzèma, sf. Œil du sarment d'où sort le bourgeon.

dzèmé, vn. Sortir les bourgeons.

dzemë-dzemia, adj. Demi, ie. V. *Demi. Travail fét a* —, travail mal fait.

dzemotta, sf. Tubercule des champs, terre-noix, bv. *Nargueillon, catignoule.*

dzen, sfp. Gens. *Celle* —, ces gens.

dzen-ta, adj. Beau, belle; joli, jolie.

dzenaou, sm. Genoux.

dzendziva, sf. Gencive.

dzeneivro, sm. Genièvre.

dzenepë, sm. Génépi.

dzenevrà, sm. Conserve de genièvre.

dzenofleichon, sf. Génuflexion.

dzenofleya, sf. Giroflée, œillet.

dzenoillà, adj. *de nei*, de la neige jusqu'aux genoux.

dzenoillon, adj. **(a)** A genoux.

dzenoillure, sf. Pièce de cuir que les ramoneurs mettent aux genoux.

dzenoria, sf. *(gràma)*. Mauvaise race, mauvais garnement.

dzepon, sm. Gilet.

dzequet, sm. *di ru*, Ecluse du ruisseau.

dzequetta, sf. Ais unis ensemble qu'on met devant la fenêtre durant la nuit.

dzerba, sf. Gerbe, faisceau d'épis de blé.

dzerbë, sm. Lieu où l'on retire les gerbes.

dzerla, sf. Cuvier.
dzerletta, sf. Petit cuvier.
dzerman, adj. *(qeuseun)* Cousin germain.
dzernà-ye, adj. Qui a produit le germe.
dzerné, v. n. Germer.
dzerno, sm. Germe. *Gràmo —,* mauvaise race.
dzerrié, v. n. Jaillir.
dzerrio, sm. Jet précipité d'un liquide.
dzers, sm. Peur, horreur. *Feit — de vère,* il fait horreur de voir.
dzers = *dzerce,* sm. Gerce.
dzersà = *dzerchà,* adj. Rongé des gerces.
dzëseina, sf. Dizaine. *Euna —,* environ dix. *— di tsapelet,* la cinquième partie du chapelet.
dzeste, sf. Geste. V. *Geste.*
dzestra, sf. Affaire, chose. *L'accapite euna —,* il arrive une affaire, une sottise.
dzet, sm. *d'aveille.* Essaim d'abeilles.
dzet, sm. Bourgeon des plantes.
dzet, sm. Pâturage des vaches.
dzeté, v. Mener paître. Essaimer, v. n.
dzëté, v. Haleter. *— a porté un paquet,* souffler, geindre, avoir grand peine à porter un fardeau.
dzeton, sm. Bourgeon, rejeton.
Dzeu = *Bondzeu,* sm. Dieu.
deudzé, v. Juger. Porter sentence. *— a propou,* trouver convenable, à propos.
dzeudzemen, sm. Jugement. *Betté in —,* mettre en jugement. *Etre a son bon —,* avoir toutes les facultés de l'âme.
dzeudzo, sm. Juge. Romaine, peson qui décide du poids.
dzeuliperdon. Se dit lorsqu'on parle d'un défunt : *Mon pére, —,* mon père, Dieu lui fasse paix, lui pardonne.
dzeulovoille *que sie parë,* Dieu le veuille qu'il en soit ainsi.
dzeun, adv. **(a)** A jeun.
dzeun, sm. Jeun. *Rontre lo —,* manger quelque chose.
dzeuné, v. Jeûner.
dzeundre, v. Ajouter à la quantité, joindre.
dzeunte, sf. La quantité ajoutée. *— de pri,* augmentation de prix.
dzeuré, v. Blasphémer, jurer.
dzeuro = *dzuro,* sm. Blasphême, juron.
dzeuremen, sm. Juron, imprécation.
dzeutecreisse, Dieu te fasse croître. (Souhait que l'on fait aux enfants lorsqu'ils éternuent). *Dzeuvobenisse,* même souhait aux personnes plus âgées. Outre ces formules religieuses, il y a aussi les formules civiles : *A vos souhaits... grand bien..... prospérité.....* et cette autre : *Dieu te contente belle plante !* à laquelle on répond : *Merci bel esprit ! Dzeuvobenisse,* se dit aussi aux pauvres à qui on ne peut pas faire l'aumône.
dzindro, sm. Gendre, beau-fils.
dzire, adv. **(de)** Avec rapidité, brusquement. sf. Empressement. *Quinta —!* quel empressement !
dzirella = *catalla,* sf. Poulie.
dzò, pro. Je. *Fari-dzò?* Ferai-je?
dzò = *iò,* pro. bv. Je, moi.
dzoà = *dzouà,* sm. Jeu.
Dzoan, sm. Jean. *Fouà de St—,*

feu qu'on fait à la fête de St-Jean Baptiste. Prov. : *Qui l'est fou a St-Dzoan, l'est fou tot l'an.* Autre prov. : *Dzan pouro, pouro Dzan ; Dzan pecca pan, lo fromadzo vat devan.*

dzoindre, v. M. C. F. E. Joindre. — *le dò tsavon,* joindre les deux bouts.

dzointe, sf. Endroit où deux choses se joignent.

dzointeura, sf. Jointure. — *di dei,* jointure des doigts. V. *Dedzointe.*

dzoque, sm. Juchoir. *Etre su lo —,* être au pouvoir.

dzor, sm. Jour. — *imprintà,* V. *Mars.*

Dzordzet, *Marquet, Croeset son trei patron di fret,* St-Georges, St-Marc, Ste-Croix, sont les trois chevaliers du froid.

dzornà, sf. Journée.

dzornaillë-re, s. Qui va à la journée, journalier.

dzornaillen, *(Vivre)* Vivre allant à la journée.

dzouëre, sf. La Doire. On dit *dzouëre* (rivière) aussi à d'autres courants d'eau : de Cogne, de Vertosan.....

dzouflu-ya, adj. Joufflu, ue.

dzoure, v. M. C. F. F. Employer. — *son ten,* employer son temps. — *tot,* tirer parti de tout, ne rien laisser perdre. — *lo courti,* avoir la jouissance du jardin.

dzousu-ya, pp. Qui est employé, occupé.

dzouta, sf. Joue. *Qui l'aveitse le dzente dzoute, l'ei mouer de fan a coute,* celui qui ne regarde que la beauté, y meurt de faim à côté.

dzouyé, v. Servir, aller bien, convenir. *Cen dzouye come le dò jeu a la tëta,* ça va comme les deux yeux à la tête.

dzovalla, sf. Javelle. bv. *Manë.*

dzovenno-a, adj. Qui est jeune.

dzovenno-a, s. Jeune garçon, jeune fille.

dzoyaou-sa, adj. Joyeux, euse. Se dit de la robe, du tablier, du mouchoir que porte l'épouse le dimanche avant les noces.

dzoyé, v. Jouer. — *i fiolet,* jouer au baculot. Parier. *Dze dzoyo,* je parie.

dzù, adv. En bas. *Allé lo —,* aller par un chemin qui descend.

dzu, sm. Droit (jus). *De bon —,* de bon droit.

dzuya, sf. Jouissance d'une chose dont un autre est propriétaire. Dites à ce dernier : Vous avez la jouissance .... Il vous répondra : *Mè dzi la vuya, et d'âtre l'an la dzuya.*

E

ë, pro. Il. *Vat-ë amodo ?* Va-t-il bien ?

ebaï, (s') v. pr. S'étonner. Adj. étonné, ée.

ebin ! int. Hé bien !

ebindon ! int. Hé bien donc !

eblouissen-ta, adj. Eblouissant, ante.

eboulemen, sm. Eboulement.

ebreu, sm. Hébreu.

ecar, sm. Ecart. *Se teni a l'ecar,* se tenir loin. *Fére un —,* commettre une faute.

ecarpe, sfp. Cardes.

ecarpé, v. *la lana,* carder la laine.

ecartà-ye, adj. Qui est éc[illegible]té, éloigné.

ecarté, v. Ecarter. *S'—,* s[illegible]oigner du vrai, s'égarer. V. *Escarté.*

ecartelé, v. Ecarteler.

ecarvanté, v. Eparpiller. — *lo fen,* jeter le foin de part et d'autre. *Lo motset ecarvante le polaille,* l'épervier disperse les poules.

ecavé, v. Couper la queue à...

echafò, sm. Potence.

echanson, sm. Echanson. *Fére l'—,* servir à boire.

echanteillon, sm. Echantillon.

echeance, sf. Echéance.

echen, sm. Connaissance, escient. *Le meinà l'an pa d'—,* les enfants n'ont pas de jugement.

echeut-e, adj. Qui n'a pas d'humidité. *Mindzé lo pan —,* manger le pain tout seul.

echoffemen, sm. Echauffement.

echoüé, v. Echouer.

echoué, v. *lo for.* Chauffer le four, à tour de rôle, la première fois.

echu-ya, adj. Qui est échu. V. *Etsu.*

echuye, sfp. Montants d'une porte.

echuyé, v. *(fére)* Faire perdre l'humidité, mettre sécher. V. *Ressuyé.*

eclisse, sm. Eclipse.

ecclìapé, v. Fendre, casser. V. *Clliapé.*

ecclierci, v. Eclaircir.

ecclierci-a, adj. Qui est expliqué, rendu clair, éclairci.

ecclierdzi, v. pr. **(s')** S'éclaircir. *Lo ten —,* le temps se fait clair.

eclliou, pp. Eclos. *L'où l'et —,* l'œuf est éclos.

eclioure, v. imp. M. C. F. F. Eclore.

eclliusa, sf. Ecluse.

ecò, sm. Echo. V. *Retouno.*

ecollé, v. n. Ecouler. *Leiché —,* laisser passer le temps. — *lo barlet,* boire la dernière goutte du barriquet.

ecollië = *escoueillèr,* sm. Ecolier.

economà, sm. Economat.

economia, sf. Economie. *La*

bouna economia vât depi que gran preisa, la bonne économie vaut plus que la grande récolte.

economisé, v. Economiser.

economisen-ta, adj. Qui a de l'économie.

economo-a, s. Qui a soin de la dépense d'une maison.

ecorsa, sf. Ecorce. V. *Rutse.*

ecortsà-ye, adj. Ecorché, ée.

ecortsé, v. Ecorcher, ôter la peau. Fig. Vendre trop cher à . . . . .

ecot, sm. Ecot. *Payé son —,* payer son écot.

ecotson, sm. Rebut du chanvre.

ecotta, sf. Etaie.

ecotté, v. Appuyer. *— lo solan,* étayer le plancher. *S'ecotté,* v. pr. Faire effort.

ecouëla, sf. Ecuelle. *Allé atot l'—,* aller mendier.

ecouellà, sf. Une pleine écuelle.

ecouellassa, sf. Grosse écuelle.

— A qui l'est-ë cella groussa ecouellassa ?

— A vò, Madama.

— Ah! l'est la mina cell'ecouellina.

ecouelletta, sf. Petite écuelle.

ecouette, sf. Puron. *Beire de vin, come un pouer d'ecouette,* boire du vin comme un cochon (boit) de puron.

ecoula, sf. Ecole.

ecoullië, sm. Ecolier. V. *Ecollië.*

ecòva, sf. Balais. Dev. *Euna bagga que feit lo tor de meison et se tappe a euna carra,* une chose qui fait le tour de la maison et se jette à un coin.

ecové, v. Balayer. *Mandé — de foille,* renvoyer quelqu'un, ne pas l'écouter. *— de perinque,* chasser de par ici.

ecovë, sm. bv. *penail.* Ecouvillon pour nettoyer le four à pain. Dev. *Un baou plen de vatse rodze, n'en entre euna neire, le feit totte sourti,* une étable pleine de vaches rouges, il en entre une noire, qui les fait toutes sortir.

ecovet, sm. Petit balai de potager.

ecramà, sf. *(euna)* Ce qu'on a écrêmé en une fois.

ecramà-ye, adj. Qui a été écrêmé.

ecramé, v. Ecrêmer, ôter la crême. Fig., prendre le meilleur.

ecramenta, adj. *(potse)* Ecrêmoire, louche avec laquelle on écrême. V. *Cramenta.*

ecrasà-ye, pp. Ecrasé, ée.

ecrasé, v. Ecraser.

ecreili, v. n. *(leiché)* Laisser ouvrir les douves en tenant une cuve au sec.

ecreili-a, adj. Meuble qui perd le liquide par les douves. Fig., personne débile, détraquée.

ecretta, sf. Petite seringue, ordinairement de sureau (jouet d'enfant).

ecrevisse, sf. Ecrevisse (Planète).

ecri, sm. Ecrit. *Fére un —,* faire un écrit, un acte.

ecrire, v. M. C. F. F. Ecrire, envoyer une lettre. Dev. *Blantse l'arolla* (ajuola ?), *neire la semen, trei que la vagnon et dò que tëgnon men,* blanc est le terrain, noire la semence, trois (doigts) la sèment, et deux font attention.

ecritéro, sm. Encrier.

ecriteura, sf. Ecriture. *— a tsambe de moutse,* mauvaise écriture.

ecritò, sm. Ecriteau.
ecriven, sm. Qui a la profession d'écrire.
ecu, sm. Ecu, pièce de cent sous.
ecuma = *eqeuma,* sf. Ecume.
ecumé = *eqeumé,* v. Oter l'écume.
ecumoére = *eqeumoére,* sf. Ecumoire. V. *Seublo.*
edeficachon, sf. Edification.
edefié, v. Edifier par le bon exemple.
edefien-ta, adj. Edifiant, ante. Qui porte au bien.
edit, sm. *di Rei,* ordonnance du Roi.
* **editeur,** sm. Qui édite un ouvrage.
educachon, sf. Education.
effaçablo-a, adj. Effaçable.
effegie, sf. Effigie. *Pendre in* —, pendre en effigie.
* **effet,** sm. Produit de la cause.
* **efficace,** adj. *(remëdzo)* Remède efficace .....
efficacità, sf. Efficacité.
effeitif, adj. Effectif.
effeituyé, v. Effectuer.
efflloré, v. *la tsâ.* Faire fuser la chaux.
effondrà-ye, pp. Qui a été effondré.
effor, sm. Effort.
efforchà-ye, adj. Qui est hernié, ée.
efforché, v. pr. **(se)** S'efforcer.
effrèyablo-a, adj. Effroyable.
effrèyé, v. Effrayer. *S'—,* se donner peur.
effreyen-ta, adj. Effrayant, e.
egal-a, adj. Egal, e.
egalamente, adv. Egalement.
egalé, v. Egaler. *S'—,* se faire égal.
egalisé, v. Rendre égal.
egalità, sf. Egalité.
egar, sm. Egard. *Avei d'—,* avoir d'égards.
egarà-ye, adj. Qui est, qui s'est égaré, ée.
egaré, v. Egarer. *S'—,* s'éloigner, se perdre.
egaremen, sm. Egarement de la jeunesse.
egnon, sm. Oignon.
* **egoïste,** s. Qui a de l'égoïsme.
egordzé, v. Egorger.
egotté, v. n. Dégoutter. *Leiché* —, laisser couler goutte à goutte jusqu'à ce que le vase soit sec.
egré, v. n. Faire levier.
egrofin, sm. *(levé a),* lever au moyen du levier, en faisant force peu à peu.
egueirà-ye, adj. Qui est tout déchiré.
egueiré, v. Déchirer. V. *Etraché.*
egueyi, v. pr. **(s')** S'amuser, se réjouir.
eh ! *que me grave,* int. Oh ! qu'il me fâche.
ei ! *na !...* int. Ah ! pas possible !....
eicè, sm. Excès. *Fére d'—,* faire des excès.
eicedé, v. Excéder. — *la meseura,* dépasser la mesure.
eicellance, sf. Excellence.
eicellen-ta, adj. Excellent, e.
eicessif-va, adj. Excessif, ive.
eido, adv. Voyez donc. S'emploie au pluriel, et s'adresse à ceux à qui l'on dit *vous : eido, ma mére !* voyez donc, ma mère.
eidzé, v. Aider. *Quan tot s'eidze, gneun se crëve,* quand tout le monde s'aide, personne ne travaille jusqu'à se faire du mal (se crêve).
eidzo, sm. Aide, secours.

eigro-a, adj. Aigre.
eigue = *éve,* sf. Eau. Parlant d'un qui n'a rien, on dit: *L'at lo tsan di s-aousë et la bride de l'éve,* il a le chant des oiseaux et le bruit de l'eau.
eigue-de-via, sf. Eau-de-vie.
eijà-ye, adj. Aisé, ée, commode.
eisagerachon, sm. Exagération.
eisageré, v. Exagérer.
eisaltachon, sf. Exaltation.
eisalté, v. Exalter.
eisamen, sm. Examen.
eisamené, v. Examiner.
eisaoucé, v. Exaucer.
eisasperà-ye, pp. Qui est grandement irrité, exaspéré.
eise, sf. Ustensile de cuisine en général.
eisecrablo-a, adj. Exécrable.
eisecuchon, sf. Exécution. *Fére l'—,* faire la saisie.
eisecuté, v. Exécuter. — *son travail,* accomplir son travail. Fig. Faire passer par la main du bourreau.
eisemplo, sm. Exemple.
eisen-ta, adj. Exempt, e.
eisenchon, sf. Exemption.
eisentafatega, sm. Nonchalant, paresseux.
eisenté, v. Exempter. *Eisentatè,* tu peux t'exempter, exempte-toi.
eisercé, v. Exercer.
eisercice, sf. Exercice.
eisi, sm. Puron aigri. V. *Bounë.*
eisigé, v. Exiger. — *la somma,* exiger la somme. V. n. prétendre, être exigeant.
eisigen-ta, adj. Qui exige trop de devoirs, d'attentions.
eisigiblo-a, adj. Qui peut être exigé.
eisil, sm. Exil. *Mandé in —,* envoyer en exil.
eisilé, v. Exiler. *S'eisilé,* s'éloigner.
eisisté, v. Exister.
eisisten-ta, adj. Qui existe.
eiso-e, adj. Aise, content.
eiso, sm. Aise, commodité. *Être a l'—,* être bien, dans l'aisance.
eisorbiten-ta, adj. Qui est excessif.
eisorde, sm. *di sermon,* exorde du prône.
eisortachon, sf. Exhortation.
eisorté, v. Exhorter.
eisultet, sm. *(tsanté l')* Chanter l'*exultet.*
eitàra, sf. Hectare.
eitàva, sf. *(Octava).* Temps qui se trouve entre deux et trois heures de l'après-midi et pendant lequel on trait les vaches dans la montagne.
eite, adv. Vois-tu. *Eite,* se dit au singulier à ceux qu'on tutoie, par opposition a *eido.*
eitò, sm. Hectogramme.
eitolitre, sm. Hectolitre.
eivié, v. Mettre l'eau au pré, au jardin, arroser.
èla! int. Hélas. *Èla! quinta mà,* oh! quelle douleur!
elan, sm. Elan, action de s'élancer. V. *Nan.*
elanchà-ye, adj. Elancé, ée, qui est haut et mince.
elanché, v. pr. **(s')** S'élancer.
elardzi, v. Elargir. *S'—,* étendre ses propriétés, en acheter de nouvelles.
* **elastique,** adj. *Conchence —,* conscience qui se prête.
elefan, sm. Eléphant.
elegance, sm. Elégance.
elegiblo-a, adj. Elégible.
eleichon, sf. Election.

eleiteur, sm. Electeur.

elevé = *alevé,* v. Elever. — *le meinà,* élever les enfants; pour les bêtes on ne dit que: *alevé.*

eliminé, v. Eliminer. — *di conseil,* mettre hors du conseil.

elire, v. Elire. Ce verbe n'a guère que l'infinitif *elire,* et le pp. *elu.*

elite, sf. *(troppa d'—)* Armée d'élite.

elliëse, sf. Eglise. Comme les gens les plus proches de l'église y arrivent souvent les derniers, on dit: *Protso de l'elliëse, llioen di paradi.*

elocan-ta, adj. Eloquent, ente.

elocance, sf. Eloquence.

eloègnà-ye, adj. Eloigné, ée.

eloègné, v. = *fére teni llioen,* éloigner.

eloègnemen, sm. Eloignement.

eloge, sm. Eloge. *Fére d'—,* donner des louanges.

elu, sm. Elu. *Le s-elu,* les prédestinés. Adj. Qui est choisi par élection.

emàdze, sf. Image.

emancipachon, sf. Action d'émanciper.

emancipé, v. Emanciper. *S'—,* se prendre trop de liberté.

emboué, v. Mettre à l'étable. — *le vatse,* faire entrer les vaches à l'étable. Fig. Mettre en prison.

emenda, sf. Amende. *Payé l'—,* payer l'amende.

emendé, v. pr. **(s')** S'amender, se corriger.

emenna, sf. Hémine.

emerveillé, v. pr. **(s')** S'étonner.

emigrachon, sf. Emigration.

emigré, sm. Emigré.

emigré, v. n. Emigrer. Quitter son pays pour aller chercher son pain ailleurs.

emiséro, sm. Emissaire, mouchard.

emme, sf. *(Cen coute un)* Ça coûte *m*ille francs.

emochon, sf. Emotion.

emotta-ye, adj. Chose à laquelle on a ôté la pointe.

emotté, v. Couper la pointe.

emousteillé = *mousteillé,* v. Exciter à dire, à faire, agacer. V. *Astegué.*

emulachon, sf. Emulation. V. *Invidzo.*

encré, v. Entailler. — *i mëtsë,* entrer, se faire au métier.

endre, adv. *(fére)* Intercepter la lumière, en se tenant devant quelqu'un. Fig. Etre à charge, exciter la jalousie, faire ombrage.

enflà-ye, adj. Enflé, ée.

enflé, v. Enfler. *S'—,* s'enorgueillir.

enfleura, sf. Enflure.

enflo, sm. *(fére lo)* Faire le gros, le fier.

enllié, v. *le den,* agacer les dents.

enllion, sm. Aiguillon. Petit pal de fer.

ennemi-a, s. Ennemi, ie.

ennemitsë, sf. Inimitié.

enormità, sf. Qualité de ce qui est énorme.

enormo, adj. Enorme. *Crimo —,* crime énorme.

entà-ye, pp. Qui a été greffé.

enté, v. Greffer, enter.

enteura, sf. Endroit où l'on a placé l'ente.

ento, sm. Greffe, ente.

entràda, sf. Entrée.

entraille, sfp. Le dedans de l'animal.

entso, sm. Encre. *De bon —,* de la bonne encre.
enumerachon, sf. Enumération.
enumeré, v. Dénombrer.
envé, v. bv. *invaleiré.* Aplanir, égaliser.
envo-a, adj. Qui est égal, aplani. — *de nei,* égalisé, couvert de neige.
epacta = *epatta* sf. Epacte.
epâla, sf. Epaule. *Fére —,* soutenir quelqu'un dans ses prétentions, lui faire appui.
epandi-a, adj. Epanoui, ie.
epaou-sa, s. Nouveau marié, nouvelle mariée.
epaousa, adj. *(sardze)* La robe du jour nuptial.
epaousé, v. Epouser, fiancer.
eparma, sf. Epargne, ce qui a été épargné.
eparmé, v. Epargner.
eparmure, sf. Le peu d'eau avec laquelle on délave le seau et le couloir du lait.
eparà-ye, adj. Qui est droit, appuyé contre un mur, une paroi.
eparé, v. pr. **(s')** Se tenir droit, s'appuyant du dos.
epatà-ye, adj. Etendu, ue. *Fromadzo —,* fromage étendu. *Bouiya —,* lessive étendue.
epatàda, sf. Etendue. — *de prà,* étendue de pré. — *de trifolle,* beaucoup de pommes de terre.
epatarà-ye, adj. Eparpillé, ée.
epataré, v. Eparpiller.
epaté, v. Etendre. — *bouiya,* étendre la lessive..... — *euna conta,* divulguer un bruit.
epèchaou, sf. Epaisseur.
epei = *etpei,* adv. Peut-être.
epei ! *se t'a fé cen !* Gare ! si tu as fait cela.
epenàtse, smp. Epinards.
epenaou-sa, adj. Epineux, euse.
epeuna, sf. Epine. *Planté euna —,* se venger, donner du fil à tordre.
epès-sa, adj. Qui a de l'épaisseur, de la consistance.
epessi, v. Epaissir, rendre épais.
epessissemen, sm. Epaississement.
epessissen-ta, adj. Epaississant. *La bouna mëilla l'est —,* le bon maïs épaissit.
epetail, sm. Hôpital.
epetaillà-ye, adj. Qui est tout déchiré.
epi, sfp. Champs semés de blé. On dit : *epi damon, epi dèsot,* les champs d'en haut et ceux d'en bas qui sont semés alternativement chaque année.
epìa, sf. Epi de blé, d'orge.....
epià, adj. Qui a mis l'épi. *Le blà son —,* les blés ont mis l'épi.
epidemia, sf. Epidémie.
epié, v. n. Mettre l'épi.
epinga, sf. Epingle. *L'y ëtre pe se s-epingue,* y être pour ses frais.
epinguë, sm. Etui des aiguilles.
epion, sm. Epieu qu'on enfonce dans le faix, la meule, pour les maintenir sur la monture en les conduisant au fenil.
episcopàla, adj. *(Veseta)* Visite épiscopale.
epitre, sf. Epître. *Tsanté l'—,* chanter l'épître.
epôca, sf. Epoque. *A l'—,* au temps fixé.
epoletta, sf. Epaulette.
eponda, sf. Bord d'un ruisseau, d'un précipice, d'une

chaudière. *Sainte Colomba, manda de brossa tanque pe l'eponda,* sainte Colombe, envoie de la brosse, jusque sur le bord de la chaudière.

epouë = *etpouë,* adv. Ensuite, puis.

epouerià-ye, adj. Qui est saisi de peur.

epouerié, v. Epouvanter. — *le dzelenne,* épouvanter les poules. *S'epouerié,* se donner peur.

epouijà-ye, adj. Qui est épuisé.

epouijé, v. Epuiser.

epouisemen, sm. Epuisement.

epoula, sf. Bobine de tisserand.

epoventa, sf. Epouvante.

epoventé, v. Epouvanter.

epreuché, v. Presser quelque chose pour en faire sortir le liquide.

eprouva, sf. Epreuve. *Baillé a l'—,* donner à l'épreuve. *Fére un'—,* faire un essai.

eprouvé, v. Eprouver. — *de tsagrin,* éprouver du chagrin.

eprouvetta, sf. Eprouvette.

equachon, sf. Equation.

equarchà-ye, adj. Qui est ouvert, déchiré.

equarché, v. Ouvrir. — *la vatse,* ouvrir, défaire la vache. — *la brantse,* séparer la branche du tronc en la déchirant.

equë, adj. *(où)* Œuf sans coque.

equelibro, sm. Equilibre.

equepadzo, sm. Equipage.

equeriente, sfp. Mauvais grains qu'on sépare des bons en vannant.

equerienté, v. Passer le blé au van pour séparer les mauvais grains.

equità, sf. Equité. V. *Dzu, Jeusto.*

equitablo-a, adj. Equitable.

equivallei, v. imp. Equivaloir.

equivallen, sm. Equivalent.

equivoque, sm. Action de prendre ou de dire une chose pour une autre.

erba, sf. Herbe. *Pequé lo fen in —,* manger un bien avant de l'avoir.

erbà-ye, adj. Plein d'herbes. *Lo tsan l'est —,* le champ est plein d'herbes.

erbadzo, sm. Herbage, pâturage.

erboriste, sm. Herboriste.

* **ère** sf. *crètseina,* Ere chrétienne.

erèdzeri, sf. Sorcellerie.

erèdzo-e, s. Sorcier, malicieux, rusé. *Ti fran —,* tu as vraiment deviné.

ereichon, sf. Erection.

eretadzo, sm. Héritage.

ereté, v. Hériter.

eretë-re, s. Héritier, ière.

ereus, sm. Bogue, enveloppe de la chataigne.

erigé, v. Eriger, établir. *S'— mètre,* se faire maître.

ermetadzo, sm. Ermitage.

ermetta, sm. Ermite. *Via d'—,* vie retirée.

ermo-a, adj. bv. Sans saveur. *Vin, lacë —,* vin, lait sans saveur.

erran-ta, adj. Errant, ante.

erré, v. n. Errer, se tromper, faire des écarts.

* **erreur,** sf. Faute, méprise.

errion-da, adj. Rond, ronde.

errionda, adj. Se dit d'une femme à l'état de grossesse.

eruchon, sf. Eruption de volcan.

escadra, sf. Escadre.

* **escadron,** sm. *de cavaleri,* escadron de cavalerie.

escalàda, sf. Escalade. *Baillé l'—,* donner l'escalade.

escaladé, v. Escalader.

escamotadzo, sm. Action d'escamoter.

escamoté, v. Dérober par des tours d'adresse.

* **escamoteur,** sm. Se dit des étrangers qui font les coupebourses sur nos foires.

escampà = *escampàda,* sf. Action d'*escampé.*

escampé, v. Aller à la hâte un petit trajet pour faire une commission. *Leiché escampé le feye pe lo blà,* laisser échapper les brebis aux champs de blé. Bv. Vivre: *escampé vint an,* vivre vingt ans.

escandalaou-sa, adj. Scandaleux, euse.

escandalisé, v. Scandaliser.

escandàlo, sm. Scandale.

escapà = *escapàda,* sf. Echappée. *Fére a l'escapàda,* faire comme à la dérobée.

escapé, v. n. Echapper.

escar = *ecar,* sm. Ecart. V. *Ecar.*

escarvanté, v. Eparpiller. V. *Ecarvanté.*

escavachon, sf. Excavation.

esclamachon, sf. Exclamation.

esclavadzo, sm. Esclavage.

esclavo-a, adj. Esclave.

esclujon, sm. Exclusion.

esclure, v. M. C. F. M. Exclure.

escomunià-ye, adj. Qui est excommunié.

escomunicachon, sf. Excommunication.

escomunié, v. Excommunier.

escorta, sm. Escorte. *Avei de roba d'—,* avoir des denrées en réserve. *Fére —,* accompagner.

escrimé, v. Tirer des fers, se dit d'un mulet.

escroque, sm. Escroc, fripon, voleur.

escroqué, v. Escroquer.

* **escroqueur,** sm. Qui escroque.

escurchon, sf. Excursion.

escusa, sf. Excuse. *Dze demando —,* je fais mes excuses.

escusablo-a, adj. Excusable.

escusé, v. Excuser. *Dz'escuso sensa tè,* je fais, je suffis sans toi.

esemplo, sm. Exemple. V. *Eisemplo.*

esenté, v. Exempter. V. *Eisenté.*

espàce, sf. Espace. — *de ten,* un certain temps. — *de vegne,* étendue de vignobles.

espansif, adj. Expansif, qui épanche ses sentiments.

espardzé, v. bv. Arroser, répandre, asperger.

espatrié, v. pr. **(s')** S'expatrier.

espéce, sf. Espèce, sorte. V. *Sor.*

espëche, sfp. Epices. *Totte-espëche,* fines épices.

espedichon, sf. Expédition.

espedié, v. Expédier.

espedien, sm. Expédient. *Trové un —,* trouver un moyen.

espeisa, sf. Dépense. *Cen vât pà l'—, cen porte pà l'—,* ça ne vaut pas la peine. *Fére l'—,* faire la provision, fournir, faire les frais.

espeitachon, sf. *(fëta de l')* Fête de l'Expectation.

espeitativa, sf. Expectative. *Etre in —,* être à attendre.

esperance, sf. Espérance. — *di salu,* espérance du salut.

espéré, v. Espérer.
esper, sm. Expert. Personne nommée pour mesurer, pour estimer.
espertise, sf. Opération de l'expert.
espertisé, v. Expertiser.
espìa, sf. Espion. *Fére l'—*, faire le rapporteur.
espiachon, sf. Expiation.
espié, v. Expier.
espiëga, adj. Espiègle, étourdi.
* **espion,** sm. Qui épie pour rapporter.
espionné, v. Faire l'espion.
esplecablo-a, adj. Explicable.
esplecachon, sf. Explication.
esploèté, v. Exploiter.
esplojon, sf. Explosion.
espoèr, sm. Espoir. — *de vari,* espoir de guérir.
esportachon, sf. Exportation.
esposà-ye, adj. Qui est en vue, dans le danger.
esposé, v. Exposer, mettre en vue, en péril. *S'—*, s'exposer, se hasarder.
esposechon, sf. Exposition. *Et vò s-âtre servente allàde-vo pà a l'esposechon ? — No sen dzà praou esposàye parë*... Et vous autres servantes n'allez-vous pas à l'exposition ? — Non, nous sommes déjà assez exposées sans cela.
esprè = *esprèce,* adv. Exprès, à dessein. V. *Alatto.*
esprechon, sf. Expression. *Permette-mè l'—*, permettez-moi l'expression.
espressamente, adv. Tout exprès.
espri, sm. Esprit. — *bon,* — *malin,* — *folet,* — *boutro,* — *fier,* — *docilo.*
esprimé, v. Exprimer. — *sa pensà,* dire sa pensée.
espropriachon, sf. Expropriation. *Fére l'—*, prendre juridiquement ou selon une loi, la propriété de quelqu'un.
esproprié, v. Exproprier, priver de la propriété.
esqui, adj. Exquis. *Vin —*, vin exquis.
esquivé, v. Eviter. — *le creanchë,* éviter la rencontre des créanciers.
esquivé, (s') v. pr. S'esquiver.
esquivié, v. bv. Avoir, sentir de la répugnance. V. *Adogné.*
essanciel-la, adj. Essentiel, elle.
essanciel, sm. *(lo pi)* Le plus important.
essepon, sm. Semelle de bois des galoches. Motte de neige qui s'attache aux galoches.
essò ! *l'est-ë parë que te fei ?* Comment ! est-ce ainsi que tu fais ?
essoula, sf. Hâche recourbée avec laquelle on creuse le bois des galoches.
estafetta, sf. Estafette. *Fére l'—*, aller rapporter.
estaffa, sf. Etrier. *Teni pià a l'—*, se tenir au pouvoir, dominer.
estagné, v. Etamer.
estampa, sf. *(lettra d')* Lettre d'imprimerie. *Faouder d'—*, tablier de toile que nos mères faisaient teindre et estamper.
estampé, v. Estamper.
estamperi = *imprimeri,* sf. Imprimerie.
estanté, v. Souffrir, avoir peine à... — *de fan,* souffrir de la faim. — *d'areuvé,* avoir peine à arriver.
estasié, (s') v. pr. S'extasier, se dit par ironie.
estenchon, sf. Etendue.

esterié, v. Repasser. — ou *estiré lo lindzo,* repasser le linge.
esterieur, sm. Extérieur.
esterminé, v. Exterminer. — *le làre,* exterminer les voleurs.
esterno, adj. Externe. *Ecolliё* —, écolier qui vit en dehors du collége où il suit le cours.
estima, sf. Estime. *De pocca* —, de peu de valeur.
estimàblo-a, adj. Estimable.
estimé, v. Estimer.
estirpé, v. Extirper. — *la gràma raça,* détruire la mauvaise race.
estomà = *estomàque,* sm. Estomac.
estomacà-ye, adj. Qui a l'estomac chargé de nourriture, et, au fig., de regrets, de déplaisirs.
estomaqué, (s') v. pr. Se chagriner.
estoque, sm. Jugement, esprit. *Sensa* —, sans manières, gauchement.
estouf-fa, adj. Qui est ennuié, dégoûté. — *di lacé,* n'avoir plus envie du lait.
estouflé = bv. *estoufié.* Oter l'envie, donner du dégoût. *S'*—, se dégoûter.
estrachon, sf. Extraction de loterie.
estrapatsà, sf. Réprimande. *Boqué euna* —, recevoir une réprimande.
estrapatsé, v. Gronder, accabler de travail.
estravagan-ta, s. adj. Extravagant, ante, bizarre, hors de propos.
estravagance, sf. Extravagance. — *di mat,* actions, paroles d'insensé.
estravère, v. M. G. *(fére)* Faire voir une chose pour l'autre.
estravëti-a, adj. Travesti.
estrémità, sf. Extrémité.
estrémamente, adv. Extrêmement.
estrémo-a, s. *(Etre a l')* être à la fin, au dernier point.
estrémo-a, adj. Extrême.
estremonchon, sf. Extrême-onction.
estreup, sm. *(baillé un)* Tirer à soi (une fois) de toutes ses forces. *Fére un* —, faire un effort.
estreupé = *étreupé,* v. Arracher. — *d'in man,* arracher des mains, voler.
estreupià = *destreupià-ye,* adj. Estropié, ée.
estreupié, v. Estropier, gâter. — *la matére,* gâter l'étoffe.
estsàvo = bv. *binllioua,* adv. Peu importe, qu'est-ce que ça me fait.
* **et,** conj. Et.
etabli, v. Etablir. *S'établi,* se fixer, se marier.
etablissemen, sm. Etablissement.
etadzëre = *estadzëre,* sf. Etagère, meuble à étage où l'on étale la vaisselle.
etaladzo, sm. Etalage.
etalé, v. Etaler. Montrer son bien, sa parure.
etalla, sf. Buche dont on chauffe le four à pain.
etagnà, sf. Mesure en étain d'environ 9 décilitres. *Soven i cabaret in beyen l'ëtagnà, in despense l'ardzen qu'in a panco gagnà,* souvent au cabaret en buvant l'*etagnà,* on dépense l'argent qu'on n'a pas encore gagné.
etagnon, sm. Petit demi litre. V. *Miseoblo.*

etantsé, v. Etancher. — *la sei,* étancher la soif.
etantse = *ëhantse,* sf. Haie qu'on fait au travers d'un chemin pour signifier qu'on regrette qu'une épouse s'en aille.
etappa, sf. Etape.
etat, sm. Etat, gouvernement, profession, état de famille.
etatsà, sf. *(euna)* La distance d'un échalas à l'autre.
etatse, sf. Echalas.
etatson, sm. Pieu, petit échalas.
eté, v. Etre, rester. — *inque,* demeurer, rester ici.
eteila, sf. Etoile. — *di berdzé,* Etoile du berger.
eteilà, adj. Etoilé.
eten, sm. Etain.
etenduya = *etendeuva,* sf. étendue.
eternel-la, adj. Eternel, elle.
eternità, sf. Eternité.
etoffa, sf. Etoffe, qui n'est pas du drap de famille.
etoffé, v. Etouffer. V. *Atoffé.*
etombë, sm. = *pachon,* petit échalas.
etombelé, v. *le feisoù,* mettre des rames pour soutenir les haricots..... On dit aussi *inramé le feisoù.*
etonnà-ye, adj. Qui est étonné.
etonné, v. Etonner. *Fat pà s'*—, il ne faut pas s'étonner.
etonnemen, sm. Surprise, admiration.
etoppe, sf. Etoupe.
etorgnondze, sf. Mal de tête, étourdissement, évanouissement.
etorni = *etourni,* v. Etourdir, tuer, casser la tête par le bruit.
etoula, sf. Etole.
etourderi, sf. Etourderie.
etourdi-a, s. adj. Etourdi, ie.
etourdi, v. Etourdir.
etpei, adv. Peut-être. V. *Epei.*
etpouë, adv. Ensuite, après cela. V. *Epouë.*
etrachà-ye, adj. Déchiré, ée.
etraché, v. Déchirer.
etragné, v. Eternuer. V. *Dzeutecreisse.*
etràgno, sm. Action d'éternuer.
etrandzë-re, adj. Etranger, ère.
etrandze, adj. *(baggue)* Choses étranges.
etrandzo-e, adj. Qui n'est pas de la famille, de l'endroit. *Etre tot* —, se dit de l'impression, du vide que fait la mort d'un parent.
etranllié, v. Etrangler. Fig. Tuer, prêter à usure, charger d'impôts.
etre, *dze si,* v. Etre, je suis.
etregaillà-ye, adj. Déguenillé, déchiré.
etregnaou, sm. *di tsemin,* l'endroit le plus étroit du chemin.
etreillà-ye, adj. Qui a été étrillé, condamné en justice.
etrèille = *rapetta,* sf. Etrille
etreillé, v. Etriller.
etreillo-e, adj. Qui est mince, étroit de flanc, pour n'avoir pas assez mangé.
etreina, sf. Arrhes qu'on donne aux fiançailles. — *d'an. Tsecca de treina d'an, dzo vo s-i panco vu pe cit an,* un peu d'étrenne, je ne vous ai pas encore vu pour cette année. Bonne main.
etreiné, v. Etrenner, mettre un vêtement pour la première fois.
etreiti, v. Rendre plus étroit.

etret-etreite, adj. Etroit, étroite.

etrobla, sf. Chaume qui reste attaché en terre après la coupe du blé.

etrosson = *saouton* = *strabecon,* sm. Scie pour tronçonner.

etrossonné, v. Tronçonner.

etsandzo, sm. Echange.

etsaoudé, v. Echauffer.

etsàpro, sm. = bv. *tserpéro.* Ciseau de menuisier.

etsarda, sf. Echarde.

etsardon, sm. Chardon. *La vegne di petarde, lo tsan di etsardon, te fât le conservé todzor a ta meison.* La vigne des ronces, le champ des échardons, il faut les conserver toujours à ta maison.

ëtse, sf. Amadou.

etsëla, sf. Echelle. *Fére l'—,* faire la gamme.

etselë, sm. Escalier.

etseletta, sf. Petite échelle.

etselon, sm. Echelon.

etsenna, sf. Dos.

etses-sa, adj. Qui est étroit, et non ample. *Etses a la crutse et lardzo a la farenna,* avare au son et prodigue à la farine.

etsolà-ye, adj. Se dit d'une personne qui perd sa jeunesse avant le temps.

etsolé, v. pr. **(s')** S'étioler.

etsu-ya, pp. Echu, ue.

ettot, adv. Aussi. — *mè,* moi aussi.

etude, sf. Etude. *Fére se s'—,* faire ses études.

etudian, sm. Etudiant.

etudzé, v. Etudier. *Dze si pà que t'etudze,* je ne sais pas ce que tu penses, ce que tu rumines.

eunecco, adj. *(feus)* Fils unique.

euraou-sa, adj. Heureux, euse.

eurlé, v. Hurler, crier fort.

eurlemen, sm. Hurlement.

eurlo, sm. Hurlement. *Fére un —,* pousser un gros cri.

Europpa, sf. Europe.

europpeen, s. adj. Européen.

evadé, v. pr. **(s')** S'évader. *S'— de preison,* s'échapper de prison.

evaleyé, v. pr. **(s')** Se récréer, dissiper ses ennuis.

evaluyé, v. Evaluer.

evandzillo, sm. Evangile.

evangelisé, v. Evangéliser.

evangeliste, sm. Evangéliste.

evanoui, v. pr. **(s')** Tomber en défaillance, perdre le sentiment.

evanouissemen, sm. Evanouissement.

evaporà-ye, adj. Evaporé, ée.

eve = *eigue,* sf. Eau. V. *Eigue.*

eveillà-ye, adj. Eveillé, ée.

evèque, sm. Evêque.

evenemen, sm. Evénement.

eventré = *deventré,* v. Eventrer.

evètsà, sm. Evêché.

eviden-ta, adj. Evident, ente.

evité, v. Eviter.

eyadzo, sm. Age. *A mon —,* à mon âge.

F

fa, sm. Note de la gamme: Fa.
fà, sf. Faux à faucher.
fàaye = *Féëye,* sf. Fée. *Conte di* —, histoires fabuleuses.
fabiola, sf. Petite fable, historiette. *Conté euna* —, en faire accroire.
fàbla, sf. Fable.
fabrecca, sf. Fabrique. — *de l'elliëse,* fabrique de l'église.
fabrecachon, sf. Fabrication.
fabrecan, sm. Celui qui fabrique.
fabrechen, sm. Fabricien.
fabrequé, v. Fabriquer.
fabuleu-sa, adj. Fabuleux, euse.
façàda, sf. Façade.
face, sf. Face. *Vère Dzeu face a face,* voir Dieu face à face. *Fére* —, suffire, être vis-à-vis de.
face, sf. Cheveux qui tombent sur les tempes.
facheu-sa, adj. Fâcheux, euse.
fachon, sf. Faction. *Etre in* —, être en faction.
fachonéro, sm. Factionnaire.
facilità, sf. Facilité.
facilité, v. Faciliter, rendre facile.
facilo-a, adj. Facile.
façon, sf. Façon, main d'œuvre. *Beire sans* —, boire sans compliment. *Fére bouna* —, durer, faire long usage.
façonné, v. Durer, aller au long. *Lo pan deur façonne depi que lo frëque,* le pain dur fait plus de durée que le frais.
fàda, sf. Voile blanc dont les femmes se couvrent en allant à la messe. Les genoux, dans cette locution: *teni in* —, tenir un enfant sur les genoux. Partie de la robe sous le corset.
fagot, sm. Fagot, paquet.
fagoté, v. Porter des fagots.
fagotin, sm. Petit fagot.
failleite, sf. Pénurie de récolte.
failli-a, adj. bv. Etourdi, ie.
failli, v. M. B. Manquer. — *lo cou,* faillir, manquer le coup.
failloutse, sfp. *de nei,* petits et rares flocons de neige, flammèche.
falei, v. M. G. Falloir.
faloppa, sf. Grosse bêtise.
falseficachon, sf. Falsification.
falsefié, v. Falsifier.
fameillarisé, v. pr. **(se)** Se familiariser.
fameille, sf. Famille.
fameillë-re, adj. Familier, ère.
fameillëremente, adv. Avec familiarité.
famenna, sf. Famine.
fameu-sa, adj. Fameux, euse.
fan, sf. Faim. *Crapa* —, gueux, affamé. *Betté la fan avouë la sei,* se dit des époux qui n'ont rien. *La fan feit sorti lo laou di bouque,* la faim fait sortir le loup du bois.

fanà-ye, adj. Qui est flétri, qui a perdu sa couleur.
fané, v. pr. **(se)** Se faner.
fanatecco, s. adj. Fanatique.
fanatismo, sm. Fanatisme.
fanfàra, sf. Fanfare.
fanfarà, sm. Pas d'âne, tussilage.
* **fanfaron**, sm. Qui se vante, fait le brave.
fanfaronnàda, sf. Vanterie.
fantasi, sf. Fantaisie.
fantasque, adj. Capricieux, fait à sa tête.
* **fantassin**, sm. Soldat d'infanterie.
fantsei, *(fére)* Soustraire des denrées à la maison.
faouceillà, sf. Coup de faucille.
faouceille, sf. Faucille.
faouceillé, v. Couper l'herbe avec la faucille.
faouceillure, sf. Ce qui est ou sera faucillé.
faouché = *faoucheu*, sm. Manche de la faux.
faouder, sm. Tablier. *Teni le man dèèsot lo* —, rester à ne rien faire.
faouderà, sf. Un plein tablier.
faoutset, sm. Cognée.
faquin-a, adj. Qui porte des fardeaux. Sm. *Dze si pà ton* —, je ne suis pas ton serviteur.
faquiné, v. n. Porter à dos, travailler sans relâche.
fàra, sf. *(groussa)* Grosse flamme de la lampe.
Faraon, sm. Pharaon.
farandouye, sf. Feu de joie.
farça, sf. Farce. *Fére euna* —, jouer un tour.
* **farçeur**, sm. Plaisant, qui aime rire.
fardé, v. pr. **(se)** Se farder.
farenna, sf. Farine. *La — di dzablo feit pà de bon pan*, la chose volée ne porte pas profit.
farennëre, sf. Meuble où l'on met la farine.
faret, sm. Mèche de la lampe. *L'un l'est de Sarro, l'âtro de Tsesalet: lo premië lètse l'ouillo, lo secon lo faret.* L'un est de Sarre, l'autre de Chésalet: le premier lèche l'huile, le second la mèche.
faribolà, smp. Dentelles plissées que nos anciens portaient sur l'estomac comme garniture de leur chemise.
farnolen-ta, adj. Qui est enfariné.
farnotse, sf. Buisson qui porte des graines rouges et farineuses: raisin d'ours.
farò, sm. Gaillard. *Fére lo* —, faire le gros, le blagueur.
fâs-sa, adj. Faux, fausse.
fastude, sf. Souci, ennui, inquiétude.
fastudià-ye, adj. Qui a d'inquiétudes.
fastudié, v. pr. **(se)** S'inquiéter.
fâta, sf. Faute. *Fére euna* —, faire une faute. Besoin, nécessité: *avei* —, avoir besoin.
fategga, sf. Fatigue. *Escappa* —, qui n'aime pas le travail.
fategué, v. Fatiguer. V. *Lagné.*
fatsé, v. pr. **(se)** Se fâcher.
fatsendë-re, adj. Qui fait, qui dirige les affaires.
fatteur, sm. Facteur.
fatteura, sf. Facture. *Payé la* —, payer la façon.
fausséro, sm. Faussaire.
fauteur, sm. Qui favorise un parti.
fautif-va, adj. Qui est en faute.

fau-frès, sm. Faux-frais.
fau-pà, sm. Faux-pas.
fàva, sf. Fève.
favà, sf. Fèves concassées dont on fait la soupe.
faverdze = *fordze,* sf. Forge.
* **faveur**, sf. Faveur.
favoràblo-a, adj. Favorable.
favori, adj. Ce qui plaît le plus.
favori, sm. Barbe de la joue contre l'oreille.
favorisé, v. Favoriser.
fàvro, sm. Forgeron.
fayë, sm. bv. Fayard, hêtre.
fé, sf. Fiel qui est attaché au foie.
fecon-da, adj. Fécond, onde.
fecondé, v. Rendre fécond.
feconditè, sf. Fécondité.
federachon, sf. Fédération.
federaliste, adj. Partisan de la fédération.
féèye = *fàye,* sf. Fée.
fegga, sf. Figue. Loc.: *Fegga de m'accapé!* défi de m'attraper!
fegnollé, v. n. Faire la belle.
fegnolure, sf. Manière de celle qui *(fegnolle)* cherche à plaire.
feguë, sm. Figuier.
fegueura, sf. Figure, visage. *Fére euna* —, faire un affront.
fegueuré, v. Figurer.
fei, sf. Croyance que... *Avei la* —, juger, penser qu'une chose soit. *Baillé* —, ajouter foi.
feiblesse = *fèblesse,* sf. Faiblesse.
feibli, v. n. Faiblir, perdre la force.
feiblo-a, adj. Faible.
feiché, v. Emmailloter. — *lo petou,* emmailloter l'enfant. — *lo mà,* mettre du linge sur la plaie.
feille, sf. Fille. *Dzenta feille, merriaou di fou,* jolie fille, miroir des fous.
feillet, sm. Garçon. *Pouro* —, pauvre garçon.
feilletta, sf. Petite fille.
feillou-la, s. Filleul, eule.
feilloula, adj. Eglise succursale.
feira, sf. Foire. *Aprë la feira, lo retor,* après ton tour, viendra le mien.
feirolan, smp. Ceux qui vont à la foire.
feisan, sm. Faisan.
feisou, sm. Haricot.
feisoulëre, sf. Lieu planté de haricots.
feissalla, sf. Forme carrée pour former le seras.
feissetta, sf. Bande pour emmailloter.
feitsure = *feitsuye* = *feituire,* bv. sf. Forme pour faire les fromages. *Euna beurta feitsure feit pà de dzen fromadzo,* pour dire: semblable à sa mère.
felecitachon, sf. Félicitation.
felecité, v. Féliciter.
feliachon, sf. Filiation.
felial-a, adj. Filial, ale.
femaletta, sf. Petite femme. Fig. Homme qui n'est pas de parole.
femalla, sf. Femme. *Trére la* —, tirer le chanvre femelle. (En réalité, c'est le mâle qu'on tire).
femenin, sm. Féminin.
fen, sm. Foin. *L'y at ni praou fen ni praou paille pe toppé la botse i canaille;* il n'y a ni assez de foin ni assez de paille pour fermer la bouche aux canailles.
fenëtra, sf. Fenêtre. *Cen qu'in*

baille pe la pourta, entre pe la fenëtra: l'aumône n'appauvrit pas.

fendre, v. Fendre. — *in dò,* couper en deux.

fendu-ya, adj. Fendu, ue.

feni, v. Finir. V. *Tsavonné.*

feni-a, adj. Fini, ie.

fenian-ta, adj. Fainéant, ante.

feniantise, sf. Fainéantise.

fenoil, sm. Fenouil.

fér, sm. Fer. — *di tsevà,* fer de cheval. *Verriè le* —, mourir, crever.

fére, v. M. I. Faire. *Se* —, se plaire, se convenir.

feret, sm. Percerette.

fereulla, sf. Férule.

fermentachon, sf. Fermentation.

fermenté, v. n. Fermenter.

fermetà, sf. Fermeté.

fermië-re, s. Fermier, ière.

fermo-a, adj. Ferme, qui ne bronche pas.

ferpa, sf. Feutre.

ferrà, sf. Grille, fer de fenêtre.

ferré, v. Ferrer. — *la poilleina,* marier une fille, lui mettre l'anneau aux doigts.

fert-a, adj. Qui ne bouge pas.

fertilisé, v. Rendre fertile.

fertilità, sf. Fertilité.

fertilo-a, adj. Fertile.

festin, sm. Grand repas.

fëta, sf. Fête.

Fëta-Dzeu, sf. Fête-Dieu.

fetsé, v. Ficher. — *l'aoullie,* enfiler l'aiguille.

fetse-mouro, sm. Qui fourre son museau partout.

feulà, sf. *de lacé.* Filet de lait. V. *Rer.*

feular, sm. Filet de corde pour retirer le fourrage.

feulé, v. Filer. — *la rita,* filer la rite (le chanvre).

feulé, sm. La chose filée. *Rendre lo* — rendre ce qu'on s'est chargé de filer.

feulandre, sfp. Filandres. Se dit surtout des fils qui traînent au fond d'une robe.

feulet, sm. Filet. *Copé lo* —, faire taire.

feumé, vn. Fumer. V. *Teuré.*

feumé, v. Engraisser. — *le prà,* mettre, répandre de l'engrais sur les prés. V. *Indreudzé.*

feumet, sm. Colère. *Avei lo* —, avoir du dépit. — *di vin,* fumée du vin, (quand le vin monte à la tête).

feurberi, sf. Fourberie.

feurbo-a, adj. Fourbe.

feurdze, sfp. Fredaines. *Fére de* —, prendre en secret des choses de la maison.

feus = *fis,* sm. Fils.

feusetta, sf. Fusée.

fëvra, sf. Fièvre.

fevraou-sa, adj. Fiévreux, euse.

fevrë, sm. Février. *Quan fevrë fevreye, adon mars mareye;* lorsqu'en février il fait un temps chaud (fiévreux), en mars il fait un temps mauvais.

feyë = *feyan,* sm. Celui qui garde les brebis.

fi, sm. Fil. *Qui l'at pi de fi, fei pi de teila:* terme des plaideurs.

fià, pp. Fié, confié. *Dze me si* —, je me suis fié.

fià-ye, adj. Qui est fendu, fêlé.

fianché, v. Faire les fiançailles

fiaque = *fiacca,* adj. Sans énergie.

fiat, *(fére)* Tout manger.

ficella, sf. Ficelle.

ficellé, v. Ficeller.

* **fichu**, sm. Mouchoir de cou des femmes.

fiellia, sf. Fissure.
fidelità, sf. Fidélité.
fidèi = *fidelin,* sm. Vermicelle.
fié, v. pr. **(se)** Se fier. *Se fié de tseut et de gneun,* se fier de tous et d'aucun. Se fendre, se fêler.
fièi, v. Férir. — *la lëvra,* blesser le lièvre. — *lo bon dzor,* deviner le jour bon.
fienta, sf. Fiente.
fier-fiére, adj. Fier, ière.
fiertà, sf. Fierté.
* **fifre,** sm. *Sonné lo —,* jouer du fifre. *Etre —,* être pris de vin.
fifré, v. pr. **(se)** S'enivrer. V. *S'infifré.*
fila, sf. File. *De —,* en ligne, l'un après l'autre.
filé, v. Filer. *Fére —,* faire aller, faire marcher.
filon = *felon,* sm. Filon, mine.
* **filou,** sm. Voleur adroit, trompeur.
filouteri, sf. Filouterie.
filtrachon, sf. Filtration.
filtré, v. Filtrer.
fin-a, adj. Fin, fine.
fin, sf. Fin. — *di mondo,* fin du monde.
fin, sm. Fumée. *Fin, fin ; fin, fou ; và avouë lo pi fou :* disent les bergers autour du feu qu'ils font en campagne.
finalamente, adv. Finalement.
finanché, v. Financer.
finotse-a, adj. Fin, rusé.
finque, adv. Même. — *lliu,* mêmement lui. *L'est — allà dëre...* il est allé jusqu'à dire.
fiocca, sf. Crême fouettée.
fiolet, sm. Baculot. *Fére lo —,* culbuter, faire faux bond.
fioletté, v. n. Faire la culbute.
fion-da, adj. Plein. On est *fion* par l'effet des nourritures grasses qui ôtent vite l'envie de manger.
fiondé, v. Oter vite l'appétit.
fiondolet, sm. Bouillie faite avec des œufs et du lait pour les petits enfants.
fis = *feus,* sm. Fils.
fiscal-a, adj. Fiscal, ale.
fisché, v. Fixer. — *i vesadzo,* regarder au visage. — *lo dzor,* fixer le jour.
fisque, sm. Fisc. *Betté i —,* porter au fisc.
fisse, adj. Fixe. *A dzor —,* à jour déterminé.
flà, sm. Respiration. *Terrië lo —,* respirer un instant.
flà, sm. Odeur. *Bon —,* bonne odeur.
flagellachon, sf. Flagellation.
flajolet = *fifre,* sm. Flageolet.
flàma, sf. Flamme.
flamà, sf. Flambée. *Prendre euna —,* se chauffer un peu.
flambeyé, v. n. Faire grande flamme.
flambò, sm. Torche de cire.
flamé, v. n. Brûler, faire flamme.
flandouye, sf. Grosse flamme.
flané, v. Flâner, perdre son temps.
flanella, sf. Flanelle.
* **flaneur,** sm. Qui aime à flâner.
flanqué, v. Jeter brusquement. — *euna tsifla,* flanquer un soufflet. — *lo travail,* laisser là le travail.
flantse, sf. Pain aplati comme un gâteau. Fig. Personne molle, sans vigueur.
flantson, sm. Petit pain, le plus souvent de la forme

d'un coq, que l'on fait pour contenter les enfants.

flap-pa, adj. Qui est flétri, non tendu. *Borset* —, bourse vide. *Rousa* —, rose fanée, flétrie.

flapi, v. n. Flétrir. *Leiché* —, laisser flétrir.

flasco-a, adj. Mou, sans force.

flatté, v. Flatter, caresser. V. pr. Se flatter, se vanter.

flatteri, sf. Flatterie.

flatteur-flatteusa, s. Qui flatte.

* **flèche,** sf. V. *Flètse.*

flechi, v. Fléchir, céder.

fleissiblo-a, adj. Flexible.

flëque = *fleusin,* sm. Le menu du foin qui reste sous le tas ou dans la crèche.

flerié, v. n. Sentir. — *croè,* sentir mauvais.

flètse, sf. Flèche.

fleur = *fler* = bv. *fiour,* sf. Fleur. *Dei la fleur tanqu'i gran, un sat semane sensa pan;* depuis la fleur jusqu'au grain, un sept semaines sans pain.

fleur, adv. **(a)** Au niveau, tout contre, à fleur de.

fleuradzé = *floradzé,* v. Orner de fleurs. *Le veiro floradzà di grou cret de se dei, se lavon su lo bor tan menten qu'in l'y beit,* les verres historiés avec la grande crasse de ses doigts, se lavent sur les bords (par les lèvres du buveur) au fur et à mesure qu'on y boit. Boileau, quelque part: ..... Où les doigts des laquais dans la crasse tracés, témoignaient par écrit qu'on les avait rincés.

fleuri, v. Fleurir.

fleuri-a, adj. Fleuri, ie.

fleus, sm. Flux, maladie.

fleyë, sm. Fléau avec lequel on bat le blé.

* **flocon,** sm. *Neivre a* —, neiger à flocons.

floreison, sf. Floraison.

florellà, sf. Pleine la *floriaou.*

floriaou, sf. Linge avec lequel on porte le foin.

florissen-ta, adj. Florissant, prospère.

flotta sf. *de fi.* Echeveau de fil. — *de dzen,* foule de monde.

flottin, sm. Petit écheveau, petite foule.

floura, sf. Doublure d'habit. — *di sàbro,* fourreau du sabre.

flouré, v. Mettre la doublure.

flourë, sm. Linge où l'on met les cendres en coulant la lessive.

flouro, sm. Herbe de la vigne.

flouta, sf. Flûte.

flouté, v. Boire. — *un cou,* boire un coup.

foé = *foè,* sf. Foi. *Avei la* —, avoir la foi.

foeison, sf. Avantage, profit qu'on a de quelque chose. Parlant des fredaines domestiques l'on dit: *L'un l'at lo non, et l'atro la foeison;* l'un porte le nom et l'autre profite de la chose.

foeisonné, v. n. Durer, faire long usage.

foillà-ye, adj. Qui est dépouillé du feuillage.

foilladzo, sm. Feuillage.

foillaou, sm. Fouloir.

foille, sf. Feuille.

foillé, v. Ebrancher.

foillet, sm. Feuillet. Fig. *Verrié lo* —, changer de discours.

foillletté, v. Feuilleter.

foillu-ya, adj. Qui a branches et feuilles.

folatin, sm. *(pei)* Poil follet.

folatré, v. Folâtrer.

folatrure, sfp. Manières, choses de fou.

folet, sm. *(esprit)* Esprit malin.

follé, v. Fouler. — *le resin,* fouler les raisins.

fon, sm. Fond. *Fon di pouis,* fond du puits.

fonchë-re, s. Foncier, propriétaire.

fonchëre, sf. Impôt sur le bien-fonds.

fonchon, sf. Fonction.

fonchonnéro, sm. Fonctionnaire.

fonchonné, v. n. Fonctionner.

fondachon, sf. Fondation.

* **fondateur-trice,** s. Fondateur, fondatrice.

fondé, v. Fonder.

fondemen, sm. Fondement. — *gâto,* bas-ventre gâté, hernié.

fonderi, sf. Fonderie.

* **fondeur,** sm. — *de clliotse,* fondeur de cloches.

* **fondre,** v. *lo beuro,* fondre le beurre.

fondreuil, sm. Lie, dépôt qui reste au fond du vase où l'on a fait fondre, infuser quelque chose.

fondreillà, sf. *(Vère la)* Voir le fond de la question.

fondréuillon, sm. *de la leità,* effondrilles du petit lait, ce qui reste au fond.

for, sm. Four. — *di pan,* four à pain. *In pout pà ëtre i for et i molin,* on ne peut pas être au four et au moulin. *Pourté la cllià di for,* être noir au visage.

for, sm. Fort, forteresse.

for, adv. Presque, excepté. — *aoura,* hors d'heure.

for-ta, adj. Qui a de la force; qui a le goût du fort.

force = *fouce,* sf. Force. Sfp. Gros ciseaux pour tondre.

forcetà, sf. Coup de ciseaux.

forcette = *fossette,* sfp. Ciseaux.

forché, v. Forcer.

fordze = *feurdze,* sf. Forge.

fordzeron, sm. Forgeron. V. *Fàvro.*

formalità, sf. Formalité.

forman, adv. *(bien)* Propriété éloignée, mal commode, hors de main.

formé, v. Former.

fornà, sf. *de pan,* fournée de pain.

fornasin, sm. Celui qui cuit la chaux.

fornë = *fournë,* sm. Four à chaux.

fornése, sf. Fournaise.

fornet, sm. Fourneau.

fornicachon, sf. Fornication.

forniteura, sf. Fourniture.

forteuna, sf. Fortune.

forteunà-ye, adj. Fortuné, ée.

fortificachon, sf. Fortification.

fortifié, v. Fortifier.

fortsaou, sf. *de l'ommo,* ce que l'homme a de force. — *di peivro,* ce que le poivre a de fort.

fortsetta, sf. Fourchette.

fortsetta = *fortseletta,* sf. Perce-oreille.

fortsetà, sf. Fourchetée.

fossaou, sm. Pioche.

fosseuré, v. Piocher.

fottre, v. Jeter. — *pe terra,* jeter par terre. — *lo can,* échapper, s'en aller. — *un cou,* donner un coup.

fouà, sm. Feu. *Pe afon que sie lo fouà, lo fin sort,* pour profond que soit le feu, la fumée sort. *Tin* —, fille qui ne se marie pas, qui garde le feu.

fou-la, adj. Fou, folle. *Fére lo fou pe mindzé de metse,* faire le fou pour manger de la miche, (lorsque cela tourne à son propre avantage).
foudra, sf. La foudre. *La perra* —, même sens.
fouegné, v. Fureter. — *in secotse,* toucher en poche.
fouëre, sf. Dysenterie.
fouina = *martéra,* sf. Fouine.
fouire, v. M. C. F. H. Fuir.
fouite, sf. Fuite.
foular, sm. Foulard.
foulamente, adv. Follement.
foulie, sf. Folie, bêtise.
fouet, sm. Fouet. *Prendre lo* —, prendre le fouet, la verge.
fouettà, sf. Coup de fouet.
fouetté, v. Fouetter, donner de la main sur le derrière des enfants.
foura, prép. Hors. *Foura d'inque!* hors d'ici!. *Foura de seison,* hors de saison.
fourcllia, sf. Embrasure, passage étroit.
fourié, v. *lo tsemin,* sortir du chemin. *Se* —, se tirer à côté pour laisser passer.
fourië, sm. Printemps.
fourma = *forma,* sf. Forme, moule.
fourtse, sf. Instrument de labour, fourche en bois. Potence: *allé su la* —, aller sur la potence.
fourtson, adv. *(a)* A califourchon.
fourtsu-ya, adj. Fourchu, ue.
foussa, sf. Fosse, fossé.
fouta, sf. Bile. *Fére la* —, causer du déplaisir, faire fâcher.
foutése, sf. Niaiserie.
foutso, adj. Morne, sombre.
fracaché, v. Fracasser, briser.
fracasse, sm. Fracas, bruit, tapage.
frachon, sf. Fraction.
fradzilità, sf. Fragilité.
fradzillo-a, adj. Fragile.
framaçon, sm. Franc-maçon.
framaçonneri, sf. Franc-maçonnerie.
fran, adv. Vraiment. — *paré,* vraiment ainsi. *Pà* —, pas tout-à-fait.
fran-tse, adj. Franc, franche.
frandar-da, adj. Qui met comme ce soit de beaux habits les jours d'œuvre.
frandé, v. n. Aimer la belle parure.
frantsemente, adv. Franchement.
frantsi = *affrantsi,* v. Couper franc.
frappa, sf. Sarments taillés.
frappé, v. n. Ramasser les sarments.
fraque, sm. Frac, redingote.
frasi, v. n. bv. Avorter.
fràso-a, adj. Qui se rompt, se brise facilement.
fraternel-la, adj. Fraternel, elle.
fraternisé, v. n. Vivre en frère.
fraternità, sf. Fraternité.
fratricido, sm. Fratricide.
fratsëre, sf. Claie pour porter le foin.
frè, sm. Frais. *Payé le* —, payer les frais.
frebi, v. Lustrer, rendre luisant. — *le s-eise.* lustrer les ustensiles.
frecachà, sf. L'intérieur de l'animal. — *di s-où,* omelette.
frecaché, v. Fricasser.
frecandzon, sm. Mets qui vient à goût, qu'on fait à part ou hors de repas. Goûter que font les jeunes gens: s'il a lieu le soir, on l'appelle *Recegnon.* V. ce mot.

frecantachon, sf. Fréquentation.

frecanté, v. Fréquenter. *Dimè qui te frecante, dze te deri cen que t-i.* Dis moi qui tu fréquentes, je te dirai ce que tu es.

fredeina, sf. Fredaine.

freidolë = *freiderë,* sm. Qui craint le froid.

frelatà-ye, adj. Frelaté, ée.

frelaté, v. Frelater.

frëmà-ye, adj. Fermé, ée. *Ëtre* —, n'avoir pas les clefs à sa disposition.

frëmé, v. Fermer. Si ce n'est pas à clef, on dit ordinairement: *cllioure.*

fremi, v. n. Frémir.

fremìa = *fromìa,* sf. Fourmi.

fremiaté, v. n. Fourmiller.

fremië, sm. Fourmilière.

fremiolé, v. Frémir. — *de pouére,* frémir de peur. — *di fret,* trembler de froid.

fremiolemen, sm. Frissonnement.

fremiolin, sm. Frisson.

fren, sm. Frein. *Betté un* —, mettre un frein.

frendzà-ye, adj. Qui est défilé, en franges.

frendze, sf. Frange.

fréno, sm. Frêne. *Vouindre atot d'ouillo de fréno,* donner des coups de bâton.

frëque-frëtse, adj. Frais, fraîche.

frére, sm. Frère. *Frére, frére partadzen: a tè la paille, a mè lo fen.* Frère, frère, partageons: à toi la paille, à moi le foin.

fret-freide, adj. Froid, froide. *Se t'a fret tin lo cu ëtret,* si tu as froid tiens toi étroit. *Fret et ret,* adv. Froid et raide. *Resté* —, rester raide mort.

fretë-re, s. Celui ou celle qui travaille le lait.

frëtsaou, sf. Fraîcheur.

freut, sm. *di vatse,* produit du lait des vaches.

fréye, sf. Fraise.

frèyé, v. bv. Oindre, frotter.

frèyeur, sf. Frayeur.

frian-da, adj. Friand. *Bocon* —, morceau friand.

friandise, sf. Chose délicate à manger.

fricandò, sm. Bon mets de viande.

friche, adv. *(allé in)* Se dit des choses qui vont dépérissant.

fricò, sm. Tout mets de viande ragoûtant.

fricoté, v. n. Faire bonne chère.

frigé, v. Rendre menu par le frottement. — *eun'epìa,* froisser un épi.

fringan-ta, adj. Fringant, ante.

fringué, v. n. Se donner de l'air, se parer.

friolen-ta, adj. Transi de froid.

fripa, sf. Action de prendre, dérober.

fripon-fripouna, adj. Qui vole, escroque.

friponneri, sf. Friponnerie.

* **frire,** v. *Frire dò s-où,* frire deux œufs.

frisa, sf. bv. Miette. *Euna* —, un petit peu.

frisé, v. Friser. — *le pei,* friser les cheveux. V. *Rigoté.*

frissonné, v. n. Frissonner.

frità, sf. Omelette.

friteura, sf. Friture. Intérieur de la bête.

frivollo-a, adj. Frivole, badin, léger.

fròda, sf. Fraude, tromperie.

frodé, v. Frauder.
fròlo-a, adj. Tendre, croquant. *La nei l'est* —, la neige est toute en farine.
fromadzo, sm. Fromage. *Lo — frëque l'at trei vertu : toute la fan, la sei et làve le dei.* Le fromage frais à trois vertus : il ôte la faim, la soif et lave les doigts.
fromadzin = *fromadzet,* sm. Petit fromage.
fromen, sm. Froment.
fromenton, sm. Espèce de maïs.
fromìa, fromië. V. *Fremìa, fremië.*
fron, sm. Front. *Tseut le làre l'an pà l'éteila i fron,* tous les voleurs n'ont pas l'étoile au front.
fronché, v. Froncer. — *le jeu,* faire mauvais œil.
fronda, sf. Fronde. *Allé de* —, aller avec rapidité.
frontsëre, sf. Frontière.
fròsa, sf. Contrebande.
frosadour, sm. Contrebandier.
frotse, sf. Robe de femme. V. *Sardze.*
frotson, sm. Comme *frotse,* terme de mépris.
frotta, sf. Racines de graminées avec lesquelles on bouche le couloir du lait ou on nettoie les ustensiles. Pierre à aiguiser des menuisiers.
frottà, sf. Réprimande, frottée. *Se baillé euna* —, se disputer chaudement, se battre.
frotté, v. Frotter.
frottemen, sm. Frottement.
frou-frou. Bruit que font les pigeons en volant.
frui = *froui,* sm. Fruit.
fruite, sf. Récolte des fruits. *Coueilli la*—, cueillir les fruits.
frustàna, sf. Futaine.
fruté, v. = bv. *frusté.* Détériorer par l'usage.
fruto-a, adj. Usé, usée.
frutifié, v. n. Fructifier. *Fére* —, faire produire.
fugetif-va, s. adj. Fugitif, ive.
fumé = *feumé,* v. Donner de la fumée. — *la pipa,* fumer la pipe. Mettre de l'engrais.
fumeur, sm. Qui fume du tabac.
fumië = *dreudze,* s. Fumier.
funèbro-a, adj. Funèbre.
funeraille, sfp. Funérailles
funesto-a, adj. Funeste.
furibon-da, adj. Furibond, e.
furieu-sa, adj. Furieux, euse.
fuseillé, v. Fusiller.
fuseillë, sm. Fusilier.
fusi, sm. Fusil.
futilo-a, adj. Futile.
futur-a, adj. Futur, ure.

G

Gn forme un son mouillé.
Gue, gne..... comme en français.
gabba, sf. Louange. *Fére euna* —, faire une louange.
gabbé, v. Louanger. — *la montagne et resté in plan,* louer la vie de montagne et rester en plaine.
gabella, sf. Bureau de sel et tabac.
gabellë-re, s. Débitant de sel et tabac.
gabenet, sm. Partie réservée de l'étable, cabinet.
gadzé, v. Parier. *Que gadzennò ?* Que parions-nous ?
gadzo, sm. Gage, ce qu'on a déposé pour sûreté. Salaire d'un serviteur.
gadzure, sf. = bv. *Fromance.* Pari.
gagnadzo, sm. Profit, avantage. Ce qu'on a gagné.
gagne, adv. *(A la perte a la)* A risque et péril.
gagné, v. Gagner. — *d'ardzen,* gagner de l'argent. V. n. Vaincre, l'emporter dans la lutte.
gagne-pan, sm. Métier qui fait vivre.
galant, sm. Amoureux, prétendu.
galandé, v. Faire la cour.
galan-t-ommo, sm. Galanthomme.
galéra, sf. Galère. *Vìa de* —, triste vie.
galeri, sf. Galerie, tunnel.
galerot, sm. Galérien.
galette, sf. Biscuit des soldats.
galeufré, v. Manger. — *lo pi bon,* manger le meilleur.
galeup-pa, adj. Gourmand, ande.
galeuperi, sf. Gourmandise.
galiot, sm. Galérien.
galiotta, sf. Petit chariot à main.
galla, sf. Gale. V. *Gratta.*
* **galoche,** sf. Soulier à semelle en bois.
* **galon,** sm. *Porté le* —, être soldat gradué.
galop, sm. Galop. *I* —, au galop.
galopé, v. n. Galoper, courir.
galopin-a, s. Galopin, gamine.
gambà, sf. Enjambée. *Euna* —, un pas aussi long qu'on peut le faire.
gambé, v. Enjamber. — *lo ru,* passer le ruisseau. Fig. — *la cllienda,* outrepasser la mesure.
gamboté, v. *pe la nei,* marcher dans la neige.
gamenar-da, adj. Qui fait ostentation de ce qu'il est, de ce qu'il a.
gamenardise, sf. Action de *gamenar.*
gamenne, sfp. Vanteries.
gamma, sf. Gamme. V. *Etsëla.*
gamolà-ye, adj. Qui a des mites, des teignes.

gamolé, v. n. Prendre la teigne.
gamolla, sf. Mite. — *di fromadzo,* mite du fromage.
gamolu-ya, adj. Qui est rongé par les vers.
gan, sm. Gant. V. *Metana.*
ganaché, v. Dire, répandre partout.
ganassa, sf. Qui parle à gorge déployée.
ganassar-da, adj. Qui ne fait que *ganaché,* hâbleur.
ganasson, sm. Blanc-bec, babillard.
gandreuille, sf. Qui court tous les chemins.
gandreuillé, v. Courir de part et d'autre.
ganif, sm. Canif.
ganta, sf. Planche en équilibre où l'on se balance, balançoire. Fig. *Monté la —,* trouver à redire, intriguer, susciter des questions.
ganté, v. n. Se balancer.
gaoula, sf. Gueule. — *de laou,* mauvaise langue.
gaoular-da, sm. Qui crie toujours.
gàra a tè! int. Gare à toi! Sf. — *di tsemin de fer,* gare du chemin de fer.
garabaoudë, sm. Fausse clef des voleurs.
garachà, sf. Ecorchure légère.
garaché, v. Faire des raies.
garaffa, sf. *d'éve,* carafe d'eau.
garance, sf. *(camesoula a la)* Habit rouge à queue d'hirondelle, disparu de chez nous depuis quarante ans.
garanti, v. Garantir.
garantia = *garancia,* sf. Garantie.
garanti-a, pp. Ce qui a été garanti.
garaoudë, sm. Assidu, amoureux.
garbin, sm. Petit panier.
garbouté, v. Remuer.
garcin, sm. bv. Poche du gilet.
garçon, sm. Jeune homme à marier.
garçonnet, sm. Petit garçon.
garda-forè, sm. Garde forestier.
garda-robba, sm. Garde-manger.
gardé, v. Garder. V. *Vardé.*
gardzen, sm. *(Andze)* Ange gardien.
garé, v. n. Glisser, manquer d'un pied. — *su la lliace,* patiner.
garfa, sf. (jargon). Bouche, gueule.
garfoueillé, v. *l'erba,* brouter çà et là le meilleur.
gargoté, v. n. Râler.
gargotta, sf. Méchant cabaret.
garguetta, sf. Cou. *Sarré pe la —,* prendre, serrer par le cou.
gari = *vari,* v. Guérir.
gariot, sm. Gosier.
garni-a, adj. Qui est fourni du nécessaire.
garni, v. Garnir.
* **garnison,** sf. *de sordà, —* de soldats.
garnisséro, sm. Garnisaire.
garniteura, sf. Garniture. V. *Pitset.*
garròde, sf. Guêtre pour aller par la neige.
garrodë, sm. Qui est monté de grosses guêtres.
garroté, v. Garroter.
garvo-a, adj. Poreux, non compacte.
garvalu-ya, adj. Non compacte. *Fagot —,* fagot non compacte, comme serait un fagot d'épines.
* **gascon,** sm. Farceur. plaisant.

gasconnàda, sf. Gasconnade, raillerie.

gaspeillé, v. Gaspiller.

gâta-metsë, sm. Gâte-métier.

gâté = *betté pèdre,* v. Gâter.

gateil, sm. Chatouillement. *Pà crendre lo* —, ne pas craindre le chatouillement de la conscience, être peu consciencieux.

gateillé, v. Chatouiller.

gateillemen, sm. Action de chatouiller.

gateillon, sm. *di fusi,* détente du fusil.

gâto-a, adj. Hernié.

gâtò, sm. Gâteau. *Lo — di Rei,* gâteau que, jadis, le peuple mangeait le jour des Rois.

gatse = *gatsoula,* sf. Cône des pins, des mélèzes.

gavagne, sf. Gros panier.

gavagnë, sm. Qui fait les *gavagne.*

gaveillon, sm. Le cœur d'un choux, d'une pomme.

gavio, sm. Gros vase en bois en forme de coupe.

gaza, sf. Gaze. *Fàda de* —, voile de gaze.

gazetta, sf. Journal.

gazettë, sm. Celui qui vend les journaux.

gàzo, sm. Gaz.

* **gazon,** sm. V. *Teppa.*

gëan, sm. Géant.

geina, sf. Gêne. *Ëtre din la* —, manquer du nécessaire. *Sensa* —, sans façon.

geinà-ye, adj. Qui est dans la gêne.

geinen-ta, adj. Gênant, ante.

geiné, v. Gêner. — *le dzen,* importuner le monde.

gemi, v. n. Gémir.

gemissemen, sm. Gémissement.

genealogie, sf. Généalogie.

generachon, sf. Génération.

general, sm. Général. — *d'armada,* général d'armée.

general-a, adj. Général, ale.

generàla, sf. *(Battre la)* Greloter de froid.

generalamente, adv. Généralement.

genereu-sa, adj. Qui fait des générosités. On dit d'une personne peu généreuse : *L'est pà passàye a Donnas,* elle n'est pas passée à *Donnas,* c'est-à-dire à l'endroit où l'on donne.

geografie, sf. Géographie.

geollië, sm. Géolier.

geométre = *esper,* sm. Géomètre.

geran, sm. Gérant.

geré, v. Gérer. *Savei se* —, savoir se conduire.

* **geste,** sm. *Fére un* —, faire un mouvement, un signe. Manières affectées, ridicules.

gesticulé, v. n. Gesticuler, faire des gestes.

gestson, sf. Gestion.

giberna, sf. Giberne.

gigò, sm. Gigot.

* **gilet,** sm. = *Dzepon* = *brestou.*

giroffle, sm. Girofle. *Clliou de* —, clou de girofle.

glacial-a, adj. Glacial, ale.

gllian = *agllian,* sm. Gland du chêne.

gloére, sf. Gloire.

gloriapatre, sm. *Gloria Patri. Dëre de — aprë,* parler mal de . . . . .

glorieu-sa, adj. Glorieux, euse.

glorificachon, sf. Glorification.

glorifié, v. Glorifier.

gloriòla, sf. Gloriole.

gnail, sm. Œuf qu'on laisse dans le nid.

gnalà, sf. Poussins de la même couvée.

gnalei = *gnalet,* sm. Quantité de pain que l'on cuit à la Noël pour toute l'année.

gnalla, sf. Nielle.

gnandolla, sf. Glande, tumeur.

gnaou, sm. Nœud.

gnaque-gnacca, adj. Mou, molle. *Pan* —, pain mal cuit.

gnaqué, v. Presser, comprimer. — *le resin,* fouler, presser en main les raisins.

gnàra, sf. Petite fille.

gnàro, sm. Petit garçon. *Levé lo* —, lever le petit.

gnëce, sf. Nièce.

gnéseri, sf. Niaiserie, bagatelle.

gneucca, sf. Nuque.

gneuf-fa, adj. Qui fait le difficile pour le manger.

gneuffa, sf. Carotte.

gneun-na, adj. Aucun, personne.

gneunsen, adv. Nulle part.

gnignòo. Pour faire honte à un enfant qui fait une sottise, l'on forme deux oreilles d'âne avec les bouts du tablier, et l'on dit : *Gnignòo, le bouëgno de l'âno.*

gninca, adv. = *gnanca.* Pas non plus, pas même.

gnouà-ye, adj. Noueux, euse; noué, ée.

gnoué, v. Nouer, faire le nœud.

gnoula, sf. Nuage. *Le gnoule rodze di nat làvon lo plat, le gnoule rodze di matin quintson le tsemin :* les nuages rouges du soir, lavent le plat; les nuages rouges du matin, salissent le chemin.

gobelet, sm. Vase en forme de verre.

goille, sf. Mare. — *d'éve,* mare d'eau. — *de lacë,* certaine quantité de lait.

godron, sm. Goudron.

godronné, v. Goudronner.

gollà, sf. Goulée, gorgée. *Beire euna* —, boire un peu, pleine la bouche

gogne, sfp. Compliments, affectations. *Fére de* —, affecter certaines manières ridicules.

gombu-ya, adj. Concave, creux.

gomma, sf. Gomme.

gommà-ye, adj. Qui est gommé.

gommé, v. Enduire de gomme.

gon, sm. Gond. *Foura de* —, hors de place.

gonalla, sf. Grosse robe, capote.

goné, sm. Robe d'enfant.

goneillon, sm. Petite robe.

gorba, sf. Gros panier.

gorbë, sm. Gosier. Lorsqu'un malséant répond : *merda,* on lui dit : *Bon pe ton gorbë.*

gorbeille, sf. Corbeille. V. *Grebeille.*

gordzà, sf. Bouchée. — *d'erba,* bouchée d' herbe. *Se fottre euna* —, s'en dire quatre.

gordzaché, v. Crier fort, dire partout.

gordzassar-da. Qui aime *gordzaché.*

gordze, sf. Gorge.

gordzëre, sf. Chemisette.

gordzu-ya, adj. Goulu, ue.

gòre = *goure,* sf. Branche de saule.

gorë = *goras,* sf. Plante de saule.

gorgoillé, v. Se dit d'une eau, gênée dans son passage, qui

fait un bruit comme le glouglou d'une bouteille.
gorgoillon, sm. Grelot.
gosail, sm. Ravin creusé par l'eau.
gosaillé, v. Raviner.
gotraou-sa, adj. Qui a le goître.
gotro, sm. Goître. *Avei pà lo* —, dire facilement tout.
gotsë-re, adj. Gaucher, ère.
gotso-e, adj. Gauche.
gotta, sf. Goutte.
gotté, v. n. Tomber à gouttes.
gou, sm. Goût. *Fére passé lo gou di pan,* tuer, étrangler.
gouenfra, sf. Festin.
gouenfré, v. Manger bien, se goinfrer.
gousë = *gorbë,* sm. Gosier.
gouté = *agouté,* v. Goûter, sentir.
goveil, sm. Cuvier.
goveillà, sf. Un plein cuvier.
goveillon, sm. Petit cuvier.
govergnaou, sm. Celui à qui l'on confie des objets séquestrés.
governa, *(de).* Se dit des fruits qui se gardent.
governachon, sf. *(Ëtre in).* Etre en tutelle.
governan-ta, s. Qui gouverne une maison.
gouvernemen, sm. Gouvernement.
grà, sm. *(Fére)* User d'aliments gras.
grà-ssa, adj. Gras, grasse. *Fat pà tsoué tot cen que l'est grà,* il faut y aller avec ménagement.
grace, sf. Grâce. — *a Dzeu,* grâce à Dieu. *Fére* —, épargner, pardonner.
grachaou-sa, adj. Gracieux, gracieuse.
grachaousità, sf. Gracieuseté.
gracià-ye, adj. Celui à qui l'on a fait grâce.
gracié, v. Gracier.
gradachon, sf. Gradation. *Pe* —, de degré en degré.
gradin, sm. Degré. — *de l'aouter,* gradin de l'autel.
gràdo, sm. Gré. *De bon* —, volontairement, de bon gré.
graduyà-ye, adj. Gradué, ée.
gràfio, sm. Crochet. — *di fen,* crochet pour tirer le foin du tas. Croc qu'on croche au bât.
grafiné, v. Egratigner.
gràla, sf. Corneille.
gramaci, sm. adv. Merci bien.
gràmo-a, adj. Usé, méchant. *Ëtre tsecca* —, être un peu malade.
gramon, sm. Chiendent. *Cappé come de* —, prendre facilement racine. La première année le *gramon* dit au laboureur : *tré mè se te vou,* arrache moi si tu veux ; la deuxième : *tré mè se te pou,* arrache moi si tu peux ; la troisième : *te fat la cobla di bou,* il te faut la paire des bœufs.
gran, sm. Grain. — *de blà,* grain de blé. *Allé de* —, adv. aller à la hâte.
grancou, adv. Casi, presque. *In* — *leuvrà,* presque fini.
gran-ta, adj. Grand, grande.
gràna, sf. Grain. — *de resin,* grain de raisin.
granaille, sfp. Toutes sortes de grains.
granatë, sm. Négociant en grains.
grandzà, sf. Blé étendu pour être battu en une seule fois.
grandze, sf. Endroit où l'on bat le blé. Ferme.
grandzë-re, sm. Fermier, ère.

grandi, v. n. Grandir.
granë, sm. Grenier, construction en grosses planches. V. *Racar.*
gran-pére. V. *Pére-grou.*
gran-mére. V. *Mére-groussa.*
grapin, sm. Fers qu'on met aux pieds pour se tenir sur la glace.
grasseus-sa, adj. Qui est gras, charnu.
gratificachon, sf. Gratification.
gratis, adv. Gratuitement. *Fére —,* faire pour rien.
gratta, sf. Gale. *Apeillé la —,* attacher, contracter la gale.
grattacu, sm. = *Oillentse,* sf. Fruit de l'églantier. Grattecul.
gratuse, sf. Meuble pour raper le fromage.
* **gré,** sm. *Bongré, malgré.*
grebeillà, sf. Une pleine corbeille.
grebeille, sf. Corbeille.
grebeillon, sm. Petite corbeille.
grebion, sm. Membrane de la graisse frite.
greché, v. *lo pan deur.* Triturer le pain dur dans la main avec un couteau.
grèdzo-e, adj. Se dit de ce qui est cassant, qui saute à morceaux. *Vat — se plout pà,* ça va mal s'il ne pleut pas.
greffé = *enté,* v. Greffer.
greffië, sm. Greffier.
greffo = *ento,* sm. Greffe.
gregne, sf. = *gregnon,* sm. Gros morceau.
greillà-ye, adj. Rongé. *— di rat,* rongé des rats.
greilladzo, sm. Grillage.
greille, sf. Grille.
greillé, v. Ronger, rôtir. *— lo pan deur,* écroustiller le pain dur.

grella, sf. Grêle.
grellà, sf. Grêle battante.
grellé, v. n. Tomber de la grêle.
greloté, v. n. Grelotter.
gremà, sm. Grain, grumeau, *— de sà,* grain de sel. *Betté son — de sà,* vouloir dire son mot. *— di gneu,* grumeau de noix.
gremaillon, sm. Petit grumeau.
gremecë, sm. Peloton de fil, de laine.
gremeceillon, sm. Petit peloton.
gremellé, v. n. Se dit du cri de la brebis quand elle a faim.
gremonnar-da, adj. Qui murmure, se plaint de tout.
gremonné, v. n Murmurer, se plaindre.
grenàda, sf. Grenade.
grenadzë, sm. Grenadier.
grenadzë-re, adj. Gaillard, arde.
grep, sm. Croc, quelque chose de recourbé.
greseille, sf. *de pan.* Crouton de pain. *Le sou de la —,* les sous de la tire-lire, ou sous de la cueillette de l'église qui se faisait autrefois dans une espèce de tire-lire.
greseillon, sm. Grillon.
gresi-a, adj. Qui est ridé, plissé, durci.
grëté, v. n. Chercher les chataignes après la récolte.
greuf-fa, adj. Qui est rude, non lisse. *Prèdzé greuf,* parler avec autorité.
grevière, sf. Gruyère.
greya, sf. Gypse, plâtre.
griffa, sf. Griffe. *Tsere din se griffe,* tomber dans ses griffes.
griffé, v. Voler, prendre, extorquer.

grille, sf. Cheville des pieds.
grima, sf. Grimace. *Fére la — de prëté,* ne pas prêter volontier.
grimaché, v. Grimacer.
grindzo-e, adj. Grincheux, maussade.
griottàda, sf. Compote de griottes.
grippa, sf. *(Ëtre de la)* Etre voleur.
grippé, v. Voler par ruse, finesse.
gris-e, adj. Gris, ise.
grisâtro, adj. Qui tire sur le gris.
grisé, v. n. Devenir gris. *Se —,* se faire demi ivre.
grisolà-ye, adj. Qui a du blanc et du noir.
grisonné, v. n. Devenir grisonnant.
grisse, sf. Lieu où l'on fait sécher les chataignes.
griva, sf. Grive. *Pleumé la — sensa la fére crié,* exploiter la simplicité de quelqu'un.
grivoé-sa, s. Gaillard, arde.
grivolin, sm. Qui fait le beau garçon.
grivolina, sf. Qui fait la belle fille.
grochaou, sf. Grosseur.
groille, sf. Marc de raisin après qu'il est pressé.
gròla, sf. Coupe faite au tour, où l'on boit le vin.
grop, sm. bv. Nœud.
groppé, v. Lier, attacher. *— lo lare,* prendre le voleur.
gronda = *riàna,* sf. Fossé où tombe l'excrément des vaches. V. *Leijà.*
* **grotesque,** adj. Grossier, extravagant.
grou-ssa, adj. Gros, osse. *A l'in —,* à l'engros, superficiellement, mal.
grouchë-re, adj. Grossier, ière. On dit : *Grouchë come un pan d'ordzo,* grossier comme un pain d'orge.
grouchëremente, adv. Grossièrement.
grouille, sf. Gousse. *Seupa de —,* soupe de gousse de haricots.
gru = *peula,* sm. Gruau.
gueda, sf. Guide.
guedé, v. Guider.
guëde = *miache,* sf. Pièce qu'on met en rapiéçant.
guegné, v. Faire signe, montrer du doigt, guigner. *— vout dëre,* signifier équivaut à dire.
gueille, sf. *de beurro.* Pain de beurre.
gueillé, v. n. Glisser.
gueillen-ta, adj. Glissant, ante, qui fait glisser ou qui glisse.
gueillotina, sf. Guillotine.
gueillotiné, v. Guillotiner.
gueillotu-ya, adj. Gluant, e.
gueneille, sf. Guenille, haillon.
guenoille, sf. Femme mal redressée, de mauvais renom.
guenoillé, v. n. Baguenauder. *— pe le carre,* perdre son temps çà et là par les coins.
guerison, sf. Guérison. *Noutra-Dama de —,* Sanctuaire de ce nom à Courmayeur.
guéro = *véro,* adv. Combien. *Pà —,* pas beaucoup.
guerra, sf. Guerre. *Quan lo pan manque, la guerra avance,* quand le pain manque, la guerre est proche.
guerrië-re, s. Guerrier, ière.
guerriotta = *griotta,* sf. Qualité de cerise, griotte.
guetin, sm. Guêtres courtes.

guetset, sm. Guichet.
guetsetta, sf. V. *Dzequetta.*
guetta, sf. Guêtre.
guetté, v. pr. *(Se)* Se lier les guêtres sur les souliers.
gueuba, sf. Dos. *Porté su la —,* porter sur le dos.
gueubé, v. n. Travailler, porter à dos.
gueubo-a, adj. Bossu, ue.
gueu-sa, adj. Gueux, euse par sa faute.
* **guesaille,** sf. Bande de gueux.
guey-a, adj. Gai, gaie.
gueyetà, sf. Gaîté.

H

La lettre *h* muette est supprimée au commencement des mots; elle n'est en usage et aspirée que dans les interjections suivantes et dans le verbe *haï,* haïr.

ha! *quinta fret.* Oh! quel froid.

haï, v. Haïr. — *lo petsà,* haïr le péché.

haou! Peu importe!

hé! Pour appeler.

heum! Pour marquer le doute, le déplaisir.

hò! Pour appeler et pour répondre.

hoé! Dites-donc!

holà! Pour en imposer.

ho-hòo! Pour marquer l'étonnement, l'admiration.

homo! Pour encourager.

I

Plusieurs mots français commençant par *em, en,* commencent par *im, in* en patois.

L'*i* se change souvent en *e,* surtout dans les dérivés : *Dzardin, dzardegnë ; tsemin, tsemené.*

i, pronom de troisième personne. — *vint,* il vient. — *van,* ils vont.

i, art. Au, aux. *I mei de më,* au mois de mai. — *bon vioù,* aux bons vieillards.

idà, sf. Idée. *Selon mon* —, selon mon idée.

idolatria, sf. Idolâtrie.

idolatro-a, adj. Idolâtre.

idòle, sf. Idole. *L'est son* —, c'est son idole.

ier = *ieur,* adv. Hier. *Devan ier,* avant-hier.

ignorantin, sm. Frère de la Doctrine chrétienne.

ignoré, v. Ignorer, ne pas savoir.

ignoren-ta, adj. Ignorant, ante. *Fére l'*—, affecter de ne pas savoir.

illa, sf. Ile.

illegal-a, adj. Illégal, ale.

illegetimo-a, adj. Illégitime.

illimità-ye, adj. Illimité, ée.

illujon, sf. Illusion. *Se fére* —, se faire illusion.

illuminachon, sf. Illumination.

illuminé, v. Illuminer.

illustré, v. Illustrer.

imadze = *emadze,* sf. Image.

imaginablo-a, adj. Imaginable.

imaginachon, sf. Imagination.

imaginé, v. pr. *(S')* S'imaginer.

imaginéro, adj. Imaginaire.

imbagadzà-ye, adj. Chargé, ée, occupé par le bagage.

imbagadzé, v. Préparer les bagages, emballer.

imballadzo, sm. Emballage.

imballé, v. Emballer.

imbalourdi, v. Etourdir.

imbalourdi-a, adj. Qui est étourdi par le bruit, par un coup sur la tête.

imbaoudi, v. *le meinà.* Réveiller les enfants. Fig. Les faire filer droit.

imbarà, sm. Embarras.

imbaraché, v. Gêner quelqu'un. — *l'artson,* occuper le coffre.

imbarassen-ta, adj. Embarrassant, ante.

imbarcachon, sf. Embarcation.

imbarqué, v. Embarquer.

imbarquemen, sm. Embarquement.

imbâté, v. Embâter, mettre le bât. — *tot su mè,* mettre toutes les fautes sur moi.

imbë, adv. Ainsi, pour cela. *L'at biù de poeison, imbë l'est mor,* il a bu du poison, c'est pour cela qu'il est mort.

imbecilità, sf. Imbécillité.
imbecilo-a, adj. Imbécile.
imberé, v. Embarrasser, être à charge.
imbéro, sm. La chose qui embarrasse, embarras.
imberlifrà-ye, adj. Qui est sali, barbouillé.
imberlifré, v. Salir, barbouiller.
imblantsi, v. Donner le blanc.
imblantsissadzo, sm. V. *Blantsissadzo.*
imblëté, v. Mettre le foin en tas dans le fenil.
imboché, v. Entonner. — *lo vin,* entonner le vin.
imbomé, v. Embaumer.
imborgni, v. Rendre borgne. — *atot de sou,* corrompre avec de l'argent.
imbouaté, v. *le feye,* mettre les brebis dans le bercail. Fig. Mettre en prison.
imbouellé, v. Mettre le sommet de l'appareil pour faire les salés dans les boyaux. *S'*—, manger à plein-ventre.
imboutà, sf. Plein les deux mains ensemble.
imbouti, v. Mettre du coton entre l'étoffe et la doublure.
imbroil, sm. Embarras, brouillerie.
imbroillé, v. Embrouiller. *S'*—, se mettre dans des embarras.
imitachon, sf. Imitation.
imité, v. Imiter.
impachen-ta, adj. Impatient, ente.
impachence, sf. Impatience.
impachenté, v. Impatienter. V. pr. *S'*—, s'impatienter, attendre avec grand désir ce qui tarde à venir.
impaillé, v. Empailler.
impaillolàye, sf. Femme qui vient d'accoucher.
impanna, sf. Empan. *Pouin de sainte Anna, tsaque dò fan l'impanna,* poing de sainte Anne, chaque deux font l'empan.
impanné, v. Prendre large avec la faux.
impaqueté, v. Empaqueter.
imparcial-a, adj. Impartial, ale.
imparé, v. pr. *(S')* S'emparer.
imparfet-ta, adj. Imparfait, aite.
impassé, v. pr. *(S')* Se passer de.....
impâté, v. Empâter.
impatsé, v. Gêner, embarrasser. — *de passé,* défendre de passer.
impatsemen, sm. Empêchement.
impayàblo-a, adj. Impayable.
impècablo-a, adj. Impeccable.
impèdzé, v. Enduire de poix.
impei, loc. adv. En cheveux. *Resté* —, rester tête nue.
impeisa, sf. Empois.
impeisé, v. Donner l'empois.
impenchërà-ye, adj. Qui a des soucis.
impenné, v. *la bosse.* Mettre la *penna* au tonneau.
imper, adj. Impair. *Tsaousson* —, un bas blanc et l'autre noir.
imperatif, sm. Impératif.
imperfeichon, sf. Imperfection.
impeutré, v. Faire entrer au gosier comme par force. V. pr. *S'*—, manger excessivement.
impie, sm. Incrédule.
impietà, sf. Impiété.
impindre, v. Pousser contre

un mur; pousser un chariot. — *la grama martsandi,* vendre, faire passer la mauvaise marchandise.

impinte, sm. Action d'*impindre. Baillé un* —, engager, déterminer quelqu'un à quelque chose.

impiorné, v. Enivrer. V. pr. *S'*—, s'enivrer.

implacemen, sm. Emplacement.

implani, v. Aplanir.

implâtro = *solorgno,* sm. Emplâtre. Fig. Personne molle, sans activité.

implatré, v. Salir, barbouiller.

impleite, sf. Emplette.

implere, v. M. C. F. G. Emplir. — *le bëtse,* rassasier le bétail.

impleyé, v. Employer. — *lo bâton,* se servir du bâton. *S'impleyé le s-un le s-âtre,* s'entr'aider.

impondre, v. *lo travail,* fixer ce qu'il y a à faire. — *le s-ouvrë,* engager des ouvriers, ou encore, leur donner du travail.

impondu-ya, adj. Qui est fixé, pourvu.

importance, sf. Importance. *Baggue d'*—, choses d'importance.

importan-ta, adj. Important, ante.

imposàblo-a, adj. Imposable.

imposé, v. Imposer.

imposechon, sf. Impôt. *Betté l'*—, mettre l'impôt.

impossibilità, sf. Impossibilité.

impossiblo-a, adj. Impossible.

* **imposteur**, sm. Qui dit le faux.

imposteura, sf. Imposture.

impotecà-ye, adj. Malsain, infirme.

impou, sm. Impôt.

impouegné, v. Empoigner.

impoeisonnà-ye, adj. Qui est empoisonné.

impoeisonné, v. Empoisonner.

impratecàblo-a, adj. Impraticable.

imprecachon, sf. Imprécation.

imprechon, sf. Impression.

impregni, v. *(Fére)* Faire charger: se dit des animaux femelles.

impreisa, sf. Entreprise.

imprintà-ye, adj. Emprunté, ée. *Dzor imprintà,* jours empruntés : les trois derniers jours de Mars. *Mars, marseillon, dzi nouri me s-agneillon. Un que dze ni, et trei que dz'imprinteri avouë lo compàre avri, te s-agnë dze fari mouri.* Mars, marseillon, j'ai nourri mes agnelets: un que j'ai et trois que j'emprunterai avec le compère avril, tes agneaux je (les) ferai mourir.

imprinté, v. Emprunter.

imprevoyance, sf. Imprévoyance.

imprimé, v. Imprimer.

imprimeri, sf. Imprimerie.

improvisé, v. Improviser.

improvista, adv. *(A l')* D'une manière imprévue.

impruden-ta, adj. Imprudent, ente.

* **imprudence**, sf. Imprudence.

impeur-impura, adj. Impur, ure.

impuretà, sf. Impureté.

imputachon, sf. Imputation.

imputé, v. Imputer.

in, prép. En. *In allen,* en allant.

in, pro. On. *In deut parë,* on dit ainsi.
inabitàblo-a, adj. Inhabitable.
inabordàblo-a, adj. Inabordable.
inaougurachon, sf. Inauguration.
inaouguré, v. Inaugurer.
inarpa, sf. *(Dzor de l')* Jour de mener les vaches en montagne. V. *Arpa.*
inarpé, v. n. Aller rester en montagne.
inavertence, sf. Inadvertance.
incadré, v. Encadrer.
incan, sm. Encan, enchère.
incanta = *p'incanta,* adv. Pour ce qui est de...
incanté, v. Mettre à l'enchère.
incapàblo-a, adj. Incapable.
incarnachon, sf. Incarnation.
incarné, v. pr. *(S')* S'incarner.
incastré, v. Encastrer.
incastro, sm. Encastrement.
incatroillà-ye, adj. Crasseux, euse.
incatroillé, v. pr. *(S')* Prendre de la crasse, se salir.
incen, sm. Encens.
incencé, v. Encenser.
incerié, v. *la coterià.* Cirer l'aiguillée de fil.
incevilo-a, adj. Incivil, ile.
inclliena, sf. Enclume. *Etre intre lo martë et l'inclliena,* être entre le marteau et l'enclume. *Battre su l'—,* continuer, persister.
incllienà-ye, adj. Qui est incliné.
incllin, sm. Mal de reins. *Prendre un —,* prendre mal aux reins de manière à être empêché de se dresser.
incllin, adj. Enclin. — *a beire,* porté à boire.
inclliné = *clliné,* v. Incliner, baisser. *Cllinàde la tëta que vo facho pa ma i linder,* baissez la tête afin que vous ne fassiez pas du mal (en touchant) au sommet de la porte.
incllinachon, sf. Inclination.
incognu-a, adj. Inconnu, ue.
incombance, sfp. Moyens, informations que l'on prend dans une affaire.
incombanché, v. Prendre des *incombances.*
incombré, v. Encombrer.
incombro, sm. Encombre.
incomodé, v. Incommoder.
incomodo-a, adj. Qui est mal aisé, pas facile.
incompatiblo-a, adj. Incompatible.
incompetense, sf. Incompétence.
incompeten-ta, adj. Qui n'est pas compétent.
inçon, adv. Sur le bord.
* **inconduite**, sf. Défaut de conduite.
inconsolàblo-a, adj. Incònsolable.
incontestàblo-a, adj. Incontestable.
incontinan, adv. Sur le champ.
incontre, adv. A l'encontre. *Allé —,* aller à la rencontre. *Fére —,* contredire, s'opposer.
incontré, v. Rencontrer.
incontre, prép. Vers. — *nët,* vers le soir.
incontro, sm. Rencontre. *Gramo —,* mauvaise rencontre.
incora = *incò,* adv. Encore.
incoradzé, v. Encourager.
incoradzemen, sm. Encouragement.
incotse, sf. Coche, entaille.
incou, adv. *(Tot d')* Aussitôt,

tout-à-coup. *Do* —, deux à la fois.

incourpé = *inqeurpé,* v. Inculper.

increire, v. *(Fére)* Faire accroire, faire passer blanc pour noir.

increissondze, sf. *(Avei d')* Avoir peur des morts, des revenants, du diable.

increissen-ta, adj. Qui a d'*increissondze.*

increitre, v. imp. M. C. F. G. Avoir peur des morts, des fantômes, durant la nuit.

incréné, v. n. *i mëtsë.* Entrer au métier, s'y faire.

increnna, sf. Petite entaille, coche.

increnna-ye, adj. Qui a une entaille.

increti, v. pr. *(S')* Se couvrir de crasse.

increti-a, adj. Crasseux, euse.

indannisé, v. Indemniser.

indannità, sf. Indennité.

indicachon, sf. Indication.

* **indicateur**, sm. Celui qui indique.

indecen-ta, adj. Indécent, ente.

indeci-sa, adj. Indécis, ise ; irrésolu.

indefini-a, adj. Indéfini, ie.

indegnachon, sf. Indignation.

indegné, v. pr. *(S')* S'indigner.

indegno-e-a, adj. Indigne.

independen-ta, adj. Indépendant, ante.

indeu, prép. Vers, sur. — *lo tar,* vers le tard.

indeurci-a, adj. Endurci, ie.

indeura, sf. Action d'endurer. *Betté de medecenna de l'—,* ne mettre aucune médecine. *Crapé d'—,* crever de misère.

indeuré, v. Endurer, souffrir.

indetté, v. pr. *(S')* Se faire des dettes.

indevené, v. Deviner. — *lo bon dzor,* deviner le bon jour. V. *Adevené* = *devené.*

indevochon, sf. Indévotion.

indevidu, sm. Individu.

indevis-a, adj. Indivis, ise.

indifferen-ta, adj. Indifférent, ente.

indigeste-a, adj. Indigeste. V. *Digeste.*

indigestson, sf. Indigestion.

indoblé, v. Doubler. — *la somma,* doubler la somme. V. n. Accompagner la grand cloche en branle par le tintement des autres.

indolen-ta, sf. Indolent, ente.

indomadzé, v. Endommager.

indoré, v. Dorer.

indormi = *indrumi,* v. M. B. F. A. Endormir. — *la conta,* assoupir un fait, faire qu'on n'en parle plus.

indret, sm. Endroit. *L'— de la valada,* le côté de la vallée qui regarde le midi. Le beau côté de l'étoffe. Adv. En droiture, en direction.

indroncllié, v. n. *(S')* S'irriter, s'enflammer, se dit d'une blessure.

indroncllio, sm. L'effet d'*indroncllié.*

indeuldzen-ta, adj. Indulgent, ente.

indeuldzence, sf. Indulgence. *Gagné le s-* —, gagner les indulgences.

industria, sf. Industrie.

industrieu-sa, adj. Industrieux, euse.

industrié, v. pr. *(S')* S'arranger, se tirer d'affaire.

indzablé, v. n. *(Fére)* Faire endiabler.
indzegné, v. Arranger ce qui a été gâté.
indzeuria, sf. Injure.
indzeurié, v. Injurier.
indzin-a, adj. Qui est excessivement gros, grosse, *(ingens)*.
indzure, v. M. C. F. M. Induire. — *le baggue,* faire aller les choses de famille. — *a fére mà,* porter à faire mal. *Savei s'—,* savoir se diriger aux affaires, au travail.
inescusàblo-a, adj. Inexcusable.
ineisigiblo-a, adj. Inexigible.
ineisorablo-a, adj. Inexorable.
infaillibilità, sf. Infaillibilité.
infailliblo-a, adj. Infaillible.
infan, sm. Enfant, fils. — *de forteuna,* bâtard. V. *Basco.*
nfance, sf. Enfance.
infangué, v. n. Enfoncer dans la boue.
infanteillondze, sf. Manière d'enfant. *Vieillondze torne infanteillondze,* vieillesse redevient enfance.
infanteri, sf. Infanterie.
infanticide, sm. Enfanticide.
infantin-a, adj. Enfantin, ine. *Predzé —,* parler enfantin. *Titi feit boubou i petou?* le chien a fait mal au petit. (Langage enfantin).
infarenà-ye, adj. Enfariné, ée.
infarené, v. Enfariner. *S'—,* se couvrir de farine.
infarnolà-ye, adj. Enfariné, ée. *Saque —,* sac qui a eu de la farine.
infastudié, v. pr. *(S')* S'inquiéter.
infeichon, sf. Infection.
infeité, v. Infecter
infeni, sm. Infini.
infenitif, sm. Infinitif.
infer = *infeur,* sm. Enfer. *Qui a l'— neit, in paradi semble:* Se dit de celui qui se trouve bien dans son pauvre pays.
inferieur, sm. Inférieur.
inferieur-a, adj. Inférieur, eure.
infernal-a, adj. Infernal, ale.
infernò, sm. Cave fraîche, profonde.
infeulé, v. Enfiler. Fig. — *de conte,* conter des histoires. — *la guëde,* fixer une pièce par de longs points.
infeule, sfp. Mensonges. *Dëre de s- —,* dire le faux, tergiverser.
infidelità, sf. Infidélité.
infidèlo-a, s. adj. Infidèle.
infiermië-re, s. Infirmier, ière.
infiermità, sf. Infirmité.
infiermo-a, s. adj. Infirme.
infifré, v. Enivrer. *S'—,* s'enivrer.
inflamachon, sf. Enflammation. *Dzi d'—,* j'ai d'enflammation.
infleissiblo-a, adj. Inflexible.
inflondzé, v. Enfoncer. — *pe la nei,* enfoncer dans la neige. Fig. — *quatsun,* faire condamner quelqu'un par sa déposition. *S'—,* s'embourber dans une mauvaise affaire.
influyence, sf. Influence.
influyé, v. n. Influer.
informachon, sf. Information.
informé, v. pr. *(S')* Prendre des informations.
inforné, v. Enfourner. — *lo pan,* mettre le pain au four.

Fig. V. n. Manger avidement, à gros morceaux. •

inforochà-ye, adj. Qui est en furie.

inforoché, v. pr. *(S')* S'irriter, entrer en fureur.

inforteuna, sf. Infortune.

inforteunà-ye. adj. Infortuné, ée.

infottre, v. pr. *(S')* Se moquer, se railler.

infottu-ya, p. p. d'*Infottre. S'est pa* —, se dit lorsqu'une personne paye ou donne généreusement.

infoura, adv. Outre, en dehors.

infrendzà-ye, adj. Qui pend en franges.

ingadoyé, v. pr. *(S')* Faire à sa tête, abuser de la bonté de celui qui commande.

ingadzé, v. Engager, mettre une chose en gage. *S'*—, s'obliger, se mettre à gage.

ingan, sm. Tromperie. *Posé à l'*—, poser mal une chose, la placer où elle risque de tomber.

ingané, v. Faire mal et vite. — *un travail,* faire mal un travail.

ingance, sfp. *de l'éve,* actes de répartition de l'eau.

inganché, v. *l'éve,* répartir l'eau.

ingenieur, sm. Ingénieur.

ingeré, v. pr. *(S')* Vouloir se mêler des affaires des autres.

ingosolé, v. Faire entrer quelque chose dans la gorge d'un animal.

ingouina, sf. Celui qui trompe, fait mal une chose.

ingouiné, v. Tromper, faire mal un ouvrage.

ingrat-ta, adj. Ingrat, ate.

*** ingratitude,** sf. Manque de reconnaissance. *Payé d'*—, rendre le mal pour le bien.

ingravé, v. n. Fâcher. *Pout l'ei* —, il peut lui fâcher.

ingredien, sm. Moyen, chose dont on se sert pour arriver au but proposé.

ingreiché, v. Engraisser. V. n. Devenir gras.

ingreisse, sm. Engraissement. *Vatse a l'*—, vache pour être engraissée.

ingrenadzo, sm. Engrenage.

ingrindzé = *Indronccllié,* v. Irriter. — *lo mà,* irriter le mal.

ingrou, adv. En gros. *Fére a l'*—, faire superficiellement, tant bien que mal.

iniciàla, sf. *(Lettra)* Lettre initiale.

iniciativa, sf. Initiative.

injance, sf. Relation, intrigue.

injancé, v. Agencer. — *lo bal,* monter le bal.

injeustamente, adv. Injustement.

injeustice, sf. Injustice.

injeusto-a, adj. Injuste.

injonchon, sf. Injonction.

inlordà-ye, adj. Sali, ie. — *de pacot,* sali de boue.

inlordé, v. Salir, couvrir d'ordure.

inmalechà-ye, adj. Qui est fâché, en colère

inmaleché, v. pr. *(S')* Entrer en colère, en malice.

inmali, v. n. Entrer en colère. *Fére* —, faire enrager.

inmancablo-a, adj. Immanquable.

inmandé, v. Renvoyer (un serviteur).

inmaudze, adv. En manche de chemise.
inmandzé, v. Mettre un manche. — *l'affére,* agencer l'affaire.
inmance, adj. Immense.
inmeillé, v. Humecter.
inmeublo, sm. Immeuble.
inmeurti, v. n. Devenir engourdi.
inmeurti-a, adj. Engourdi, ie. — *de fret,* engourdi de froid.
inmouë, adv. En tas, en monceau.
inmoure, v. M. C. F. N. = bv. *inavié.* Mettre en mouvement. — *la clliotse,* mettre la cloche en branle. — *a berrio,* chasser quelqu'un à coups de pierre. *S'—,* s'acheminer, se mettre en avant.
inneublé, v. pr. *(S')* Devenir nuageux.
innocen-ta, adj. Innocent, te.
* **innocence,** sf.
innombrablo-a, adj. Innombrable.
innouyaou-sa, adj. Ennuyeux, euse.
innouyé, v. Ennuyer.
inondà-ye, adj. Inondé, ée.
inondachon, sf. Inondation.
inondé, v. Inonder.
inouillà-ye, adj. Qui est oint d'huile.
inouillé, v. Huiler.
inqeulpé, v. Inculper.
inqeurà, sm. Curé. *M. l'—,* M. le curé.
inque, adv. Ici. *Resta —,* reste ici.
inquellà, adv. Là sur deux pieds. — *m'a deut...* sur cela, ensuite, il m'a dit.....
inquëta, sf. Enquête.
inqueti-a, adj. Se dit des cheveux, de la laine, qui sont enchevêtrés.
inquiet-ta, adj. Inquiet, ète.
inquietude, sf. Inquiétude.
inquièté, v. Inquiéter.
inracenà-ye, adj. Enraciné, ée.
inracené, v. pr. *(S')* S'enraciner. *Le grame dzen son come le gramon, s'inracenon per tot,* les mauvaises gens sont comme les chiendents, elles s'enracinent partout.
inradzà-ye, adj. Enragé, ée. — *pe.....* Grandement porté à.....
inradzé, v. n. Enrager. *Fére —,* tracasser, donner du fil à tordre.
inramé, v. Mettre des rames. — *le feisoù,* mettre de petites perches aux haricots pour les faire monter.
inrampi-a, adj. Qui sent des crampes.
inreconceliablo-a, adj. Irréconciliable.
inregistré, v. Enregistrer.
inrei, sm. Charrue. Parties : *Fourtse, piaton, dentà,* en bois: *mâssa, tendeille,* en fer.
inreidi, v. n. Devenir raide.
inreijà-ye, adj. Qui a pris racine.
inreidondze, sf. Raideur.
inrepreensiblo-a, adj. Irrépréhensible.
inreuil, sm. Rouille.
inreuillà-ye, adj. Pris de la rouille.
inreuillé, v. pr. *(S')* S'enrouiller.
inreumà-ye, adj. Qui est enroué.
inreumé, v. n. Enrouer.
inreutsi, v. Enrichir.
inreverence, sf. Irrévérence.

insangonà-ye, p. p. Ensanglanté.
insassiàblo-a, adj. Insatiable.
inscrichon, sf. Inscription.
* **inscrire,** v. M. C. F. J.
insègne, sf. Enseigne.
insègné, v. Enseigner.
insègnemen, sm. Enseignement.
insemblo, adv. Ensemble.
insemenché, v. Ensemencer.
insinuyachon, sf. Insinuation.
inseurta, sf. Insulte.
inseurté, v. Insulter.
inseveli, v. Ensevelir.
insinuyé, v. Insinuer. — *l'atto,* insinuer l'acte.
insisté, v. n. Insister.
insocolà-ye, adj. Qui est monté de socques.
insociàblo-a, adj. Insociable.
insolen-ta, adj. Insolent, ente.
* **insolence,** sf. Insolence.
insolvàblo-a, adj. Insolvable.
insou, sm. Manche du fléau.
insoucien-ta, adj. Insouciant, ante.
inspeichon, sf. Inspection.
inspeiteur, sm. Inspecteur.
inspirachon, sf. Inspiration.
inspiré, v. Inspirer. — *lo bien,* inspirer la vertu.
instalé, v. pr. *(S')* S'établir, se fixer.
instan, sm. Instant, moment.
instin, sm. Instinct. — *di bëtse,* instinct des animaux.
instituchon, sf. Institution.
* **instituteur,** sm. Maître d'école.
* **institutrice,** sf. Maîtresse d'école.
instituyé, v. Instituer.
instreuchon, sf. Instruction.
instreumen, sm. Instrument.
* **instruire,** v. M. C. F. H. Donner l'instruction.
instruteur, sm. Instructeur.
insù = lo sù, adv. En haut. *Allé* —, aller en montant.
insuffisen-ta, adj. Insuffisant, ante.
insuportàblo-a, adj. Insupportable.
insurgé, sm. *(Le s-)* Les insurgés.
insurgé, v. pr. *(S')* S'insurger.
insureichon, sm. Soulèvement.
intail, sm. Entaille, coupure.
intamperance, sf. Intempérance.
intan, adv. L'an passé.
intanà-ye, adj. Entamé, ée. *La pomma intanàye se garde pà,* la pomme entamée ne se garde pas.
intané, v. Entamer. *Ci que l'intàne lo pan vat pà in paradi,* celui qui entame le pain (vole) ne va pas en paradis. — *la mëma conta,* redire la même chose.
intat, adj. *(Dze si)* Je suis capable de... en état de...
intelegiblo-a, adj. Intelligible.
inteledzen-ta, adj. Intelligent, ente.
inteppé = inteppi, v. Mettre des mottes de terre. *Leiché* —, laisser venir le gazon.
inten, adv. *(No sen d')* Nous sommes du même âge, d'un même temps.
inten *que,* conj. Pendant que.
intenchon, sf. Intention.
intenchonnà-ye, adj. Intentionné, ée.
intende, sf. *(Ëtre de l')* Etre d'accord, entendu entre plusieurs, être de l'entente.
intendre, v. Entendre, com-

prendre. *Prèdzé p'—*, parler sérieusement.
intendù-ya, s. Entendu, ue. *Fére l'—*, vouloir en savoir, faire à sa tête.
interdi, sm. Interdit.
interdi, v. M. H. Interdire.
interché, v. Entretenir à parler. — *le s-ouvrë,* entretenir les ouvriers, leur faire perdre le temps. V. pr. S'arrêter à regarder, à parler.
interè, sm. Intérêt. *Avei d'—*, avoir de l'intérêt.
interechà-ye, adj. Intéressé, ée, avare.
intereché, v. pr. *(S')* S'intéresser.
interieur, sm. Intérieur.
interjeichon, sm. Interjection.
interpretachon, sf. Interprétation.
interprète, sm. Interprète.
interpreté, v. Interpréter.
interré, v. Enterrer.
interrodzé, v. Interroger.
interrogachon, sf. Interrogation.
interroillà-ye, adj. Qui a de la terre autour.
interroillé, v. pr. *(S')* Se couvrir de terre.
intervalla, sf. *(P')* Par intervalle.
interveni, v. M. B. F. D. Intervenir.
intervenchon, sf. Intervention
interverti, v. Intervertir.
* **intestat,** *(Ab).* V. *Ab intestat.*
intëtà-ye, adj. Entêté, ée.
intëté, v. Entêter. V. pr. *S'—*, s'entêter, s'opiniâtrer. *Lo tsarbon intëte,* le charbon donne à la tête.
intëtsé, v. Mettre en tas, avec art, non en monceau.
intimé, v. Intimer. — *lo dzeuzemen,* intimer le jugement.
intimidé, v. Intimider.
intimo-a, adj. Intime.
intitulachon, sf. Intitulation.
intitulé, v. Intituler.
intoleràblo-a, adj. Intolérable.
intolerance, sf. Intolérance.
intonachon, sf. Intonation.
intonné, v. Entonner. — *Vëpre,* entonner les vêpres.
intor, prép. Autour. — *de mè,* autour de moi.
intordre, v. Tordre. — *lo fi,* tordre le fil.
intordu-ya, adj. Qui a été tordu.
intortoillé, v. Entortiller. V. *Savertoillé.*
intrafetsà-ye, adj. Embrouillé, ée. *Resté —*, rester pris, par les pieds, dans quelque chose.
intrafetsé, v. Embrouiller. — *la flotta,* entrelacer, embrouiller l'échevau.
intrampi, v. Rendre boiteux.
intrancho-e, adj. Qui est dans l'anxiété, l'incertitude, dans les transes.
intre, prép. Entre. — *leur,* entr'eux.
intrecayé, v. Sauter. — *la clliendа,* sauter, traverser la haie, passant par dessus.
intredeut-e, adj. Indécis. *Ëtre —*, être indécis.
intre-dò, adv. *(Ëtre)* Ne savoir quel parti prendre, être entre deux.
intre, adv. Entre. — *tsin e laou,* entre chien et loup. (Quand il n'est plus jour et qu'il n'est pas encore nuit).

intregan-ta, s. adj. Intrigant, ante.

intregua, sf. Intrigue.

intregué, v. pr. *(S')* S'intriguer, se mêler des affaires des autres.

intreiné, v. Entrainer.

intremië, prép. Entre, parmi. — *di foillet,* entre les feuillets. — *lo fen,* parmi le foin.

intremoille, sf. Partie supérieure du moulin.

intrepido-a, adj. Intrépide. S'emploie aussi dans le sens d'imbécile et au pro. se dit d'un homme qui ne se tient pas bien sur ses pieds.

intreposé, v. Entreposer, poser une chose provisoirement.

intrepou, sm. Le lieu et la chose posée. — *que dure come lo rodzo de brenva,* chose provisoire qui devient définitive.

intre-sè. En soi-même.

intrepreisa, sf. Entreprise.

intreprendre, v. M. C. Entreprendre.

intreten *que*, conj. Pendant que.

intreteni, v. M. B. F. D. Entretenir.

intrevère, v. M. G. Entrevoir.

intri, sm. En détail, en petit. *Vendre a l'—*, vendre en détail. *Cen vat a l'—*, ça va doucement, au long.

intrinqué, v. Agencer une affaire.

introduchon, sf. Introduction.

* **introduire**, v. M. C. F. H. — *la coteuma,* introduire l'usage.

introït, sm. Introït. *Tsanté l'—*, chanter l'Introït.

intronisé, v. Introniser.

intsamboté, v. pr. *(S')* Faire un faux pas heurtant à quelque chose.

intsambu-ya, adj. Qui va sans bas.

intsan, v. En champ. *Allé —*, aller paître. *Avei l'espri —*, penser à autre chose qu'à ce que l'on devrait.

intsanté, v. Enchanter.

intsantemen, sm. Enchantement.

intsaouchà-ye, adj. Pressé, ée. — *pe lo travail,* qui est poussé, pressé par le travail.

intsaouché, v. Pousser. — *lo travail,* faire le travail à la hâte, tant mal que bien. — *a meillon,* chasser à coups de pierre.

intsaplé, v. *la fâ.* Marteler la faux pour la rendre tranchante. L'on dit en parlant des faucheurs : *Lo vioù cllierie pà a intsaplé et lo dzoveuno sà pà mollé,* le vieux ne voit pas à marteler et le jeune ne sait pas aiguiser.

intsaplo, sm. La taille au tranchant qui se fait sur la faux quand on la martelle.

intsardzé, v. Donner la charge de . . . . .

intsardzo, sm. La charge. *Prendre l'—*, prendre la charge de faire quelque chose.

intsarmé, v. Enchanter, ensorceler, charmer.

intsarmijà-ye, adj. Qui a le rhume de cerveau.

intsarmo, sm. Prétendue action d'enchanter, charme.

intseiné, v. Enchaîner.

intser = *intsë-re,* adj. Entier, ière.

intser, sm. Regain, non coupé, qu'on laisse pour y paître les vaches

intseri, v. n. Devenir plus cher.
inumen, adj. Inhumain, aine.
inusità-ye, adj. Inusité, ée.
inutilamente, adv. Inutilement.
inutilità, sf. Inutilité.
inutilo-a, adj. Inutile.
invalei, v. pr. *(S')* Se tirer d'affaire. *Sât pà s'—,* il ne s'y entend pas.
invaleyé, v. pr. *(S')* Se recréer, se distraire.
invariablo-a, adj. Invariable.
invei, sm. Désir, volonté, envie. *Dzi pà —,* je n'ai pas la volonté. Marque que quelques enfants apportent en naissant, le plus souvent, celle d'un fruit.
invelopé, v. V. *Invertoillé.*
invenchon, sf. Invention.
inveneumà-ye, adj. Envenimé, ée.
inveneumé, v. Envenimer.
inventéro, sm. Inventaire.
inventeur, sm. Celui qui invente.
inver = *invers,* sm. Partie de la vallée qui regarde le nord, l'envers. Le mauvais côté d'une étoffe.
inver, prép. Envers. — *tseut,* envers tous.
inverna, sf. *(Vatse a l')* Vache qu'on prend ou qu'on donne à garder pour la saison d'hiver.
invernail, sm. De quoi nourrir les bêtes en hiver. — *de cinq vatse,* de quoi tenir cinq vaches en hiver.
inverné, v. Nourrir en hiver. *Se fére —,* se faire nourrir en hiver.
invertoillà-ye, adj. Enveloppé, ée.
invertoillé, v. Envelopper.
inverun, adj. Environ. — *trei s-aoure,* environ trois heures.
invesiblo-a, adj. Invisible.
invìa, sf. Envie. *Pourté —,* porter envie.
invidzaou-sa, adj. Envieux, euse.
invidzo, sm. Envie, émulation.
invinciblo-a, adj. Invincible.
invion, sm. Le commencement d'une chose.
inviouné, v. Commencé. — *un travail,* commencer un travail. *S'— devan,* se mettre en chemin un peu avant les autres.
invitachon, sf. Invitation.
invité, v. Inviter.
invocachon, sf. Invocation.
involontéro, adj. Involontaire.
invoqué, v. Invoquer.
io = *el,* pr. bv. Moi, lui.
inne, sm. Hymne, chant de l'église.
ipocrisie, sf. Hypocrisie.
ipocrito-a, adj. Hypocrite.
ipotéca, sf. Hypothèque.
ipotequé = *impotequé,* v. Hypothéquer.
ira, sf. Ire, haine, rancune.
» **iregularità,** sf. Irrégularité.
» **ireguliè-re,** adj. Irrégulier, ière (1).
» **iremediàblo-a,** adj. Irrémédiable.
» **iremissiblo,** adj. Irrémissible.
» **ireparablo-a,** adj. Irréparable.
» **irepreensiblo-a,** adj. Irrépréhensible.
» **iresistiblo-a,** adj. Irrésistible.

---

(1) Les mots ainsi (») notés font : *ire* ou *inre. Inremediablo* . . . . .

» **ireverence,** sf. Irrévérence.

» **irevocablo-a,** adj. Irrévocable.

iritachon, sf. Irritation.

irité, v. Irriter, faire fâcher.

iriten-ta, adj. Irritant, ante.

isolà-ye, adj. Isolé, ée.

isolé, v. pr. *(S')* S'isoler.

isolemen, sm. Isolement.

* **italique,** sm. *(Lettra)* Caractère d'imprimerie.

itselé, v. = bv. *Utsé.* Huer. *ki, ki ; kîî, 'hi, 'hi !* Comme font les garçons coureurs de nuit.

ivoero, sm. Ivoire.

* **ivresse,** sf. *(A l'etat d')* Dans l'ivresse.

* **ivrogne,** sm. Qui est sujet à s'enivrer.

ivrogneri, sf. Ivrognerie.

J

La lettre *j* se change souvent en *dz* dans les mots patois.

jacobin, sm. Jacobin.

jacobin-a, adj. Se dit d'un chrétien non pratiquant.

jacobina, *(Pei a la)* Cheveux des femmes qui tombent rasés sur le milieu du front.

jaculatoére, adj. Jaculatoire (oraison).

jalou-sa, adj. Jaloux, ouse, envieux.

jalousi, sf. Jalousie, envie. V. *Dzalaou.*

jamë, adv. Jamais.

janre, sm. Genre, espèce, manière.

janvië, sm. Janvier.

Jesu-Crit, sm. Jésus-Christ.

jeuillet, sm. Juillet. On l'appelle dans la bv. : *Mei de la Madeleina,* mois de la Madeleine.

jeu, sm. Œil. *C'en que m'entre pe le jeu,* rien du tout. — *di rat,* myosotis. *Se trére a sè dò jeu, pe n'en trére un i s-âtre,* s'arracher deux yeux à soi pour en arracher un aux autres. *T'a pi gran jeu que gran panse,* tu as plus grands yeux que grand ventre. (Se dit à l'enfant qui veut de nourriture plus qu'il n'en peut manger).

jeun, sm. Juin. On l'appelle : bv. *Mei de S. Dzoan,* le mois de S. Jean.

* **jeunesse**, sf. *(La)* Les jeunes gens.

jeuse ! int. Mon Dieu ! Jésus ! *Dëre lo* —, prier (enfantin). *Fére* —, joindre les mains.

Jeusemarià ! int. Jésus-Marie !

jeustamente, adv. Justement.

jeustice, sf. Justice. Fig. *La* —, l'âne.

jeusticié, v. Justicier, appliquer la peine de mort.

jeustificachon, sf. Justification.

jeustifié, v. Justifier.

jeusto, sm. Ce qui est juste. *Fére lo* —, faire le juste, donner à chacun la part qui lui revient. *De bon* —, de bon droit.

jeusto-a, adj. Juste.

jeustocor, sm. Buste de robe de femme, justaucorps.

joé = *joè,* sf. Joie.

joèyeu-sa, adj. Joyeux, euse.

jon, sm. Jonc. *Canna de* —, canne de jonc.

jonchon, sf. Jonction.

jonisse, sf. Jaunisse, maladie.

* **joueur**, sm. Qui aime le jeu, musicien.

joui, v. Jouir, avoir l'usage de...

* **jouissance**, sf. Usage, possession.

jouli-a, adj. Joli, ie. *Ti jouli ! ?* tu es beau (ironique).

* **journal**, sm. V. *Gazetta.*

* **journaliste**, sm. V. *Gazetté.*

***jubilé**, sm. *Fére lo* —, faire le jubilé.
jubilachon, sf. Jubilation. *Prendre la* —, être dispensé d'un emploi.
judà, sm. Judas. *Trètre come* —, traître comme Judas.
judé, sf. Judée.
judicateura, sf. Judicature.
juif, sm. Juif, méchant, usurier.
juri, sm. Jury. Citoyens qui, sans être juristes, sont appelés à prononcer sur l'innocence ou la culpabilité d'un accusé.

K

La lettre k ne s'emploie, dans notre dialecte, que dans cinq mots.
kilo, sm. Unité de mille.
kilogrammo, sm. Kilogramme.
kilométre, sm. Kilomètre.
Kiriё Eleison, sm. Kyrie Eleison. *Tsambe a Kiriё Eleison*, jambes tordues.
kiriella, sf. kyrielle ; longue suite de choses ennuyeuses.

L

Dans la basse vallée l'on met *i* à la place de *l* après : *f, p, b : Bian, fiour, pliat.*

Les deux *ll* sont mouillés, non à la parisienne mais à l'espagnole, comme dans *llorar, orgullo.*

la, art. La. — *sà,* le sel.

là, sm. Endroit. — *dret,* côté droit. *De leur* —, de leur côté.

là ! int. Est-il possible ! soit ! ça suffit !

làbie, sf. bv. *lés.* Ardoise. V. *Lés.*

labietta, sf. Petite ardoise.

laborieu-sa, adj. Laborieux, euse.

* **laboureur,** sm. Celui qui laboure.

lacca, sf. Fiente liquide de vache.

lacë, sm. Lait. — *verguelin,* lait que mettent les chevreaux avant d'être chargés.

lacegnon, sm. Lait mêlé d'eau.

lâchetà, sf. Lâcheté.

lacupa, sf. Langue. *Meiné la* —, mener la langue, parler beaucoup.

laffré, v. Manger. — *lo pi bon,* manger le meilleur.

laffret-ta, adj. Gourmand, ande.

lagne, sf. Gêne, fatigue. *Se baillé* —, se donner crainte, se gêner. *Groussa* —, grande fatigue.

lagné, v. Fatiguer.

lagnen, adj. Fatigant.

* **laïque,** adj. *Ecoula* —, école sans religion.

la là ! *pà tant de conte.* Allons, allons ! pas tant d'histoires.

lama, sf. Lame.

lambë, sm. Pièce qu'on met aux souliers.

lambé, v. n. Marcher, courir. V. *Landé.*

lambin-a, adj. Lambin, ine.

lambiné, v. n. Traîner au long.

lamentachon, sf. Lamentation.

lamenté, v. pr. *(se).* Se plaindre.

lamento, sm. Cri de lamentation.

làmo-a, adj. Qui est sans vigueur, lâche, qui n'est plus bandé.

lampa, sf. Membrane de la viande.

lampie, sf. Lampe d'église.

lampion, sm. Les trois ou quatre branches des dites lampes.

lan, sm. Planche, ais.

landa, sf. Poutre qui supporte la cape de la cheminée ; traverse où l'on pend la crémaillère.

landé, v. Courir, galoper, échapper. *Qui mande, lande,* celui qui envoie, court.

* **langueur,** sf. Abattement de force.

langui, v. n. Languir. V. *Lanvi.*
languissen-ta, adj. Languissant, ante.
lanta, = *tanta,* sf. Tante. *Kesté tanta,* se dit d'une fille qui ne se marie pas.
lanterna, sf. Lanterne. Fig. Personne lente à faire les choses.
lanterné, v. n. Mener en longueur.
lanternë, sm. Lanternier.
lanternin, sm. Lanterne à œuil de bœuf.
lanvi, v. n. Languir, souffrir longtemps.
laou, sm. Loup. *Quan in prèdze di laou lo laou arreuve,* quand on parle du loup le loup arrive. *Euna fan de laou,* une faim dévorante. *Le laou se peccon pà intre leur,* les loups ne se mangent pas entre eux.
lapà sf. *(euna).* Ce qu'un chien lappe en une fois.
lapaboura, sm. Petit berger de montagne.
lapé, v. Lapper. — *lo lacë,* lapper, manger le lait.
lapet-ta, s. adj. Petit gourmand. V. *Laffret.*
lapidà-ye, adj. Qui est tourmenté, critiqué.
lapidé, v. Lapider. — *lo valet,* tracasser, tourmenter le domestique.
lapin, sm. Lapin.
laque, sm. Lac. *Tot in* —, tout plein d'eau.
laqué, v. *(le prà).* Faire aller la *lacca* dans les prés, par le moyen de l'eau.
lar, sm. Lard. — *di pouer,* lard du cochon.
lardzaou, sf. Largeur.
lardzo, sm. Emplacement. *Và a ton* —, va à ta place.
lardzo-e, adj. Large, ample. *Avei le mandze* —, avoir du pouvoir, être généreux.
larma, = *legrema,* sf. Larme.
larpé, = bv. *larpas,* sm. Grosse pierre plate.
larre, sm. Voleur.
larron-larrouna, adj. Larron, ne. *L'occajon fei lo larron,* l'occasion fait le larron.
las-lace, sm. Lacet.
las, sm. Lassitude. *Senti lo* —, sentir le besoin de manger.
las, adj. *(fi).* Fil mal tordu.
las-sa, adj. = bv. *Fat-ta.* Qui manque de sel.
lase, sf. Résine de mélèze.
lasefoute! Exclamation de doute, de crainte. *Lasefoute se me trompon pà!* Qui sait si l'on ne me trompe pas!
latin, sm. Latin. *Lo isemené* —, la marche légère, affectée.
latsé, v. Lâcher, laisser aller. — *la breuda,* laisser tout faire.
lâtso-e, adj. Lâche, sans vigueur.
latta, sm. Latte.
latté, v. Latter, planter les lattes.
lavà, sf. Action de laver. *Baillé euna* —, laver un peu; et au fig. gronder, réprimander.
lavandë-re, s. Lavandier, ière.
lavaplat, sm. Marmiton.
lavé, v. Laver. *Lavé la tëta a un âno, in per sa peina et son savon,* à laver la tête à un âne on perd sa peine et son savon.
laventse, sf. Avalanche.
laventsé, sm. Endroit où passe l'avalanche.
laviaou, sm. Pierre ou ais sur lequel on lave la lessive. Lieu d'où l'on tire les ardoises.

lavin, sm. Lavure. — *di eise,* lavure de la vaisselle.
lavon, sm. Oncle. A un prêtre on dit *oncllie,* au lieu de *lavon.*
lavoran-da, s. Travailleur, travailleuse, se dit par ironie.
lavour, sm. Travail. *Fei ton* —, fais ton travail.
lazagne, sf. Lazagne (pâte).
le, art. plur.: m et f. *Le pére, le mére,* les pères, les mères.
lé, adv. *Ci-lé,* celui-là. *Lé sù,* là haut.
leccassure, sf. Mets de peu de consistance.
* **leçon**, sf. *Dëre la* —, réciter la leçon. Fig. *Fére la* —, enseigner, reprendre, gronder.
ledzà, sf. La charge d'un traîneau.
ledzaou, sm. Qui traine le traîneau.
ledze, sf. = bv. *llioedze.* Traîneau.
ledzé, v. Traîner le traîneau. — *su la nei,* glisser sur la neige.
ledzë-re, adj. Léger, ère.
ledzëremente, adv. Légèrement.
ledzon = bv. *llioedzon,* sm. Petit traîneau dont les enfants se servent pour glisser sur la glace.
legal-a, adj. Légal, ale.
legalisachon, sf. Légalisation.
legalisé, v. Légaliser.
legat = *leg,* sm. Legs.
legatéro, sm. Légataire.
legetima, sf. Légitime.
legetimé, v. Légitimer.
legetimo-a, adj. Selon le droit, la justice.
legislachon, sf. Législation.
legislateur, sm. Législateur.
legnà, sf. Lignée, race.
legnadzo, sm. Branche de parenté.
legne, sf. Ligne. *Ecrire dove* —, écrire deux lignes. *In* —, en ligne. V. *Rentse.*
legnou, sm. Ficelle faite à la main.
legreuma, sf. Larme.
legreumé, v. n. Larmoyer.
legreumen-ta, adj. Larmoyant, ante.
legumo = *erbadzo,* sm. Racine, herbe potagère
lei, pron. Lui. *Prèdze-lei,* parle-lui.
leiché, v. Laisser, permettre, quitter.
leijà = *gronda* = *roara,* sf. Fosse où tombe la fiente des vaches. *Pavé de la* —, pavé de cette fosse.
leigé, sm. Couche de roche sous la terre meuble. bv. *Leisas.*
leigé, v. Paver.
leìna, sf. Alêne. *Betté lo beurro a la seuppa atot euna leina tsaada,* mettre peu de beurre à la soupe.
leìno-a = *linvio-a,* adj. Facile.
leira, sf. Lierre.
leisar, sm. Lézard.
leisarda, sf. Espèce de petit lézard.
leisas, sm. bv. V. *Leigé.*
leisen-ta, adj. Qui n'est pas occupé.
leisi, sm. Loisir. *Fére a* —, faire sans se presser.
leità, sf. Petit-lait. Fig. Petit vin sans force.
leitadzo, sm. Laitage. *Vivre su lo* —, vivre de laitage.
leiteri = *letteri,* sf. Laiterie.
leiteur, sm. Lecteur.
leiteura, sf. Lecture.
leivro = *lëvro,* sm. Livre.
leivret, sm. Petit livre.

lemàce, sf. Escargot.
lëma, sf. Limace. Jeu enfantin : *Lëma, lëma tré le corne; se te tré pà le corne dze te clliàpo ta meison :* Limace, limace, tire dehors les cornes; si tu ne tires pas les cornes je te casse ta maison.
lemaçoula, sf. Limaçon sans coquille.
lemita, sf. = *termeno*, sm. Limite.
lemité, v. Limiter, planter les limites. — *lo ten,* fixer un temps.
lemon, sm. Amas de terre au bas d'un champ.
lendenna, sf. Lente, œuf des poux.
lenga = *lenva,* sf. Langue. — *de poutë,* grand parleur.
len-ta, adj. Lent, ente.
lentamente, adv. Lentement.
lenteillà-ye, adj. Marqué de lentilles.
lenteille, sf. Lentille, taches rousses.
lenva = *lenga*, sf. Langue. *Teni la — i tsaat,* ne dire mot.
lenvetta, sf. Languette, petite tranche.
lèpra, sf. Lèpre.
lepreu, sm. Lépreux.
les = *lesse,* sf. Ardoise épaisse du foyer de la cheminée. *Fére fouà a la lesse,* faire feu à la cheminée.
les, sf. bv. Ardoise du toit. V. *Labie.*
leste = *lesto-a,* adj. Leste, qui fait vite. — *come le moutse a la lase,* leste comme les mouches à la résine, lent.
letsaou, sm. Lieu ou les chamois vont lécher.
lëtsassu, adj. Marécageux. *Prà —,* pré marécageux.
lëtse, sf. Foin des marécages, laiche. — *de pan,* tranche de pain.
lëtsètta, sf. Petite tranche.
lètsé, v. Lécher.
lètsebèque, adv. *(a)* Avec grande parcimonie.
letson, sm. Son, avoine, qu'on donne à lécher aux bêtes.
lettra, sf. Lettre. — *de man,* manuscrit. — *d'estampa,* caractère d'imprimerie.
lettrà, sm. Lettré. *Ommo —,* homme instruit.
leugro-a, adj. Qui est gourmand, avide.
leumière, sf. Lumière, lampe, vue.
leuna, sf. Lune. *Battre la —,* divaguer, devenir fou.
leunà, sf. Lunée.
leunatecco-a, adj. Lunatique.
leunette, sfp. = *berëcllio.* Lunettes.
leur, pron. Eux. — *dion,* eux disent. *A —,* à eux. *Tsi —,* chez eux.
leuvré = *tsavonné,* v. Finir, terminer.
levà = *levàda,* sf. Levée. — *de resin,* levée de raisins.
levà-ye, pp. de : Se lever.
levan = *levà,* sm. Levain.
levateura, sf. Levée. — *di cor,* levée du cadavre.
levé, v. Lever. — *de peterra,* lever de terre. V. pr. *Se —,* se lever. *Levé lo bon matin quan lo soleil l'est pe tseut le tsemin,* se lever très tard.
leven, sm. Levant, orient.
levion, sm. Houblon.
leviure, sf. bv. *Levain,* V. *Levan.*
lëvra, sf. Lièvre. *Poueraou come euna —,* très-peureux.
levrail, sm. Petite romaine

pesant à livres et aujourd'hui à kilos.

levrë, sm. *(Tsin)* Chien levrier.

levretta, sf. Fromage tendre au plat.

levreya, sf. Ruban ; nom de chèvre.

lëvro, sm. Livre. *Cllioure lo* —, fermer le livre.

levrot, sm. Petit lièvre.

li, sm. *(Fleur de)* Fleur de lis.

libachon, sf. Libation. *Fére de* —, boire çà et là.

libéral-a, adj. (dans le vieux sens) Qui se plait à donner.

liberalismo, sm. Doctrine des libéraux.

* **liberateur**, sm. Qui délivre.

liberé, v. Délivrer, libérer.

libertà, sf. Liberté.

libertin-a, s. adj. Libertin, e.

libertinadzo, sm. Libertinage.

libramente, adv. Librement.

libreri, sf. Librairie.

libro-a, adj. Libre.

liçance, sf. Licence. *Baillé trop de* —, donner trop de liberté.

liçancié, v. Congédier. V. *Decondzë*.

licou = *tsevëtro*, sm. Licou.

* **lie**, sf. Le grossier d'un liquide.

lièson, sf. Liaison.

lieutenan, sm. Lieutenant.

lima, sf. Lime. *Bouna* —, fin, rusé.

limà-ye, pp. Qui a été limé.

limé, v. Limer. — *lo fer*, limer le fer.

limeura, sf. Limure.

limon, sm. Citron.

limonàda, sf. Limonade.

* **lin**, sm. *Teila de* —, toile de lin.

lincheu, sm. Drap de lit.

lincholà, sf. Un plein drap de lit.

linder, sm. *de la pourta*, pièce en travers et au sommet de l'ouverture de la porte. *Totte le pourte l'an dò linder*, il y a à faire partout.

lindzeri, sf. Lingerie.

lindzo, sm. Linge.

* **lion**, sm. *Planetta di* —, planette du lion.

lippa, sf. Loupe. — *i dzenaou*, loupe aux genoux.

lisquet-ta, adj. Mince, délié.

lista, sf. Liste. — *di depense*, liste des dépenses. — *de bouque*, bande de bois dans la forêt.

liston, sm. Bande. *Apondre un* —, joindre une bande.

litanie, sf. Litanies.

litografie, sf. Lithographie.

litografié, v. Lithographier.

litteral-a, adj. Qui est selon la lettre.

litterateur, sm. Littérateur.

liturgie, sf. Prières, cérémonies de la messe.

livra, sf. Poids de douze onces.

livra, sf. Franc, vingt sous. *Manque todzor desenou sou pe fére la livra*, il manque toujours dix-neuf sous pour faire le franc.

livré, v. pr. *(Se)* Se livrer, s'abandonner.

llià = *lliéte*, pp. *de llière*, lier.

lliace, sf. Glace.

lliachà-ye, adj. Glacé, ée.

lliachà, sf. Pavé des chemins, des rues.

lliaché, v. Faire un pavé. —, Glacer. — *de fret*, glacer de froid.

lliachon, sm. Glaçon.

llian, sm. Lien, ganse.

llianda, sf. Glande.

lliandi, adj. Se dit du pain mal fait, dur à manger.
lliaou, sf. Cour, avenue, allée.
lliar, sm. Liard, petite monnaie.
lliavin, sm. Banc de gravier, petit gravier.
llie, pr. Elle. *Avouë* —, avec elle.
llier = *glèr,* sm. Lieu pierreux, sujet à être inondé.
llière, v. M. C. F. F. Lire.
llière, v. M. C. F. L. Lier.
lliet = bv. *Dzas,* sm. Ce qu'on met pour faire litière.
lliodo, sm. Gaillard. *Fére lo* —, faire le gaillard.
lliopin, sm. Petit sommeil.
lliouà, sm. Lieu, endroit.
llioché, v. n. Bruit que fait un liquide qu'on secoue dans un baril qui n'est pas plein.
llioen, adv. Loin.
lliouire, v. M. C. F. H. Luire, briller.
lliouistré, v. Cirer, lustrer. — *le botte,* cirer les souliers. — *le ceselin,* lustrer les (ciselins) seaux en cuivre.
lliouistro-a, adj. Qui luit, qui a reçu le luisant.
lliouyen-ta, adj. Luisant, e.
lliu, pr. Lui. *Remachen* —, grâce à lui.
locachon, sf. Location.
* **local**, sm. Endroit, étendue. *Dzen* —, joli endroit.
local-a, adj. Local. *Vuya* —, vue locale.
località, sf. Localité.
locatéro, sm. Locataire.
lòde, sfp. Laudes. (Chant de l'église.
lodzà-ye, adj. Rassasié, ée. *Dze si — de lliù,* j'en ai assez de lui.
lodzé, v. Rassasier. *Se* —, se rassasier.
lodzemen, sm. Logement, logis.
loé = **loè**, sf. Loi. *Fére la* —, vouloir commander. L'on dit d'un mauvais sujet: *L'at pà ni foè ni loè,* il n'a ni foi ni loi.
logne, sf. Bardane.
lon, sm. Long. *Dò pià de* —, deux pieds de longueur. *Tot di* —, adv. Continuellement.
londzaou, sf. Longueur (ne se dit que de ce qui se mesure).
lon-dze, adj. Long, longue. *Meiné a la* —, traîner au long.
longavuya, sf. Lunette d'approche.
lo quin! pron. Quel! Lequel! *Heu lo quin!* Ho! quel gros! quel monstre!
loquet, sm. Cadenas. *Betté lo — in botse,* ne plus manger.
lordeina, sf. Coup avec la main. *Baillé euna* —, donner un fort coup.
lorpë = *lourpë,* sm. Oripeau.
lot, sm. Lot, portion, part d'héritage.
loteri, sf. Loterie.
lotsé, v. n. Locher, se dit d'un manche qui branle, d'une chose qui pend d'un côté.
lottò, sm. Loto. *Dzoà di* —, jeu du loto.
lotton, sm. Laiton.
louablo-a, s. Louable.
loufie = *ambrecalle,* sf. Airelle, myrtille.
louidor, sm. Pièce de 20 francs.
lour, sm. Embarras. *Betté* —, ennuyer, causer de l'embarras. *Betté a* —, gâter, déranger.
lour-da, adj. Lourd, e. *Lo ta-*

padzo feit veni la tëta lourda, le tapage étourdit.

lourdò, sm. Vilain, mal propre, lourdaud.

lourë, sm. Laurier.

loutso, sm. Louche, qui a la vue de travers. On dit du louche, *que l'aveitse lo pan et veit lo fromadzo,* il regarde le pain et voit le fromage.

lovandze=*louandze,* sf. Louange.

lovandzé=*louandzé,* v. Louanger.

lovaton, sm. Epi de maïs. V. *Bovata.*

louye, sf. Galerie devant la maison où l'on étend le linge.

loyadzo, sm. Louage.

loyal-a, adj. Loyal, ale.

loyé, v. Louer. — *lo bien,* donner le bien à louage.

* **lucifer,** sm. Le chef des démons.

Lucìa, sf. Lucie. *Sainte Lucìa, lo pà de la fromìa,* à la sainte Lucie, les jours diminuent le pas d'une fourmi.

lugubro = *legubro,* adj. Lugubre.

lumiëre = *leumiëre,* sf. Lumière.

luminéro, sm. Cire qu'on prend pour les sépultures.

lundeman, sm. Lendemain. *Lat pà de* —, se dit d'un prodigue.

luron-na, adj. Vaillant, gaillard.

lusso, sm. Luxe. *Trop de* —, trop de luxe.

lussura, sf. Luxure. *Petsà de* —, péché de luxure.

lussurieu-sa, adj. Luxurieux, euse.

luterien, sm. Luthérien.

lutserna, sf. Lampe à huile de noix ou à pétrole selon l'usage des campagnards.

luzerna, sf. Luzerne, qualité de foin.

M

mà, sm. Mal, douleur, péché.
ma, adj. Ma. — *meison,* ma maison.
mà, adv. Mal. — *comodo,* mal commode.
macàco, sm. Grossier, nigaud.
macheu, sm. Faisceau de saules.
machina, sf. Machine. Indique la grandeur, la grosseur : — *de boù,* gros bœuf.
machinàlamente, adv. Machinalement.
machoére, sf. Mâchoire.
mâcllio, sm. Mâle. *Lapin —,* lapin mâle. *Trére lo —,* tirer le mâle du chanvre. On dit aussi : *Trére l'ommo.* V. *Femalla.*
macolla, sf. Maladie, terme générique.
macollà-ye, adj. Qui est pris de maladie.
macomodo, adj. Incommode.
* **maçon,** sm. *Avei le — pe tëta,* avoir des soucis, d'embarras.
maçoneri, sf. Ouvrage de maçon.
maconten-ta, adj. Mécontent, ente.
macreyen-ta, adj. Qui ne veut pas obéir.
macreyen, sm. Mécréant. On dit à celui qui ne veut pas croire : *Ti come S. Tomà lo macreyen,* tu es comme S. Thomas le mécréant.
màda, sf. Moût, vin doux.
madama, sf. Madame.
madamouisella, sf. Mademoiselle.
Madeleina, sf. Madeleine. *Meis de la —,* mois de juillet.
Madòna, sf. Madone qu'on porte dans des niches.
madzoà, adv. Rien d'étonnant. V. *Monsefé.*
madzolie, sf. Pendant que les chèvres ont sous le menton.
mafaillence, adv. *(Pe)* Par erreur, par mégarde.
mafié, v. pr. *(Se)* Se méfier. V. *Mefié.*
mafien-ta, adj. Méfiant, ante.
mafoè ! int. Ma foi ! Exprime le doute, la défiance.
magara, adj. Peut-être.
magasegnë, sm. Magasinier.
magasené, v. Emmagasiner. — *le sou,* faire bourse.
magenë ! = *magina !* Sans doute ! figurez-vous !
magìa, sf. Magie.
magichen, sm. Magicien
magistéro, sm. Maître d'école.
magistrà, sm. Magistrat.
magistrateura, sf. Magistrature.
magnatisé, v. Magnétiser. *Se fére —,* se faire tromper.
magnefecco-a, adj. Magnifique.
magneficance, sf. Magnificence.
magnëre, sf. Manière.

magnin, sm. Chaudronnier.
magnin-a, adj. Se dit à quelqu'un qui est sali de noir.
magnotin, sm. Espèce de dentelle que nos mères mettaient à la chemise des petits garçons qui avaient encore la robe.
màgo, sm. Nom fabuleux.
magò = *tatson,* sm. Magot, argent caché.
magreyé, v. n. Murmurer, se plaindre. *Fére* —, donner du fil à tordre.
mah! Interjection de doute, de compassion.
mai = *mei,* sm. Plante que l'on dresse devant la maison du nouveau syndic.
mail, sm. Masse de fer.
* **maille,** sf. *di tsaouson,* maille des bas.
maillet, sm. Petite masse de mineur. *Becca de Mon* —, pointe de Mont-Maillet (Dent du Géant).
majestuyeu-sa, adj. Majestueux, euse.
majeur, adj. Majeur. — *d'adzo,* majeur d'âge.
* **major,** sm. *Seurdzen* —, sergent major.
majorità, sf. Majorité. — *di vouéce,* majorité des voix. Age de majorité.
majeuscula, sf. Lettre majuscule.
màla, adj. Mâle. *Vouéce* —, voix mâle. Sf. Malle de voyage.
maladi, sf. Maladie. *Maladi di laou, santë di feye,* malheur des uns, bonheur des autres.
maladien-ta, adj. Maladif, ive.
malado-a, adj. Malade. *Vou-t-eu un où? Nà, si tan malado.... N'en vou-t-eu dò? Nà, si tan malado.... N'en vou-t-eu trë? Vouè! Tsecca de pan avouë....* Veux tu un œuf? Non, je suis tant malade. En veux tu deux? Non, je suis tant malade. En veux tu trois? Oui, et encore un morceau de pain avec.
maladrëchà-ye, adj. Maladroit, oite.
malamen, adv. Maladroitement, mal. *Fére* —, faire mal une chose, faire une chose qui est mal.
malan, sm. Teigne, maladie du cuir chevelu.
malapprei, adj. Mal appris.
malapropou, adv. Mal-à-propos.
malavisà-ye, s. adj. Malavisé, ée.
malece, sf. Malice. *Avei la* —, être mécontent, avoir la colère.
malechaou-sa, adj. Malicieux, euse.
maledechon, sf. Malédiction.
malefichà-ye, adj. Qui a de prétendus maléfices.
malefiché, v. Donner des maléfices.
maleijà-ye, adj. Malaisé, ée.
maleiso, sm. Malaise.
mâlen-mâleina, adj. Qui est long à faire quelque chose, lambin. Chose mal commode, difficile à faire.
maletta, sf. Sac où les pauvres mettent ce qu'on leur donne. *Porté la* —, aller mendier.
maletson, sm. Petit sac, quelque chose d'enveloppé.
maleur, sm. Malheur.
maleuraou-sa, adj. Malheureux, euse.

» **malfére,** v. M. I. Malfaire.
» **malfesen-ta,** adj. Malfaisant, ante.
» **malgrachaou-sa,** adj. Malgracieux, euse (1).
malice, sf. Méchanceté.
malicieu-sa, adj. Qui a de la malice.
malignità, sf. Malignité.
malin-a, adj. Méchant, ante.
malincogna, sf. Mal, malaise.
malincolà, adj. Plein de malaises.
malocour, sm. *(feit).* Il fait compassion, il fait mal au cœur. *Avei* —, avoir compassion.
malonéto-a, adj. Malhonnête.
maloura, sf. Déroute. *Allé in* —, aller en déroute, en déconfiture.
» **malpoli-ta,** adj. Qui est sans politesse.
» **malpropretà,** sf. Malpropreté.
» **malpropro-a,** adj. Malpropre, sale.
» **malsan-a,** adj. Malsain, aine,
malsean, adj. Malséant.
maltrèté, v. Maltraiter.
* **malveillance,** sf. Haine, malice.
malversachon, sf. Malversation.
malversé, v. n. Aller du mauvais côté.
mamma, sf. Maman, mère. — *gran,* grand-mère.
man, sf. Main. — *dreite,* main droite.
manca, sf. Manque. — *de blà,* absence du blé. — *de preconchon,* faute de précaution.
mancance, sf. Faute. *Fére euna* —, faire une faute. *In mancance de tsevà, se fan trotté le s-âno,* faute de chevaux, on fait trotter les ânes. *Qan di pan vin la mancance, adon la guerra avance,* lorsqu'il y a le manque du pain alors la guerre avance.
* **manchette,** sf. Ornement qui s'attache aux manches.
* **manchon,** sm. = *moffla,* sf. Nos mères qui portaient la *brachëre a caoudo,* avaient un manchon pour tenir chaud à l'avant-bras.
mandat, sm. Mandat.
mandatéro, sm. Mandataire.
mandé, v. Envoyer. *Qui mande, lande,* celui qui envoie, court.
mandòla, sf. Amande.
mandolà, sf. Eau d'amande.
mandolë, sm. Amandier.
mandze, sf. Manche. *In* —, en manche de chemise.
mandzo, sm. Manche. *Ci que l'at fé lo mandzo di cerièse,* Dieu.
manegance, sf. Adresse, savoir faire.
maneille, sf. Anse, poignée.
maneillë, sm. Sonneur de cloches, marguillier.
manesque, adj. Habile, adroit.
manet, sm. *(Lo)* Excrément, pour ne pas dire la m.....
manetta, sf. Poignée de la faux, de la porte.
maneuvra, sf. Manœuvre.
maneuvre, sm. Ouvrier qui sert les maçons.
maneuvré, v. Manœuvrer.
maneyé, v. Manier, prendre en main. *Savei maneyé la pluma,* savoir écrire.
mangagnà-ye, adj. Qui a des infirmités, des défectuosités.

---
(1) (») Ces mots font aussi *Mà* au lieu de *Mal.*

mangagne, sf. Défaut, malaise. *A mè que dze si viou et dza plein de mangagne, me fa celle boteille avouë ator de s-aragne,* à moi qui suis vieux et déjà plein de malaises, il me faut ces bouteilles avec des (toiles) d'araignées autour.

manifestachon, sf. Manifestation.

manifesté, v. Manifester.

manifesto, sm. Manifeste, écrit public.

manna, sf. Manne.

manqué, v. n. Manquer, faillir, tomber en faute.

manquemen, sm. Manquement.

manreversa, sf. Soufflet du revers de la main.

mantë, sm. Manteau. — *d'iver,* manteau d'hiver. — *de tabla,* nappe de table, serviette.

mantegnance, sf. Tout ce qui est nécessaire pour l'entretien.

mantellà-ye, adj. Qui a le manteau.

mantellina, sf. Petit manteau.

manteni, v. M. B. Maintenir, fournir. — *sa parola,* tenir sa parole.

mantsàda, sf. Main chaude. *Dzoyé a —,* jeu consistant à deviner qui a frappé sur la main.

manufatteura, sf. Manufacture.

manuscri, sm. Manuscrit.

Maòmetan-a, s. Mahométan, ane.

maoure, sf. Mûre, fruit du mûrier.

maouré = *maveuré,* v. Mûrir.

mappa, sf. Branche verte de pin, de sapin.

maque, adv. Seulement, pas davantage. — *lliù,* lui seul.

maquegnon, sm. Maquignon.

maranu-ya, adj. Tout-à-fait nu.

maratra = bv. *marëtra,* sf. Belle-mère.

marbro = *màbro,* sm. Marbre.

marbrë, sm. Marbrier.

* **Marc,** sm. *(S.)* On dit : *Marquet patron di fret.* V. *Dzordzet.*

marca, sf. Marque, empreinte, indice. *Quan le corbé couron pe terra l'est marca de croè ten,* lorsque les corbeaux courent par terre, c'est la marque du mauvais temps.

mardzolana, sf. Marjolaine. *Arrosé la —,* boire un bon coup.

màre, sf. Mère. — *di bëtson* mère du petit. Se dit des bêtes, et, en mauvaise part, des personnes. V. *Pàre.*

marechal, sm. Celui qui ferre les chevaux.

mareina, sf. Marraine.

marenda, sf. Repas de douze heures lorsque le premier repas a été fait à sept ou huit heures. *Fére euna —,* faire un goûter. *Boqué —,* recevoir des coups.

marendzon, sm. Petite réfection que l'on prend dans l'après diner.

marenguin, sm. Napoléon, pièce de 20 francs.

marfaille, sf. Ingénu, simple.

marfoueil, sm. Mille-feuille.

marfoueillé, v. Balbutier.

margoté, v. Manier, porter les

mains d'une manière inconvenante.

margueillë = *maneillë*, sm. Sonneur de cloches.

marguerita, sf. Fleur. De cette fleur qu'on appelle aussi *marietta*, les fillettes font un jeu, disant à chaque pétale qu'elles arrachent: *Dze me mario, dze me mario pà*, et ainsi jusqu'à la fin.

mari = *ommo*, sm. Mari, époux.

marià-ye, adj. Marié, ée. *Mà* —, se dit de ceux qui n'ont fait que l'acte civil.

mariadzo, sm. Mariage. Dot de la mariée.

marié, v. Marier. *Se* —, se marier.

marin, sm. Maladie de la campagne. *Lo — de la vegne*, cryptogame, etc. Homme de mer.

marinà-ye, adj. Qui est affecté de maladie.

marinië, sm. Marinier.

marionetta, sf. Marionnette. Fig. Personne légère, frivole.

* **marmaille**, sf. Nombre de marmots. *N'en tan de* —, nous avons tant d'enfants.

marmelàda, sf. Marmelade. *Le tartifle son allaye in* —, les pommes de terre se sont toutes défaites.

marmita, sf. Marmite.

marmità, sf. Une pleine marmite.

* **marmiton**, sm. Valet de cuisine.

marmitson = *marmitin*, sm. Petite marmite.

marmotta, sf. Marmotte.

marocca, sf. Mauvaise marchandise.

maròda, sf. Action de *marodé*.

marodé, v. n. Marauder, voler par la campagne.

marodeur, sm. Voleur de campagne.

maron-marouna, adj. Fou, folle, imbécile.

maronneri, sf. Manière de fou.

marotta, sf. Vieille coutume.

marqué, v. Marquer. *La modze marque*. (Se dit quand une génisse montre par certains signes qu'elle est pleine).

marquetà-ye, adj. Marqueté, ée.

màre, sf. La mère de l'animal. Matrice des bêtes.

mareyé, v. n. Montrer la matrice.

mars = *màs*, sm. Mars. *A mië mars et mië setembro, le dzor et le nët son envo*, à la mi mars et à la mi septembre, les jours et les nuits sont égaux.

martë, sm. Marteau. Croûte d'une plaie

marteladzo, sm. Martelage des plantes.

martelé, v. Battre du marteau, faire le martelage des plantes. Fig. Insister.

martéra, sf. Fouine, martre.

martin, sm. Martin. — *l'at perdu l'àno p'un poin*, Martin a perdu son âne pour un point.

martinsèque, sm. Qualité de poire.

martinet, sm. Gros marteau des forges.

martir, sm. Martyr.

martire, sm. Martyre. *Souffri lo* —, souffrir le martyre.

martirijà-ye, pp. Qui est massacré, couvert de blessures.

martirisé, v. Martyriser. *Se*

vère —, se voir cruellement tourmenté.
martsà, sm. Marché. *Bon* –, à bon prix.
martsan-da, s. Marchand, ande.
martsandé, v. Marchander.
martsandi, sf. Marchandise.
martsandin-a, s. Petit marchand, mercier.
martse, sf. Marche. *Dzenta* —, belle manière de marcher. Branche. V. *Brantse.*
martsé=*tsemené*, v. n. Marcher.
martseillon, sm. Morceau de branche.
martsepià, sm. Marchepied.
martseur, sm. Marcheur. *Grou* —, grand marcheur.
marva, sf. Mauve.
mascra, sf. Personne déguisée, masquée.
mascré, v. pr. *(Se)* Se masquer.
masetta, sf. Personne bonne à rien.
masqeulin, sm. Masculin.
massa, sf. Masse, fond d'argent. *In* —, tout ensemble.
massacre, sm. Homme qui gâte, brise tout. *Travaillé come un* —, travailler fort.
massacré, v. Massacrer, gâter, briser.
massacro, sm. Massacre, carnage, ravage.
masse, sf. Masse en bois.
massepan, sm. Massepain.
masseuchà-ye, pp. Qui est pressé, rendu massif, bien entassé.
masseuché, v. Presser, rendre massif.
masseus-sa, adj. Massif, ive. *Pan* —, pain qui n'a pas de pores. *Bouque* —, forêt épaisse, touffue.
massima, sf. Maxime, règle.
massolé = *massoler*, sm. Dent molaire.
mastéque, sm. Mastic.
masteqné, v. Mastiquer.
mastocure, sfp. Bêtises, enfantillages, actions de *mastoque.*
mastoque, sm. Nigaud, sans esprit.
mastoquin-a, adj. Petit nigaud, niais.
mat, sf. = bv. *arbion*, sm. Pétrin, coffre dans lequel on pétrit.
mat-ta, s. Fou, folle; insensé, ée.
mâté, v. Dompter.
matelachë, sm. Matelassier.
matelatse, sm. Matelas.
mâten, sm. Peine. *Avei* —, fatiguer, avoir peine à faire quelque chose. *Vei pà* — *de cen,* vous n'avez pas à vous inquiéter de cela.
matenà, sf. Matinée. *La* — *l'est la màre de la dzornà,* la matinée est la mère de la journée.
matenë-re, adj. Matineux, se.
matenne, sfp. Matines, prières de l'Eglise. *Tsanté* —, gronder, trouver à dire.
matëre, sf. Etoffe en laine. Matière dont une chose est faite. — *de l'orbet,* pus du furoncle.
materialiste, sm. Matérialiste.
materiel-la, adj. Matériel, elle.
maternel-la, adj. Maternel, elle.
maternità, sf. Maternité.
mateya = *matassa*, sf. Femme à la bonne, de peu d'esprit, sans malice.

mateyé v. Faire le fou, l'insensé, délirer.

matròna, sf. Femme de considération.

* **matin**, sm. *Ci—*, ce matin. *Lo bon —*, le bon matin. L'on dit aussi au féminin : *cetta matin.*

matse, sm. Tas. — *de bouque*, tas de bois. *A* — adv., beaucoup, en grande quantité.

mâtsé, v. Mâcher. *Cen l'est praou mâtsà*, cela est assez dit.

matsefér, sm. Mâchefer. V. *Merdafér.*

matserà-ye, adj. Qui est noirci, sali par le contact des ustensiles qui vont sur le feu.

matseré, v. Noircir, salir de noir.

matserin, sm. La chose qui noircit, salit.

mâtseuillar-da, adj. Qui est long à manger, embrouillé dans ses paroles.

matseuillé, v. Croustiller.

matson sm. Bouchée. *Passé bà lo —*, avaler ce qu'on a mâché.

maturità, sf. Maturité.

maudi = *mòdi*, v. Maudire.

maudi-te, adj. Maudit, ite.

maveuré=*maouré*, v. n. Mûrir.

maveur = *meur*, adj. Mûr, mure. *Le ceriëse son panco maoure*, le temps n'est pas encore venu.

mè, pr. de la 1re personne. — *dze parto*, moi je pars. *Baille-mè*, donne-moi. *Te me dis*, tu me dis.

më, adv. Mais. — *teuteun*, mais pourtant. *Më ! te vin më*, comment ! tu viens encore. *Torna pamë*, ne reviens plus.

më, sm. Mai. *Lo mei de më, fat pourté le sàdzo din lo doublé*, le mois de mai il faut porter les saules dans le bissac (si la vigne est encore à lier).

meàcllio = *meràcllio*, sm. Miracle.

meàcllio *se*, adv. Nous allons voir si...

meaculpa, sm. (*fére*). Se repentir.

mecanichen, sm. Mécanicien.

mecanique, sf. Se dit de tout mécanisme.

mechan-ta, adj. Méchant, te.

mechancetà, sf. Méchanceté.

mechantise, sf. Malice, action de méchant.

mechon, sf. Mission.

mechonnéro, sm. Missionnaire.

mëcllià-ye, adj. Mêlé, ée.

mëcllié, v. Mêler.

mëcllio, sm. Mélange. *Bon* —, bon mélange.

mecognëtre, v. M. C. F. C. Méconnaître.

meconten-ta, adj. Mécontent, ente.

mecontenté, v. Mécontenter.

mecontentemen, adv. Mécontentement.

mecreyen, sm. Mécréant.

medaille, sf. Médaille.

medaillon, sm. Petite médaille.

medecca, sf. Femme qui fait le médecin.

medecené, v. Médeciner.

medecenna, sf. Médecine.

mëde, sfp. Manières compassées, compliments, enfantillages. V. *Mouye.*

medecin = *mëdzo*, sm. Médecin.

mediachon, sf. Médiation. *Pe la* —, par l'entremise.

mediat = *immédiat,* adv. Tout de suite.
mediateur, sm. Médiateur.
mediatrice, sf. Médiatrice.
mediocramente, adv. Médiocrement.
mediocrità, sf. Médiocrité.
mediòcro-a, adj. Médiocre.
medire, v. n. M. H. Médire.
medisance, sf. Médisance.
medisen-ta. s. adj. Médisant, ante.
meditachon, sf. Méditation.
medité, v. Méditer, penser.
medzé, v. Manger. V. *Mindzé.*
medze, sf. Démangeaison. Fig. Désir, caprice.
mëdzo, sm. Médecin.
mefié, v. pr. *(Se)* Se méfier. V. *Mafié.*
mefien-ta, adj. Méfiant, ante.
mefiance, sf. Méfiance.
mefollà-ye, adj. Moisi, ie.
mefollé, v. n. Moisir. *Leiché* —, laisser moisir.
mefollu-ya, adj. Qui a pris le moisi.
megnadzé, v. Ménager, user d'économie. Faire aller le ménage.
megnadzemen, sm. Tout ce qui est du ménage.
megnadzëre, sf. Ménagère.
megnadzo, sm. Ménage.
megnot, sm. Garçon à marier.
megnotin, sm. Petit garçon.
megnotta, sf. Fille à marier.
megnotu, adj. Amoureux des filles.
megnotuya, adj. Qui aime les garçons.
megret-ta, adj. Un peu maigre.
mei = *meis,* sm. Mois. *Lo mei de më, l'est lo cinquëmo meis,* le mois de mai est le cinquième mois.
mëilla = *merga,* sf. Maïs.
meillaou = *pi bon,* sm. Meilleur.
meillar, sm. Milliard. *Un* —, un milliard.
meillerì, v. Améliorer. — *lo bien,* rendre le bien plus fertile. V. n. Devenir plus gras.
meillon, sm. Million. — *de livre,* million de francs. Petites pierres : *prendre a* —, prendre à coups de pierre, jeter des pierres à quelqu'un.
meillonero, sm. Millionnaire.
meina, sf. Mine. V. *Mina.*
meinà, sm. Enfant.
meinaillon, sm. Petit enfant. Fig. Homme sans parole.
meinaillure, sfp. Enfantillages. *Fére de* —, agir, se conduire en enfant.
meiné, v. Mener, conduire. — *lo beurro,* battre le beurre.
meis pe meis, adv. Mois par mois.
meison, sf. Habitation d'une famille. *Và maque ! meison l'at non torna,* va seulement, la maison (paternelle) s'appelle *retourne* (c.-à-d., va-t-en si ça te fait plaisir, tu ne tarderas pas à revenir).
meità, sf. Moitié. — *di ru,* moitié de l'eau du ruisseau.
meitanë-re, adj. Du milieu, mitoyen
meiten = *menten,* sm. Milieu.
meiteyé, v. n. Se dit du fil, lorsqu'une livre fait deux aunes de toile.
meitsà, sf. Moitié.
melanconìa, sf. Chagrin, langueur.
melanconien-ta, adj. Triste, languissant.
melandzé, v. Mélanger.
melandzo, sm. Mélange.

melaté, v. Porter à dos ou sur des montures. — *vià,* emporter les choses de la maison.

melatë, sm. Celui qui fait des transports.

melecca, sf. *(Allé in)* Se défaire, aller en bouillie.

meleque, sf. Qualité de figues.

melesemo, sm. Millésime.

meletsa, sf. Milice de 1848.

meletsot, sm. Milicien.

melisa, sf. Mélise.

melle, adj. Mille.

mëma, pro. f. Même. — *bagga,* même chose.

mëmamente, adv. Mêmement.

membro, sm. Membre. Chambre d'une maison.

mementò, sm. Réprimande. *Baillé un* —, réprimander, donner une bonne leçon.

mëmo, pro. Même. *Mè-mëmo,* moi-même.

memoére, sf. Mémoire.

memorablo-a, adj. Mémorable.

memorial, sm. Mémorial.

men, adv. Moins. — *que cen,* moins que cela.

men, sm. Mémoire. *De bon* —, qui apprend facilement, qui a une bonne mémoire. *Teni* —, rester à regarder ce que font les autres. *Teni a* —, se rappeler.

mena, sf. Mine, air du visage. *Beurta* —, laide mine. *Fére* —, faire semblant, paraître.

* **menace,** sf. Menace.

menaché, v. Menacer.

menchon, sf. Mention. *Fére* —, mentionner.

mendà-ye, adj. Qui a été mondé.

mendàye, sfp. Chataignes dépouillées de la première écorce et cuites à l'eau.

mendé, v. Monder.

mendin, sm. Sarclure. — *di courti,* sarclure du jardin.

mendro-a, s. De peu de valeur. *Mendro que t-i!* que tu vau peu pour le travail! *La mendra,* sf. La moins bonne.

mendro = bv. *croï,* adj. Malsain, maladif.

menin, sm. Chat; fleur du noyer, du saule...; tout ce qui est doux au toucher (langage enfantin).

menina, sf. Chatte.

mensondze = *messondze,* sf. Mensonge.

mensondzë-re, adj. Mensonger, ère. Lorsqu'un menteur raconte une chose on lui dit: *Se l'est pa vrai, lo mentar l'est pa llioen,* si cela n'est pas vrai, le menteur n'est pas loin.

menta, sf. Menthe.

mentar-da, s. adj. Menteur, euse. *L'est pi vito accapà un mentar qu'un trampo,* il est plus vite attrapé un menteur qu'un boiteux.

mentàtro, sm. Menthe sauvage.

menté, v. n. Durer, faire bonne façon. *Lo pan deur mente depi que lo frëque,* le pain dur dure de plus que le frais.

menteri, sf. Menterie.

menti, v. n. Mentir.

menton, sm. Menton. — *barbu,* menton barbu. — *de la louye,* modillon de la galerie.

menu = *tri,* sm. Menu, en petits morceaux.

menugë, sm. Menuisier.

meneuseri, sf. Menuiserie.

menuta, sf. Minute.

menutéra, sf. L'aiguille qui marque les minutes.
mepri, sm. Mépris.
meprijà-ye, pp. Qui est méprisé, ée.
meprijé, v. Mépriser. *Fâ se marié pe se fére meprijé et mouere pe se fére gabbé,* il faut se marier pour se faire mépriser et mourir pour se faire louer.
meprisablo-a, adj. Méprisable.
mëque = *amë,* sm. Miel. *In acàpe pi de moutse atot lo mëque qu'atot lo venégro,* on attrape plus de mouches avec le miel qu'avec le vinaigre.
* **mer,** sf. *Peisson de —,* poisson de mer.
meràcllio = *meàcllio,* sm. Miracle.
merci, adv. *(Vivre a sa)* Vivre à sa fantaisie.
mercuriale, sf. Denrée du marché.
merda, sf. Merde. *Repondre — pe gramaci,* rendre le mal pour le bien. — *di tsat,* réglisse.
merdafer, sm. Mâchefer.
merdaou-sa, adj. Merdeux, gamin.
mergondé, v. Broder, ornementer.
mergondure, sfp. Broderies, ornements.
mére, sf. Mère.
mére-groussa, sf. Grand-mère.
meredien, sm. Qui est au midi, ou regarde le midi.
meredieina, sf. Méridienne. *Fére la —,* dormir après le dîner.
mereté, v. Mériter.
mereten-ta, adj. Qui mérite.
mereto, sm. Mérite.
meretoéro, adj. Méritoire.
meriaou, sm. Miroir.
merié, v. Mirer, viser. — *jeusto,* mirer juste. *Merié a l'arandolla, et fiei a la petolla,* manquer le but proposé.
merleutse, sf. Merluche.
merveillaou-sa, adj. Merveilleux, euse.
* **merveille,** sf. *Fére —,* faire merveille.
mesan-a, adj. Qui tient le milieu.
mesaventure, sf. Infortune, disgrâce.
meseura, sf. Mesure. *For —, foura —,* hors de mesure.
meseuré, v. Mesurer.
mesquin-a, adj. Mesquin, pauvre, petit.
mesquineri, sf. Mesquinerie, petitesse.
messa, sf. Messe. — *gran,* grand-messe. *Avei par a la messa de Castellamon,* se dit lorsqu'on casse la vaisselle. Là, dit-on, l'on fait dire une messe pour qu'on casse beaucoup de vaisselle. *Allé a — quan lo prëre se letse le dei,* n'arriver à la messe que lorsque le prêtre prend les ablutions, arriver à la fin.
messadzë-re, s. Messager, ère. — *di corbë,* mauvais messager.
messadzo, sm. Message.
messàta, sf. Saumure. *Tser in —,* viande en saumure.
* **Messie,** sm. Le Christ promis. *Attendre lo —,* attendre longtemps.
messondze = *mensondze,* sf. Mensonge.
metail, sm. Métal. *Bron de —,* marmite de bronze.
metalique, adj. Métallique. *Pluma —,* plume métallique.
metana, sf. Mitaine.

metigé, v. Mitiger.
metòda, sf. Méthode.
metra, sf. Mitre d'évêque.
metraille, sf. Mitraille.
metraillé, v. Tirer à mitraille.
métre, sm. Maître. *Etre ni — ni valet,* n'être ni maître ni valet. *Allé a —,* s'engager domestique, valet.
métre, sm. Mètre. *Meseuré a —,* mesurer à mètres.
metressa, sf. Maîtresse.
metrique, adj. Métrique. *Sistémo —,* système métrique.
metrise, sf. Maîtrise.
metrisé, v. Maîtriser.
metsance, sf. Eboulement d'eau mêlée de terre en grande quantité. (Mauvaise chance). On dit aussi *Betà.*
metse = bv. *mecca,* sf. Pain blanc.
Metsé, sm. *(Saint)* Saint Michel.
mëtsë, sm. Métier. *Trei mëtsë et peina a vivre,* trois métiers et peine à vivre.
metsebletta, sf. Bonasse, personne simple.
mëtso, sm. Maison, appartement.
meublé, v. Meubler. *Se —,* se fournir de meubles.
meuché, v. n. Disparaître. *Lo soleil l'est meuchà,* le soleil s'est couché.
meulet, sm. Mulet. *Fére lo —,* se dit des enfants qui piétinent de colère.
meur-maoura, adj. Mûr, e.
meur, sm. Mur de campagne.
meuraille, sf. = *méur,* sm. Mur de bâtiment.
meuraillé, v. Faire des murailles, des murs.
meurdzëre, sf. Amas de pierre. *Meison in —,* maison en ruine.
meuré, v. Murer, faire des murs.
* **meurtre,** sm. Homicide.
meurtri-a, adj. Qui est contusionné.
meusalla, adj. Vache malade de *meusaleri.*
meusaleri, sf. Maladie des vaches, qui consiste dans des boutons qu'elles ont dans la chair.
meusé, v. Penser, croire, s'imaginer.
meusecca = *mesecca,* sf. Musique.
meuset, sm. Souris au nez pointu.
meuset-ta, adj. Espiègle, qui fourre son nez partout.
meusichen, sm. Musicien.
meussen, sm. Couchant. Adj. *Solei —,* soleil couchant.
meusset, sm. Passage très étroit. *— de saint-Or,* crypte dans la Collégiale de S. Ours.
meut-ta, adj. Muet, ette.
meutta, sf. *(Dzoyé a la)* Jeu des doigts, sans parler, où l'un prend le nombre pair et l'autre l'impair.
meutun = *meutina,* adj. Qui parle peu.
meya, sf. Meule de paille.
meyana, sf. Moyenne. Adj. *Clliotse —,* la seconde des trois cloches.
mi, sf. Mie. *La mi di pan,* la mie du pain.
mìa, sf. Miette. *— de pan,* miette de pain. *Euna —,* un petit peu. V. *Vouëre.*
miané = *miouné,* v. n. Miauler.
micmaque, sm. Brouillerie, micmac.

miĕ, Mi. *A — tsemin,* à mi chemin.

miĕdzor, sm. Midi.

miĕnet, sf. Minuit. *Tsertsé — a quatorz'aoure,* sortir de la question.

miere, v. M. C. F. L. Moissonner.

mietta, sf. Miette. *Euna —,* tant soit peu.

mion, sm. *(Un)* Un petit peu, un instant.

mieuché, v. Presser. *Se — un dei,* se presser un doigt, se froisser. Presser pour faire sortir le jus.

mieussa, sf. Rate. *— di vĕ,* rate du veau. *Conflé la —,* faire de grands efforts.

mieuve = bv. *roué,* sfp. Herbe qu'on coupe avec la faucille.

mignon-mignouna, adj. Mignon, onne.

migràna, sf. Migraine.

Milan = *Meilan,* sf. Milan.

milor, sm. Milord.

min-a, adj. Mien, mienne.

mina = *meina,* sf. Mine. *Baillé euna —,* donner un coup de mine.

mindzé = *medzé,* v. Manger. *Mindzé come un poù borgno,* manger à plein ventre (le coq borgne voyant très peu les autres, ne pense qu'à lui).

miné, v. Pratiquer une mine. *— lo berrio,* miner le rocher.

minerè, sm. Minerai.

mingoyé, v. n. Faire quelque chose avec les mains, s'amuser à des riens.

* **mineur,** sm. Celui qui mine les rochers.

mineur-a, adj. Mineur. *— d'adzo,* mineur d'âge.

ministéro, sm. Ministère.

ministro, sm. Ministre.

minorità, sf. Minorité.

miolèr, sm. Ce qui est tout près de la moelle.

miope-a, adj. Myope.

miopie, sf. Myopie.

mioù, adv. Mieux.

mioula, sf. Moelle. *Vouindre atot de — de fréno,* frapper avec un bâton de frêne.

miouné, v. n. Miauler.

miranler, sm. Qui regarde autre chose que ce qu'il devrait (qui mire en l'air).

mire, sf. Mire du fusil.

miré = *merié,* v. Mirer. *— a la lĕvra,* mirer au lièvre. *Se —,* se regarder au miroir.

misa, sf. Mise. *— i dzoà,* mise au jeu, enjeu.

misé, v. Mettre sa mise à l'enchère, enchérir.

miserablamente, adv. Misérablement.

miseràblo-a, s. adj. Misérable.

miserablo = *miseoblo,* sm. Petit demi-litre. On présenta le *miseoblo* à boire à quelqu'un qui avait bien soif. Celui-ci mit une prise de tabac sur le couvercle de la mesure..... On lui dit: *Perquè féde-vo cen?* Il répondit: *Vei-teu, ara etargni poue, et mè dze lei dio poue: Dzeu te creisse, ti tan miseoblo.* Pourquoi faites-vous cela? Vois-tu, répondit-il, tout à l'heure il va éternuer et moi je lui dirai: Dieu te croisse, tu es tant misérable.

misére, sf. Misère.

misericorde, sf. Miséricorde. *Sensa —,* à tout prix, sans égards.

misericordieu-sa, adj. Miséricordieux, euse.

missel = *lëvro de messa,* sm. Missel.
misterieu-sa, adj. Mystérieux, euse.
mistéro, sm. Mystère.
mitonnà-ye, pp. Mitonné, ée.
mitonné, v. n. Mitonner.
mitoyeina, sf. Mur qui partage un appartement en deux.
mitoyen, adj. Mitoyen. *Meur* —, mur mitoyen.
* **mitrailleuse** = *metrailleuse,* sf. V. *Metraille.*
mobila, sf. Mobile. *Garda* —, garde mobile.
mobillë, sm. Mobilier.
mobillëre, sf. Mobilière (impôt).
mobilo, adj. Mobile. Parfois se dit pour immobile.
moccar-da, adj. Qui se raille des autres, moqueur.
moda, sf. Mode, coutume.
modé, v. Remuer. — *la peilà,* remuer la bouillie avec le *modon.* V. n. bv. Partir, se mettre en chemin.
modelé, v. pr. *(Se)* Se modeler.
modélo, sm. Modèle.
moderà-ye, adj. Modéré, ée.
moderachon, sf. Modération.
moderé, v. Modérer.
moderna, adv. *(A la)* A la nouvelle mode.
moderné, v. pr. *(Se)* Suivre l'usage moderne.
moderno-a, adj. Moderne.
modesto-a, adj. Modeste.
modestamente, adv. Modestement.
modestìa, sf. Modestie.
modëtro-a, adj. Qui est malaisé, mal commode ; grossier, maladroit.
modetta, sf. Petit bâton pour démêler la farine avec le liquide.
modon, sm. Bâton pour tourner, remuer la nourriture ou autre substance liquide. — *de la caillà,* bâton piqué de chevilles pour remuer le lait caillé.
modze, sf. Génisse. *De modze veni vë,* de génisse redevenir veau (de maître redevenir valet).
modzon, sm. Génisson. Fig. Personne lourde, grossière.
modzouné, sm. Celui qui garde les génissons.
moëtro-a, adj. Moit, moite.
moffla, sf. Moufle. V. *Manchon.*
moffletta, sf. Charbon, maladie du blé.
moillà-ye, adj. Mouillé, ée.
moillé, v. Mouiller, tremper.
moilletta, sf. Fer plat dont on fait des cercles.
moillaou, sm. Aiguiseur.
malelat, adv. *(Etre)* Etre peu à l'aise, être malade.
molenë-re, s. Meunier, ière.
molené, v. Moudre.
molesse, sf. Manque de vigueur.
molesta, sf. Vexation, manque d'égards. *Sensa* —, sans manque d'égards.
molesté, v. Molester.
moletta, sf. Pierre à aiguiser. On dit aussi — à une pierre que rencontre la faux en fauchant.
moleus, sm. *di pan.* Le mou du pain.
molin, sm. Moulin. *Lo molin de la fan, quan l'at d'éve l'at pà de gran,* le moulin de la faim qui a de l'eau et n'a pas de grains.
mollé, v. Aiguiser.

mòlo-a, adj. Mou, molle.
moloton, sm. Molleton.
momen, sm. Moment, instant.
* **mon,** adj. — *pére,* — *ama,* — *aoura,* mon père, mon âme, mon heure.
mon, sm. Mont. *Passé le* —, aller en France, en Suisse.
* **monarchie,** sf. Etat gouverné par un seul.
monarchiste, sm. Qui est pour la monarchie.
* **monarque,** sm. *Quin* — *!* Quel monarque! Se dit à celui qui veut en imposer.
monastéro, sm. Monastère.
mondàna, s. adj. Mondaine.
mondanità, sf. Mondanité.
monden, s. adj. Mondain.
mondo, sm. Monde. *Lo — deut,* les gens disent.
mondze! Mon Dieu! Hélas! On dit: *Mondze lo petsou vin!* et: *Dzàblo lo bon vin!*
monechon, sf. Munition. *Pan de* —, pain de munition.
moneya, sf. Monnaie. — *blantse,* pièces d'argent. — *tria,* argent menu.
mongagnent-a, adj. Gênant. *Travail* —, travail gênant, mal commode.
mongagnenta, sf. Personne acariâtre, difficile à contenter.
* **monopoleur,** sm. Se dit encore de celui qui fraude la marchandise.
monopòlo, sm. Monopole.
monsefé, adv. Sans doute, rien d'étonnant (mal s'en faut). *L'est venu vito reutso : — l'at avu trei eretadzo,* il est venu vite riche, pas d'étonnant, il a eu trois héritages.
monsègneur, sm. Monseigneur.
monseur, sm. Monsieur. On dit: *Va-t'en, — de pèdze,* va-t-en, Monsieur de poix (de rien).
monseuraille, sfp. Messieurs. Terme de mépris.
monstro, sm. Monstre.
monstruyeu-sa, adj. Monstrueux, euse.
monstruyosità, sf. Monstruosité.
montà, sf. Montée. V. *Poyà.*
montà-ye, adj. Monté, ée. — *pe le fëte,* monté pour les fêtes.
montagnar-da, s. adj. Montagnard, arde.
* **montagne,** sf. Mont.
montan, sm. Montant. — *de la somma,* total de la somme. — *de la pourta,* montant de la porte.
monté, v. Monter, établir. V. *Poyé.*
monteqeulo, sm. Monticule.
monteura, sf. Monture.
monumen, sm. Monument.
moque, sfp. Moqueries. *Qui deut de moque, le boque,* qui dit des moqueries, les reçoit. Sm. Morve. *Euna bagga que le paysan tappon vià et que le monseur betton in secotse,* une chose que les paysans jettent loin et que les messieurs cachent en poche. V. *Morgavë.*
moqué, v. pr. *(Se)* Se moquer.
moqueri, sf. Moquerie. *Euna* —, une chose de rien.
* **moqueur,** adj. V. *Moccar.*
mor, sm. Mort, corps de personne morte.
mor, sf. Mort, la fin de la vie. *Euna bagga que pi se mande vià, todzor depi s'approtse,* une chose que plus on envoie loin, plus elle s'approche.

mor-ta, adj. Mort, morte. *Lo fouà l'est* —, le feu est éteint.
moraille, sf. Muselière.
moraillon, sm. Chaine qui serre le museau du mulet. *Aveitsé maque lo* —, ne regarder que le visage. Morceau de *molietta* qu'on met au sommet des galoches.
* **moral,** sm. adj. *Su lo rappor* —, pour ce qui est du moral.
moràla, sf. Morale. *Fére euna* —, donner une bonne leçon, remontrer.
moralamente, adv. Moralement.
moralisé, v. Moraliser, porter aux bonnes mœurs.
moralità, sf. Moralité.
morceillé, v. Mordiller.
morden, sm. Mordant.
morden-ta, adj. Mordant, ante.
* **mordre** = *mourdre,* v. Mordre. *Prèdzé douce et mordre deur,* parler doux et mordre dur.
morduya, sf. Morsure. — *di tsin,* morsure du chien. — *de pan,* bouchée de pain.
moret-ta, adj. Un peu noir.
morette, sf. Fruit des ronces.
moreyé, v. Faire la moue, la grimace, bouder.
morfio-a, adj. Difficile pour le manger.
morfiet-ta, adj. Diminutif de *Morfio.*
morfondre, v. Humilier en contredisant.
morfondu-ya, pp. Morfondu. *Resté* —, ne savoir plus que répliquer.
morgavalu-ya, adj. Morveux, euse. *Fat todzor se senti dére : Motse-tè, p'un morgavulu,* c'est par un morveux qu'il faut toujours s'entendre dire: Mouche-toi.
morgavë, sm. Morve. Autrement : *agnë.* On dit aux enfants : *L'agnë te vin bà in botse,* la morve te descend en bouche.
moribon-da, adj. Moribond, onde.
mormoté, v. Murmurer. V. *Gremouné.*
mornifla, sf. Soufflet, coup au visage.
morniflé, v. Souffleter.
mòro = *mouro,* sm. Nègre, négresse.
mòro-a, adj. Noir. *Vë* —, veau noir.
moron, sm. Mûrier.
mors = *mous,* sm. Mors. *Betté lo* —, mettre le mors.
mortalità, sf. Mortalité.
mortaren, sm. Pétard.
mortaret, sm. Qualité de fromage.
mortë, sm. Mortier. — *de la sà,* mortier du sel. Mortier des maçons.
mortel-la, adj. Mortel, elle.
mortellamente, adv. Mortellement.
mortése, sf. Mortaise.
mortificachon, sf. Mortification.
mortifià-ye, adj. Mortifié, ée.
mortifié, v. Mortifier, faire de la peine.
moscadin, sm. Blanc-bec qui fait le beau garçon.
moscat, sm. Muscat.
moscatéro, sm. Mousquetaire, se dit de ceux qui tirent les pistolets le jour des noces.
moscatta, sf. Noix muscade.
mosquin-a, s. Qui épie, fiche son nez partout.
mosselina, sf. Mousseline.

mostatsà, sf. Coup qu'on reçoit, surtout au visage.
mostatse, sf. Moustache.
mostatson, sm. Qui a de grosses moustaches.
mot, sm. Mot. *Dëre dò* —, dire deux mots.
mot-ta, adj. Qui n'est pas pointu, qui est émoussé.
motarda, sf. Moutarde.
moté, v. Couper la pointe, rendre obtus.
* **motet,** sm. Chant de l'Eglise.
* **motif,** sm. Ce qui porte à faire quelque chose.
motivé, v. Motiver.
motsail, sm. Bout de la mêche. — *di crouëjeu,* moucheron de la lampe.
motsaillon, sm. Petit *motsail.*
motsaou, sm. Mouchoir.
motsé, v. Moucher. — *la tsandeila,* ôter le moucheron à la chandelle.
motsé, v. pr. *(Se)* Se souffler le nez.
motset, sm. Epervier. Femme échevelée, mal tenue.
motsetta, sf. Viande sèche salée.
motsette, sf. Chènevotte empreinte de soufre.
mòtso-a, adj. Qui est sans cornes ou qui n'en a qu'une.
motson, smp. Cornes qui commencent à sortir. *Ci-lé l'at le* —, celui-là a les cornes, est un diable, un sorcier.
motta, sf. Petit fromage. *Tseque gotta, creit la motta,* chaque goutte, croit la *motta.*
mouà-ye, adj. Qui a changé le poil.
mouda, sf. Glas. *Sonné trei moude,* sonner le glas en trois reprises.
* **moudre,** v. irr. M. C. On dit aussi *molené.*
moué, v. n. Muer, changer de poil. Pour les bêtes à plume on dit *penni.*
mouë, sm. Tas. *Un* —, plusieurs, un grand nombre, un tas de.....
moueina, sf. Moinesse, religieuse.
mouenno, sm. Moule pour former quelque chose.
mouere, v. M. C. Mourir. On dit aussi *mouri,* M. B.
mouére, sf. Saumure, eau salée.
mouffi, v. n. Moisir.
mouffi-a, adj. Moisi, ie.
moula, sf. Meule.
moure, v. n. M. C. F. M. Se mettre en chemin. bv. *modé.*
moura, sf. *(Dzoà de la)* Jeu des doigts.
mourré, v. n. Heurter contre quelque chose.
mourro, sm. Museau. *Fére lo* —, montrer du mécontentement.
mouteura, sf. Mouture.
mouton = *maouton,* sm. Mouton, bélier.
moutonet, sm. Petit mouton.
moutra, sf. Montre, échantillon.
moutré, v. Montrer, enseigner.
moutse, sf. Mouche. *Prendre la* —, se piquer, se mettre en colère.
moutseillon, sm. Moucheron. Dans leurs jeux, les enfants font aller un moucheron, à la cuirasse rouge, au bout du doigt, disant : *Moutse, moutseillon, pren ta cotta et ton coteillon, et vòla,* mouche, moucheron, prend ta robe et ton jupon et vole. Et, à leur

grande joie, la petite bête découvre sa cuirasse, étend ses ailes et s'envole.

moutso-a, adj. Morne, confus.

mouye, sfp. Manières grottesques, affectées. V. *Mëde.*

moyen, sm. Possession, richesse.

moyen, adv. *Heu —!* Non, non, pas du tout!

moyen-moyeina, adj. Qui est entre le grand et le petit, le large et l'étroit.

moyennan, prép. Moyennant.

moyer, sm. *de l'où,* le jaune de l'œuf.

mu-ya, adj. Prêt, prête à partir.

muda, sf. Vêtement. — *di fëte,* vêtement des fêtes.

multiplicachon, sf. Multiplication.

* **multiplicateur,** sm. Nombre par lequel on multiplie les multiplicandes.

multiplié, v. Multiplier.

muni-a, adj. Muni, e. — *de tot,* qui a tout le nécessaire.

muni, v. Munir, pourvoir.

* **municipal-àla,** adj.

* **municipe,** sm. = *Meison comeunàla.*

murmuro, sm. Murmure. — *di dzen,* plainte du monde.

murmuré, v. n. Murmurer.

musé, v. pr. *(Se)* Penser, se faire une idée. *Muso bin que sie,* je crois bien qu'il en soit ainsi.

mutachon, sf. Mutation. — *de vouëce,* se dit des jeunes gens, dont la voix change. — *cadastrala,* changement sur le cadastre du nom du propriétaire.

mutilé, v. Mutiler.

mutuyel-la, adj. Mutuel, elle.

N

nà, part. nég. Non. *Dére vouè et nà,* dire oui et non.

nâ, sm. Nez. *Meiné pe lo nâ,* renvoyer d'aujourd'hui à demain.

nâ-ye, adj. Né. ée. V. *Neissu.*

nachon, sf. Nation.

nachonàl-a, adj. National, e.

nadze, sf. Nage. *A la —,* à la nage. *Nadze,* sfp. Les fesses.

nadzé, v. Nager.

nàge, sf. Sueur. *Tot in —,* tout en sueur.

nan, sm. Elan qu'on prend pour sauter. Démarche.

nanse, sf. Nasse des pêcheurs.

nanté, v. Balancer. *— de sonno,* clocher de sommeil.

nappa, sf. = *Mantë,* sm. Nappe de table.

naris = *nareus,* sm. Naseau, se dit plutôt des bêtes.

narta, sf. Odorat. *Le tsin l'an bouna —,* les chiens ont bon odorat.

narachon, sf. Narration. *Fére la —,* dire chose par chose.

naré, v. Narrer, raconter.

nasal-a, adj. Nasal, ale.

nasarda, sf. Quolibet, raillerie.

naseuillar-da, adj. Qui parle du nez.

naseuillé, v. Nasiller. *Dze si pà cen que m'at naseuillà,* je ne sais pas ce qu'il m'a dit.

* **natal,** adj. *Pay —,* pays natal.

nateura, sf. Nature.

natif-iva, adj. Natif, ive.

natività, sf. Nativité de N. S., de la S. Vierge, de S. Jean-Baptiste.....

nàtsa, sf. Terme de mépris, laide figure.

naturalisé, v. Naturaliser (1).

naturaliste, sm. Naturaliste.

natura, sf. Nature.

naturel-la, adj. Naturel, elle.

navegué, v. pr. *(Se)* Se tirer d'affaire.

navetta, sf. Navette du tisserand.

navigateur, sm. Qui voyage sur mer.

navré, v. n. Navrer de douleur.

navro-a, adj. Qui est navré, blessé, perclus. *— d'un bré,* perclus d'un bras.

neant, sm. Néant.

néce, sm. Nerf. *— de boù,* nerf de bœuf. V. *Nerf.*

néce, sm. Fossé où l'on met rouir le chanvre.

necesséro-a, adj. Nécessaire.

necesséro, sm. *(Lo)* Le nécessaire.

necessità, sf. Nécessité.

---

(1) Ce mot et les trois suivants prennent aussi un *e* entre le *t* et l'*u*. Ex. : *Nateura,* etc.

necessitaou-sa, adj. Nécessiteux, euse; qui a toujours besoin.
nèf-neffe, sf. Nef d'église.
nefasto-a, adj. Néfaste.
negachon, sm. Négation.
negatif, sm. Négatif.
negativa, sf. *(Mandé la)* Envoyer dire que non.
negledzà-ye, adj. Négligé, ée.
negledzé, v. Négliger.
negledzen-ta, adj. Négligent, ente.
negledzence, sf. Négligence.
negoce, sm. Négoce, trafic.
negochan, sm. Négociant.
negoché, v. Négocier.
nei, sf. Neige. *Dze si blan come la* —, je suis innocent.
neigé, sm. Tas de neige tardive à fondre.
neigé, v. imp. Neiger.
neigé, v. n. Rouir. *Fére* —, faire rouir le chanvre.
neina, sf. La femme, en général; la marraine. Enfantin
neirâtro-a, adj. Noirâtre.
neiret, sm. Qualité de raisin.
neiret-ta, adj. Qui est un peu noir.
neivre, v. imp. Neiger.
nëna, sf. Berceau (enfantin). *Fére* —, dormir.
nënë, sm. Berceau. *Në, në; bon, bon.* Chant pour endormir les enfants.
nëpia, sf. Nèfle. *Leiché bouyé le nëpie,* attendre encore.
nëpië, sm. Néflier.
ner-neire, adj. Noir, noire.
nerdalla, sf. Qualité de raisin.
nerf, sm. = *néce.* Nerf.
nesse-a, adj. Nice, un peu noir. *La bouiya l'est* —, la lessive n'est pas blanche.
net-ta, adj. Propre. *Dze si* —, je ne suis pas coupable.
net, adv. Dur, fort. *Beuché* —, frapper fort.
nët, sf. Nuit. *Totta la* —, toute la nuit.
net, sm. Nuit. *Dentor lo* —, vers le soir.
netra, sf. Terre que l'eau bourbeuse dépose.
nëtre, v. n. M. C. F. G. Naître.
netteyé, v. Approprier, nettoyer.
neublo, adj. Nébuleux. *Ten* —, temps nuageux.
neullità, sf. Nullité.
neullo-a, adj. Nul, nulle.
neureus, sm. Enfant qui est en nourrice. Garçon qui accompagne l'épouse à l'autel.
neureusse, sf. Nourrice. Fille qui accompagne l'épouse le jour de mariage.
neutralità, sf. Neutralité.
neutro-a, adj. Neutre.
nevaou, sm. Neveu. *Rëe nevaou,* arrière neveu.
nevrargie, sf. Névralgie.
neyé, v. pr. *(Se)* Se noyer.
* **ni,** particule nég. *Ni l'un ni l'âtro,* ni l'un ni l'autre.
ni, sm. Nid. — *di s-aousë,* nid des oiseaux.
nichà, sf. Nichée.
nié, v. Nier.
nifla, sf. Action de *niflé.*
niflé, v. n. Donner du vent sans faire du bruit.
nigò-da, adj. Nigaud, aude.
nivelé, v. Niveler.
nivò, sm. Niveau.
no, pron. Nous. *No sen nò que...* C'est nous qui.....
* **noblesse,** sf. Personnes nobles.
* **noce,** sf. Festin du jour du mariage.

noceyaou, sm. Convive de la noce.

* **noël**, sm. *Tsanté un* —, chanter un noël.

nomà-ye, adj. Nommé, ée.

nombré, v. Nombrer.

nombreu-sa, adj. Nombreux, euse.

nombro, sm. Nombre. *Di bon* —, du nombre des élus.

nomé, v. Nommer, élire.

nomenclateura, sf. Nomenclature.

nominachon, sf. Nomination.

* **nominateur**, sm. Celui qui nomme.

nompà de, adv. Au lieu de, non pas de....

non, sm. Nom. *Dzi non Dzan*, je m'appelle Jean. Dev.: *Euna bagga que tè te l'à et mè dze l'impleyo*, une chose que tu as et moi je l'emploie. *Porté lo non d'ëtre*, passer pour être.

nonageneró-a, adj. Nonagénaire.

nonanta, adj. Nonante.

* **nonce**, sm. Ambassadeur du Pape.

nonchalan-ta, adj. Nonchalant, ante.

* **nonchalance**, sf. Négligence, manque de soins.

nor, sm. Nord.

nora, sf. bv. Belle-fille.

norma, sf. Règle, coutume.

normal-a, ádj. Normal, ale. *Ecoula* —, école normale.

norman, sm. Dormant, chassis.

nota, sf. Note de compte, de musique.

notâblo-a, adj. Notable.

notablamente, adv. Notablement.

notariat, sm. Office et fonction de notaire.

notariel-la, adj. Fait par un notaire.

noté, v. Noter, remarquer.

notéro, sm. Notaire.

* **notice**, sf. Nouvelle de l'étranger. *Tsandzé de* —, changer de vie.

notificachon, sf. Notification.

notifié, v. Notifier.

nou, adj. num. Neuf. — *dzor*, neuf jours.

noù-nouva, adj. Neuf, neuve. V. *Nouvo.*

noublamente, adv. Noblement.

noublo-a, adj. Noble d'origine. Fig. Qui est difficile pour le manger.

nouna, sf. *(Becca de)* Pic de 11 heures.

nouna, sf. Méridienne. *Fére la* —, faire la méridienne.

nouri = *neuri*, v. Nourrir.

nourissen-ta, adj. Nourrissant, ante.

nouriteura, sf. Nourriture. On dit en plaisantant: *Bien beire et bien mindzé, l'est meitsà noreteura*, bien boire et bien manger est moitié nourriture.

noutre, smp. *(Le)* Les nôtres, nos parents.

Noutre-Dama, sf. Notre-Dama.

noutro-a, pron. Notre.

nouviëmo, adj. Neuvième.

nouvë-nouvella, adj. V. *Novè.*

nouvo-a, adj. Neuf, neuve.

novë-novella, adj. Nouveau, nouvelle. *Tot novë, tot bë*, bv. tout nouveau, tout beau.

novella, sf. Nouvelle. *Bouna* —, bonne nouvelle.

noveima, sf. Neuvaine.

novellamente, adv. Nouvellement.

novelletà, sf. Nouveauté.

novembro, sm. Novembre.
noveus, sm. Pré nouveau.
* **novice**, sm. Celui qui fait son noviciat.
novicho, adj. Nouveau. — *i mëtsë*, tout nouveau au métier.
* **noviciat**, sm. Etat des novices, la maison qu'ils habitent.
noyàta, sf. Petit noyer.
noyë, sm. Noyer.
nu, sm. Nudité. *Leiché vère lo* —, laisser paraître la nudité.
nu-ya, adj. Nu, nue.
* **nuire**, v. n. M. C. F. H. Nuire.
nuisiblo-a, adj. Nuisible.
nul-nulla, s. Nul, nulle. V. *Neullo.*
numerachon, sf. Numération.
numerateur, sm. Numérateur.
numerò, sm. Numéro.
numeroté, v. Numéroter.

O

o *mon Dzeu!* O mon Dieu!
o, conj. Ou. *O l'un o l'âtro,* ou l'un ou l'autre.
oba, sf. Aube, vêtement de prêtre.
obeï, v. n. Obéir. V. *Creire.*
obeissen-ta, adj. Obéissant, ante.
obeissence, sf. Obéissance.
* **obit,** sm. *(Messa d')* Messe de sépulture.
oblachon, sf. Oblation.
obledzà-ye, adj. Obligé, éé.
obledzé, v. Obliger.
oblegachor, sf. Obligation. *Etre d'—,* être reconnaissant, débiteur.
oblegatoéro, adj. Obligatoire.
obleque, adj. Oblique. V. *Debiië.*
obteni = *otteni,* v. M. B. F. D. Obtenir.
occa, sf. Oie. *Verrié l'—,* tomber par terre, mourir.
occajon, sf. Occasion.
occajoné, v. Occasionner.
ocean, sm. Océan.
Oceanie, sf. Contrée de ce nom.
occupachon, sf. Occupation.
occupé, v. Occuper. v. pr. *S'—,* s'occuper.
octòbre, sm. Octobre.
oculéro, adj. Oculaire. *Temoin —,* témoin oculaire.
* **oculiste,** sm. Médecin oculiste.
odeur, sf. = *flà,* sm. Odeur. *Mouëre in — de saintetà,* mourir en odeur de sainteté.
odieu-sa, adj. Odieux, euse.
oé! hoé! *venide inque,* Hé! venez ici.
œillàda, sf. Œillade.
œuvra, sf. Œuvre. *Bouna —,* bonne œuvre. Au pluriel, *œuvre boune,* bonnes œuvres.
offensa, sf. Offense.
offensé, v. Offenser.
offensen-ta, adj. Offensant, ante.
offensif-va, adj. Qui est propre à offenser.
offerta, sf. Offrande qu'on fait à l'église.
offertoéro, sm. Offertoire, partie de la messe.
offeuché, sm. Officier de l'armée.
officho, sm. Office. *— di mor,* office des morts. *— di perceiteur,* bureau où l'on paye les impôts.
officialità, sf. Les officiers. (terme militaire).
officiau, sm. Officiant. *Lo prëre —,* le prêtre officiant.
officiel-la, adj. Officiel, elle.
officiellamente, adv. D'une manière officielle.
offran = *offren,* smp. Ceux qui ont fait l'*offranda.*
offranda, sm. Offrande faite à Dieu, ou à l'église, d'un don.
offren, sm. Offrant. *Lo pi —,* le plus offrant.

offri, v. Offrir, faire offre de quelque chose. *Allé* —, porter le pain au prêtre et baiser l'étole lors des messes de sépulture.

offro, sm. Offre. — *de cent livre*, offre de cent francs.

offusqué, v. Offusquer.

oh! *quin maleur!* Oh! quel malheur!

oillentse, sf. Fruit de l'églantier.

oillentsë, sm. Eglantier.

oisivetà, sf. Oisiveté.

olà! = *holà!* Int. *Betté lo* —, imposer silence.

olagne, sf. Noisette. On dit aussi *agnolle*.

olagnë, sm. Noisetier.

oliva, sf. Olive.

olivië, sm. Olivier.

olograffo, adj. Olographe. *Testemen* —, testament olographe.

ombra, sf. Ombre. *Fére* —, être à charge à quelqu'un. *Etre a l'*—, être en prison. *Mioù vât l'— que la tomba*, mieux vaut la prison que la tombe.

ombrà-ye, adj. Qui est situé à l'ombre.

ombradzaou-sa, adj. Ombrageux, euse.

ombradzé, v. Ombrager, faire ombre.

ombradzo, sm. Ombrage. — *di plante*, ombrage des arbres. *Fére* —, être importun par sa présence.

ombrella, sf. Parasol des dames.

ombretta, sf. Petite ombre.

omechon, sf. Omission. *Petsà d'*—, péché d'omission.

omecido, sm. Homicide.

omeletta = *frutà*, sf. Omelette.

* **omettre**, v. *son devoir*, manquer de faire son devoir.

omillo-a, adj. Qui est tendre, doux au toucher.

ommadzo, sm. Hommage. *Rendre* —, rendre hommage.

ommo, sm. Homme. *L'*—, le mari. Le mâle du chanvre, la partie qui porte la graine.

ommo! int. Allons! courage!

ommet, sm. Petit homme.

omnibus, sm. Service de voitures qui a cédé sa place au train.

once, sf. La douzième partie de la livre. Proverbe des impatients: *Pe mouëre a once, l'est mioù de mouëre a reup*, pour mourir lentement, il vaut mieux mourir tout de suite.

once, sf. = *oncin*, sm. Petite mesure pour puiser l'huile dans le *doil*.

onchon, sf. Onction que fait l'Eglise. Pouvoir qu'on suppose que le diable ait sur les personnes et surtout sur les trésors.

oncin, sm. Griffe, serre, croc.

oncllie, sm. Oncle. Se dit aux prêtres au lieu de *lavon*.

onda, sf. Onde. *Levé l'*—, lever le bouillon, commencer à bouillir. — *di ru*, onde du ruisseau. Instant, moment. *Dze si ëtà un — a attendre*, j'ai été un moment à attendre.

ondà, sf. Ondée. Eau, pluie qui vient tout-à-coup.

ondetta, sf. *(Euna)* Un petit moment.

ondulachon, sf. Ondulation.

onereu-sa, adj. Qui est à charge.

ongan, sm. Onguent.

onjëmo-a, adj. Onzième.
onllia, sf. Ongle. *N'en pà lo nèr de* —, nous n'avons rien. *Etre de l'*—, être bon pour voler.
onllié, v. Voler, dérober.
onnètamente, adv. Honnêtement.
onnètetà, sf. Honnêteté. *Fére* —, recevoir quelqu'un avec beaucoup d'égards.
onnèto-a, adj. Honnête.
onneur, sm. Honneur. *Remachen Dzeu, dze si a mon onneur,* Dieu merci je suis en mon honneur (disent les femmes dans leurs disputes).
onoràblo-a, adj. Honorable.
onoré, v. Honorer. — *pére et mére,* honorer son père et sa mère.
onta, sf. = *onto,* sm. Honte. *Fére di bien a un vilen, i Bondzeu feit onto,* faire du bien à un vilain, c'est faire honte au bon Dieu (parce que le vilain ne rend pas grâce à Dieu).
onteu-sa, adj. Honteux, euse. Qui fait honte. V. *Vergogne. Pouro* —, pauvre qui n'ose pas demander.
onze, adj. Onze. *Lo* —, sm. *di meis,* le onzième jour du mois.
opegnatré, v. pr. *(S')* S'opiniâtrer.
opegnâtro-a, adj. Opiniâtre.
opegnon, sm. Opinion, avis, sentiment. Aversion, antipathie.
operachon, sf. Opération.
opéré, v. Opérer.
oportun, adj. Opportun. *Momen* —, moment opportun.
opportunità, sf. Opportunité.
opposé, v. pr. *(S')* S'opposer.
opposechon, sf. Opposition.
opposen-ta, adj. Opposant, ante.
opprechon, sf. Oppression. *Cen feit* —, cela fait horreur.
oppressé, v. Oppresser, opprimer.
* **oppresseur**, sm. Celui qui opprime.
opprimà-ye, adj. Opprimé, ée.
opprimé, v. Opprimer.
or, sm. Or. *Megnëre de l'*—, mine de l'or.
Or, sm. *(S.)* Saint-Ours. *Se feit cllier lo dzor de Saint-Or, l'ors baille lo tor,* s'il fait clair le jour de St-Ours, l'ours donne le tour.
ora, adv. bv. Maintenant, bientôt.
oradzaou-sa, adj. Orageux, euse.
oradzo, sm. Orage.
* **orateur**, sm. *Quin* —*!* se dit de celui qui prétend en imposer par ses paroles.
oratòéro, sm. Oratoire, petite chapelle sur le bord d'un chemin.
orbet, sm. Furoncle. V. *Requelet.*
ordeura, sf. Ordure.
ordinéramente, adv. Ordinairement.
ordinachon, sf. Ordination d'un prêtre.
ordinéro, sm. Ordinaire. *Bon* —, bonne table.
ordinéro-a, adj. Ordinaire.
ordon, sm. Bande, espace que chaque ouvrière occupe en moissonnant.
* **ordonnance**, sf. Ce que prescrit le médecin.
ordonné, v. Ordonner, commander. — *le baggue,* mettre en ordre les affaires.

* **ordre,** sm. *Sacremen de l'—,* sacrement de l'ordre.
ordre = *oudre,* sm. Ordre. *Teni l'—,* tenir l'ordre. *Betté in —,* mettre en ordre.
ordzo, sm. Orge. *Etre aoutre pe l'—,* avoir bu un petit coup.
* **oreille,** sf. = *bouegno,* sm. On dit: *Dze si deur d'—,* je suis un peu sourd. *Prendre pe le bouegno,* tirer les oreilles.
oreillon, sm. = *bouegneina,* sf. Coup de la main sur l'oreille.
orendze, sf. Fruit de l'oranger.
orendzë, sm. Arbre qui porte les oranges.
orère, sm. Horaire.
orèson = *oreison,* sf. Oraison.
orfelin-a, s. Orphelin, ine.
orfelinat, sm. Orphelinat.
orfévro, sm. Orfèvre.
organa, sf. Organe. — *de la vuya,* organe de la vue. *Dzenta —,* belle voix.
organisachon, sf. Organisation.
organisé, v. Organiser.
organiste = *organistre,* sm. Celui qui joue de l'orgue.
* **orgue,** sf. Orgue. *Senti le s- —,* entendre pleurer les enfants.
* **orgueil,** sm. Le premier des péchés capitaux. *Avei d'—,* aimer à se parer.
orgueilleu-sa, adj. Orgueilleux, euse.
orian = *solei leven,* sm. Orient.
orianté, v. pr. *(S')* S'orienter, donner tour aux affaires.
oriatan, sm. = *triàca,* sf. Orviétan.
original-a, s. adj. Original, ale.
originalità, sf. Originalité.
originel-la, adj. Originel, elle.
originéro-a, adj. Originaire.
orlé, v. Ourler. V. *Ourlé.*
ormi, prép. Hormis. *L'at tot fé — bien,* il a tout fait excepté bien.
ormo, sm. Orme (plante).
ornà-ye, adj. Orné, ée.
orné, v. Orner.
ornemen, sm. Ornement.
orpë = *ourpë,* sm. Oripeau. V. *Lorpë.*
orreur, sf. Horreur. V. *Dzèrs.*
orriblamente, adv. Horriblement.
ors-osse, sm. Ours. *Vendre la pë de l'ors devan que l'accapé,* vendre la peau de l'ours avant de l'attraper.
oscène, adj. Obscène.
oscur = *osqeur-oscura,* adj. Obscur, ure.
oscursi, v. Obscurcir. V. pr. Devenir obscur.
oscurcissemen, sm. Obscurcissement.
ospice, sm. Hospice.
ospitalità, sf. Hospitalité.
osqeur, adj. Obscur. V. *Oscur.*
osservachon, sf. Observation.
osservance, sf. Observance de la loi de Dieu.
osservateur, sm. Observateur.
osservatrice, sf. Observatrice.
osservé, v. Observer.
ostaclo, sm. Obstacle.
ostensiblo-a, adj. Ostensible.
ostensoéro = *Saint-Solei,* sm. Ostensoir.
ostìa, sf. *(Sainte)* Sainte-Hostie.
ostilità, sf. Hostilité.
ostilo-a, adj. Hostile.
ostinà-ye, adj. Obstiné, ée.
ostinachon, sf. Obstination.
ostiné, v. pr. *(S')* S'obstiner, s'opiniâtrer.

otel, sm. Hôtel.

otradzo, sm. Outrage. V. *Outradzo.*

otteni, v. M. B. F. D. Obtenir.

où, sm. Œuf. Dev. *Euna petsouda meisonnetta, que l'at ni borna ni borneilletta, pleina de bouna viandetta,* une petite maisonnette, qui n'a ni grands trous ni petits trous, pleine de bonne viande.

où-ëquë, sm. Œuf sans coque. *Deillo come un où-ëquë,* sensible comme un œuf sans coque.

ouaille, sfp. Les paroissiens d'un curé.

oubli, sm. Oubli. *Betté i ran di s-oubli,* ne plus se rappeler.

oublié, v. Oublier.

oublien-ta, adj. Oublieux, euse.

oudre, sm. V. *Ordre.*

ouffa, adv. *(Travaillé a)* Travailler pour rien.

* **ouïe,** sf. *Pèdre l'—,* devenir sourd.

ouillo, sm. Huile. Quand on pleure de malice on dit : *Ah! te plaoure pas d'—,* ah ! tu ne pleures pas d'huile.

oura, sf. Vent. *Euna bagga que l'at ni cu ni tëta, et vat come la tempëta,* une chose qui n'a ni cul ni tête et va comme la tempête.

* **ouragan,** sm. Tempête, orage.

ourdi, v. Ourdir (la toile). — *un complot,* tramer un complot.

ourdissadzo, sm. Action d'ourdir.

ourlà-ye, adj. Qui a un ourlet.

ourlé, v. Ourler.

ourlo, sm. Ourlet. — *de la tsemise,* collet de la chemise. — *de la marmita,* rebord de la marmite.

ousse, sm. Os. *L'— de la tsamba,* l'os de la jambe. *Le parole casson pà le s-ousse,* les paroles ne cassent pas les os.

oussemen, sm. Ossement.

Oûta, sf. Aoste.

outi, sm. Outils.

outradzà-ye, pp. Qui a reçu des outrages.

outradzé, v. Outrager.

outradzen-ta, adj. Qui outrage.

outradzo, sm. Outrage.

outre-meseura = *for-meseura,* adv. Outre mesure.

ouvrë-re, s. Ouvrier, ière. *Ouvrë di fëte,* se dit de ceux qui mangent sans travailler.

ouye : *Plan de hi-ouye,* soit *de ci-ouye,* plan de cy-voies (S. Nicolas).

ouyo, sm. Chemin qui, de la maison ou de la montagne, conduit les brebis, les vaches aux paturages. L'*ouyo* est une voie, en diverses branches irrégulières qui se croisent, formée par le fréquent passage des troupeaux.

P

pà, sm. Pas. *Fére dò pà,* faire deux pas.
pà, part. nég. Pas. *Vin pà,* ne viens pas.
paché = *pacheu,* sm. Pâturage.
pachen-ta, adj. Patient, ente.
pachence! int. A la bonne heure!
pachence, sf. Patience. *La pachence l'est la mére de la vertu,* la patience est la mère de la vertu.
pachenté, v. Patienter.
pachon, sf. Passion. — *di dzoà,* passion du jeu.
pachon, sm. Petit échalas, petit pieu.
pachonnà-ye, adj. Passionné, ée.
* **pacificateur,** sm. Celui qui pacifie.
pacifié, v. Pacifier.
pacot, sm. Boue. V. *Patsoque.*
pacot-ta, adj. Celui qui fait mal les choses.
pacotar-da, adj. Enfant qui s'amuse avec de l'eau, de la terre, de la boue.
pacoté, v. S'amuser avec de la boue. — *le baggue,* mettre les choses pêle-mêle.
pacoteille, sf. Chose de rien, de peu de valeur, pacotille.
pacoture, sf. Amalgame, brouïllamini.
paillasse, sf. Garde-paille. Dev. *Euna bagga que treit la panse p'allé beire,* une chose qui déverse la panse pour aller boire.
paillasson, sm. Petite paillasse. — *di brë,* garde-paille du berceau.
* **paille,** sf. *Tsertsé le pioù pe la* —, chercher des minuties.
paillë = *pailler* = *pailleur,* sm. Fenil.
pailleus, sm. Débris de paille.
paillo, sm. Baldaquin d'église.
pâillo-e, adj. Pâle. V. *Blayo.*
paillon, sm. Paillasse. *Beurlé lo* —, s'échapper en secret.
pailloula, sf. Enfantement. *Etre de* —, femme qui va, ou qui a enfanté. *Messa de* —, messe où celle qui vient d'enfanter va recevoir la bénédiction.
pàla, sf. Pelle. *Tanque a pàla et fossaou,* jusqu'à ce qu'on creuse la tombe.
palà, sf. Pellée.
palanquin, sm. bv. Pal de fer.
palantse, sf. Pal de fer.
palantson, sm. Grosse perche servant de levier. Fig. — *d'ommo,* homme d'une grande taille.
palatse, sm. Palais.
palé, v. Remuer avec la pelle. — *lo tsan,* tourner la terre du champ avec la pelle.
palèr = *palè,* sm. Palais, le dessus de la bouche.
palet, sm. Palet. *Dzoà di* —, jeu des palets.

paletò, sm. Vêtement qui a remplacé l'habit à queue d'hirondelle, paletot.

paletta, sf. Palette, ais mince. Fig. *Avei bouna* —, avoir bonne langue.

palétté, v. Mettre des palettes. — *la tsamba,* mettre des palettes autour d'une jambe rompue. Se dit d'une fille qui refuse la main du garçon qui la demande et de quelqu'un à qui on a refusé l'absolution.

pali, v. n. Pâlir, devenir pâle.

palissàda, sf. Palissade.

palma, sf. Palme. *Prendre la* —, l'emporter.

palma = *parma,* sf. Paume de la main.

palmië, sm. Palmier.

palpablo-a, adj. Palpable, évident.

palpitachon, sf. Palpitation.

palpité, v. n. Rendre le dernier soupir.

palpiten-ta, adj. Qui se meurt.

paluye, sf. Se dit d'une localité où les prés sont marécageux.

pamë = *pâtro,* adv. Plus, pas davantage, pas autre chose.

pâmo = *pômo,* sm. Spasme, sanglots.

pan, sm. Pain. *Pan et nët que vëgne, tè te n'a praou,* pourvu que pain et nuit arrive, toi tu en as assez (se dit du sans souci). — *prëtà — rendu,* se dit lorsqu'on rend la pareille.

* **pan,** sm. Pan d'habit, de mur.

panàda, sf. Panade.

panaman, sm. Essuie-main.

panari, sm. = *moreina,* sf. Panaris.

panatë-re, s. Boulanger, ère.

panatë = *ratelë,* sm. Ratelier du pain.

pancarda, sf. Pancarte.

panchà, sf. Coup au ventre principalement. *Boqué euna* —, recevoir un fort coup. Fig. *Fére euna* —, manger à plein ventre. — *de rire,* rire dévergondé.

panco = *pancora,* adv. Pas encore.

pané, v. Essuyer, torcher. Fig. — *l'ëcouëla,* manger tout son bien.

panse, sf. Ventre des bêtes et parfois aussi des personnes. *La panse meine la danse,* le trop bon temps amène la dissipation.

pansu-ya, adj. Qui a un gros ventre, qui mange beaucoup.

* **pantalon,** sm. *Porté le* —, gouverner la maison, commander.

pantera, sf. Pantère.

pantofla, sf. Pantoufle. Fig. Femme négligente.

pantoflé, v. Battre, donner des coups.

pantsé, v. Verser par inadvertence.

Papa, sm. Pape. *Allé a Roma sensa vére lo Papa,* manquer la chose la plus importante.

papa = *pére,* sm. Père.

papàl-a, adj. Papal, e. *Benedechon* —, bénédiction Papale.

papagal, sm. Perroquet.

papalin, sm. Soldat du Pape.

paperatsà, sf. Un grand papier plein.

paperatse, sf. Grand papier qu'on affiche.

pappa, sf. Ce qu'on donne à manger aux enfants (enfantin).

pappé, v. Manger la *pappa.*

papin, sm. = *pappina*, sf. Bouillie pour les petits enfants. Nos bonnes mères, dans leur style télégraphique, nous disaient : *Té, popon, pappa, bonbon,* tiens, joli petit, mange, ceci est bon.

pâque, sf. Pâques. *Quan Pâque se trouve pe demendze, le maladi son jamë sàne,* lorsque Pâques tombe un dimanche, les maladies ne sont jamais saines.

paquet, sm. Paquet, fagot. *Pleyé* —, déguerpir, s'en aller.

paqueté, v. Empaqueter.

par, sf. Part, portion, tangente.

parabola, sf. Parabole.

paràda, sf. Parade. *Fére* —, faire honneur. Dans nos bons vieux temps, les soldats, en uniforme, faisaient *paràda* à Monseigneur lorsqu'il allait donner la confirmation.

paradzenna, sf. Poix, résine, attrait. *Lé l'y est la* —, là il y a ce qui attire, qui retient.

paradi, sm. Le séjour des bienheureux. Autel où l'on adore le Saint-Sacrement le jeudi-saint.

paraffe, sm. Paraphe, par plaisanterie : signature.

paragraffe, sm. Paragraphe.

paralesìa, sf. Paralysie.

paraletecco-a, s. adj. Paralytique.

parantése, sf. Parenthèse.

* **parapet,** sm. d'un pont, d'un chemin.

parapleu, sm. Parapluie.

* **parasite,** sm. Homme assidu à la table des autres.

* **parassol,** sm. Ombrelle des dames.

paratonnéro, sm. Paratonnerre.

parâtro = BV. *parëtro,* sm. Beau-père.

parcella, sf. Parcelle. La part qui vient à un héritier.

* **parcimonìe,** sf. Sœur de l'avarice.

parcimoniaou-sa, adj. Qui est un peu avare.

parcouri, v. M. B. F. B. Parcourir.

pardzë, adv. Sans doute (parfois ironique).

pàre, sf. Pelure. — *di trifolle,* peau des pommes de terre.

pàre, sm. Ne se dit, proprement, que du père de la bête.

paré, v. Oter la pelure.

parë, adv. Ainsi, comme ça.

parei, sf. Paroi, cloison en planches.

paren, sm. Parent. Qui est de la même famille.

parentà, sf. = *parentadzo,* sm. Tous les parents, la parenté.

parentella, sf. *(Gràma)* Mauvaise race.

* **paresse**, sf. V. *Pereise.*

paresseu-sa, adj. Paresseux, euse.

parfet-ta, adj. Parfait, aite.

parfettamente, adv. Parfaitement.

parfeun, sm. Parfum.

parfeumé, v. Parfumer.

* **parjure**, sm. Faux serment.

parisien-parisieina, adj. Qui a été à Paris.

parlemen, sm. Parlement.

* **parleur**, sm. *(Grou)* Qui parle beaucoup.

parloèr, sm. Parloir.

parma, sf. Paume. — *de la man,* paume de la main. *Porté in — de man,* avoir grande estime.

paròla, sf. Parole. *Euna bagga que dei que l'est, cesse d'ëtre,* une chose qui dès qu'elle existe cesse d'être.

parotse, sf. Paroisse.

parotsin-a, adj. Paroissien, ienne.

parpìa, sf. Paupière.

parpié, v. n. Clignoter.

parque, sm. Parc des moutons.

parqué, v. Faire le parc, y mettre les moutons.

parren, sm. Parrain.

parricido, sm. Parricide.

partadzé, v. Partager.

partadzo, sm. Partage. *Baillé* —, donner partage.

partence, sf. Départ. *Sen-nò de* —*?* sommes-nous prêts à partir?

parti, sm. Mari. *Mon* —, mon mari.

parti, v. n. M. B. Partir. *Fére tot* —, tout manger, dissiper.

partia, sf. Partie. — *i carte,* partie aux cartes. *Euna* —, un certain nombre.

participachon, sf. Participation.

participé, v. Participer.

participen-ta, adj. Participant, ante.

particullië, sm. Individu. *Bon* —, personne riche.

particullië-re, adj. Particulier, ière. On dit aussi : *Partecouellë.*

partisan-a, adj. Qui tient pour un parti.

parveni, v. n. M. B. F. D. Parvenir.

* **pascal-a**, adj. *Cergo* —, cierge pascal.

pascatin-a, adj. Celui qui ne fait pas les pâques

pasiblo-a, adj. Paisible. V. *Peisiblo.*

passà, sf. Tracé, piste. — *de la lëvra,* trace que le lièvre fait sur la neige.

passà, sm. Passé. *Lo* —, le passé.

passablamente, adv. Passablement.

passablo-a, adj. Passable, assez bien.

passàda, sf. Instant de peine, de douleur.

passadzë-re, adj. Passager, ère.

passadzé, v. n. Passer, aller et venir.

passadzo, sm. Passage. *Toppé lo* —, fermer le passage.

passandé, v. n. Aller et venir continuellement.

passapertot, sm. Passe-partout.

passapor, sm. Passeport.

passaten, sm. Passe-temps.

passé, v. Passer. — *lo pon,* passer le pont. V. n. *La fan passe,* la faim passe, s'apaise.

passen, sm. Passant, qui passe.

passen, adj. Coulant. *Vin* —, vin coulant.

passerot, sm. Passereau.

* **passif,** sm. *di contso,* passif du compte.

passoére, sf. Passoire.

pasteur = *inqeurà,* sm. Curé.

pasteille, sf. Pastille, bombon.

pastoral-a, adj. Pastoral, ale. *Lettra* —, lettre pastorale.

pastoràla, sf. Cantique de Noël de ce nom.

pastour, sm. Piémontais qui tiennent des brebis en montagne.

pâta, sf. Pâte. *Fére la* —, pétrir la farine.

patafia, sf. *(Bouna)* Qui est fort pour babiller, babillard.
patafié, v. Babiller, dire des niaiseries.
pataloque-patalocca, adj. Grossier.
patanu-ya, adj. Nu, nue, sans vêtement.
patatraque, sm. *(Fére)* Faire banqueroute.
paté, v. Etendre. — *lo lindzo,* étendre le linge.
pateillé, v. n. Se dit des vaches qui mangent le linge.
patéla, sf. Coup. *Boqué* —, recevoir des coups.
patelé, v. Frapper. — *le meinà,* frapper les enfants.
paténa, sf. Patène.
patenë-re, s. Chiffonnier, ière.
patenta, sf. Patente.
patentà-ye, adj. Qui a les patentes, la licence.
patenté, v. Patenter.
* **Pater,** sm. Prière dominicale.
paternel-la, adj. Paternel, elle.
paternellamente, adv. Paternellement.
paternità, sf. Paternité.
pâteura, sf. Fourrage.
pâteuradzo, sm. Pâturage, herbage.
pâteuré, v. Mener paître les vaches.
pati, v. Pâtir, souffrir, craindre.
patin, sm. Linge, chiffon. *Pleyé* —, déloger, s'en aller.
patiné, v. n. Toucher. *Se leiché* —, se laisser manier comme ce soit.
pâtisseri, sf. Pâtisserie.
patoillar-da, adj. Qui tient mal redressé.
patoille, sf. Mauvais lambeau de vêtement. Fig. Femme de mauvaise vie. *Fére la* —, mener mauvaise vie. Patrouille, ronde que l'on fait la nuit pour la garde. *Battre la* —, courir la nuit de part et d'autre (mauvais sens).
patoé = *patoè,* sm. Patois.
pâton, sm. La pâte qu'on tire du pétrin. *Fére lo* —, travailler la pâte.
patoné, v. n. Faire le pâton.
patracca, sf. Machine usée. — *de montra,* mauvaise montre. Fig. Personne, chose bonne à rien.
patras, sm. Toute sorte de mauvais linge.
patrìa, sf. Patrie. *Sa* —, son pays.
patriarcal-a, adj. Qui a trait à la vie patriarcale.
* **patriarche,** sm. *Bon* —, bon vieillard, homme de bien.
patriote = *compatriote,* sm. Qui est du même pays.
patriotecco-a, adj. Patriotique.
patrimoéno, sm. Patrimoine.
pàtro = *pòtro,* adj. Plus. Pas autre. *Lei n'at* —, il n'y en a plus. V. *Pamë.*
patron-na, s. Patron, onne.
patronadzo, sm. Patronage.
patronë, smp. Ceux qui contribuent à solenniser la fête patronale.
patronal-a, adj. Patronal, e.
patsàra, sf. Marché. *Grama* —, mauvais marché.
patsarar-da, adj. Qui fait souvent des marchés.
patse, sf. Marché: action de vendre, d'échanger, d'acheter.
patsoque, sm. Boue, mélange. V. *Pacot.*
patsoqué, v. Salir, embrouiller.
patsocure, sfp. Choses embrouillées, amalgamées.

patta, sf. Patte.

pattà, sf. Etendue. — *de mieuve,* étendue d'herbe faucillée. Grosse pièce qu'on emploie à rapiécer.

pavë, sm. Pavé. — *di reuve,* pavé des rues. *Etre su lo —,* être sans place.

pavou = *paaou,* sm. Pavot. On dit : *Rodzo come un pavou et blan come euna fâda,* rouge comme un pavot et blanc comme un linge.

pay, sm. Pays. *Roulé le —,* courir le monde.

payé, v. Payer.

payemen, sm. Payement.

payen-payeina, adj. Païen, enne.

paysan-na, adj. Paysan, ne.

payoula = *pavioula,* sf. Papillon.

pe, prép. Pour. — *dëre,* pour dire.

pe, prép. Par. — *la veulla,* par la ville.

pë, sf. Peau. *A la beutseri lei vat pi de pë de tsevrei que de pë de tseuvre,* la mort prend plus de jeunes que de vieux. *Pë de polaille,* sf. Peau de poule. On dit de ce qui nous fait frémir : *Cen m'a feit veni la pë de polaille,* ça m'a fait venir la peau de poule. *Pë de tsat,* bourse du vieux temps en peau de chat.

pecca, sf. Démangeaison. *Prendre la —,* prendre l'aigre, le moisi.

peccà-ye, pp. Mangé, ée. *T'a tot peccà,* tu as tout mangé. *Dzi pà tot peccà sensa beire,* je n'ai pas tout mangé sans boire.

peccadeille, sf. Peccadille.

peccaperre, sm. Tailleur de pierres.

peccatot, sm. Prodigue, mange-tout.

peccon, sm. Instrument pour faire sortir les chataignes de la bogue.

pecconné, v. Frapper du *peccon* sur la bogue; planter des pieux.

péce, sf. Paix. *In péce come lo tsin et lo tsat,* toujours en chicane.

péce = *pers-a,* adj. Bleu, bleue.

pecheur-pecheressa, adj. Pécheur, pécheresse.

peclIié, v. Fermer avec le loquet.

peclliet, sm. Loquet. (Italien, *saliscendi).*

pecot, sm. Point, tache.

pecotà-ye, adj. Marqueté. — *de veroula,* marqueté de la vérole.

pecoté, v. Picoter. — *le resin,* becqueter les raisins.

pedan, adj. Pédant. *Fére lo —,* faire le savant.

pedanteri, sf. Pédanterie.

pedaou-sa, adj. Porté à la compassion. *Vouéce pedaousa,* voix attendrissante.

pedìa, sf. Pitié, compassion. *N. D. de Pedìa,* N. D. de Pitié.

pedimente, adj. C'est égal. —*l'est inutilo,* également, c'est inutile.

pedon, sm. Courrier à pied.

pèdze, sf. Poix. *Caqué de —,* quitter le service avant le temps (se dit d'un berger).

pedzenëla, sf. Groupe d'étoiles : Pléiades.

pedzin, sm. Poussin.

pegnà, sf. Coup de peigne.

Fig. Dispute. *Se fottre euna* —, se disputer.

pegné, v. Peigner.

pegnetta, sf. Peigne fin.

pëgno, sm. Peigne, démêloir. Peigne des peigneurs de chanvre.

pégno-a, adj. Petit, petite.

pegnotin, sm. Petit vase de terre.

pegnotta, sf. Marmite de terre.

pegran, sm. Grand-père.

pei, sm. Cheveu, poil des bêtes. *Un* —, un peu. *Pà lo* —, rien du tout.

peigolu, sfp. Pois gourmands.

peilà, sf. Bouillie.

peilladzo, sm. Pillage.

peillatta, sf. Peau mince, membrane. Fig. Mauvaise personne.

peillé, v. Prendre, voler, piller.

peillèr, sm. *di gneu,* brou des noix.

pëillo, sm. Poêle, chambre.

peillon, sm. Petite casserole.

peillot-ta, adj. Nu, sans vêtements. *Tsatagne* —, chataigne qui sort d'elle-même de la bogue.

peilloté, v. *le tsatagne,* faire sortir les chataignes de la bogue. V. pr. *Se* —, se disputer, se battre.

peina, sf. Peine, affliction, difficulté. *Souffri la* —, supporter le chatiment.

peiné, v. pr. *(Se)* Prendre la peine.

peis = *peisse,* sm. Poids, peson. Ce qu'une chose pèse.

peisé, v. Peser.

peisiblo-a = *pasiblo-a,* adj. Paisible, tranquille.

peisson, sm. Poisson. On dit: *San come un peisson,* sain comme un poisson.

peitrenna, sf. Poitrine.

peitrò, sm. Poitrail.

peivrëre, sf. Poivrière.

peivro, sm. Poivre. On dit: *Grindzo come lo* —, grincheux comme le poivre.

peivron, sm. Poivron.

pëla, sf. Poêle à frire.

pëlà, sf. Une pleine poêle.

pelà-ye, adj. Chose à laquelle on a ôté la peau, ou le poil. *Tëta pelàye,* tête chauve.

pèlé, v. Peler, ôter la peau.

pelerenadzo, sm. Pèlerinage.

pelerin-a, adj. Pèlerin, ine.

peleusse, sf. Peau tannée avec la laine. *Bouna* —, homme rusé, fin.

peleure, sf. Pelure.

peleuva = *peluya,* sf. Etincelle.

pelu-ya, adj. Pelu, ue. Qui a des poils.

peluyé, v. Etinceler.

peluyen-ta, adj. Etincelant, ante.

penàce, sf. Fiente des volatiles.

penachà, sf. Action de *penaché.*

penaché, v. Faire des fientes.

penal-a, adj. Pénal, ale.

penalità, sf. Pénalité.

penàte, sfp. Pénates. *Tramoué se* —, changer d'habitation.

penchëre, sf. Inquiétude, souci. Pensée, (fleur).

penchon, sf. Pension.

penchonnà-ye, adj. Qui a une pension.

penchonné, v. Pensionner.

penchonnéro, sm. Pensionnaire.

pendablo-a, adj. Pendable.

pendelin, sm. *di poù,* ce qui pend sous le bec du coq.

pendeula, sf. Horloge à pendule.

pendin, sm. Pendant d'oreille.

pendoillar-da, adj. Qui perd son temps à faire des riens.

pendoille, adj. Femme nonchalante.

pendoillé, v. n. Faire la *pendoille,* se dit des choses qui pendillent.

pendre, v. Pendre, attacher en haut.

pendu, sm. Pendu, justicié. *I vât pà la corda d'un pendu,* il ne vaut pas la corde d'un pendu.

pendu-ya, adj. Pendu, ue.

pendzaou, sm. Endroit où l'on pend quelque chose. — *di potse,* se dit de cet os échancré du sommet de l'estomac.

peniten-ta, adj. Pénitent, e.

penitenta, sf. Cloche qu'on sonne pour ceux de la confrérie des pénitents.

penitence, sf. Pénitence.

penna, sf. Espèce de planche rectangulaire avec vis par laquelle on ferme l'ouverture d'un tonneau.

penni, v. n. Changer de plume.

pensà, sf. Pensée. *Euna bagga que passe la mer et le mon, sensa quetté sa meison,* une chose qui passe la mer et les monts sans quitter sa maison.

pensé, v. Penser. — *a mouere,* penser à mourir.

pensé, v. pr. *(Se)* Croire, penser que.....

pente, sf. Pente. — *de l'éve,* pente de l'eau.

Pentecoûta, sf. Pentecôte.

penuria, sf. Pénurie, disette.

pepegnère, sf. Pépinière.

pepin, sm. Epine-vinette (plante et fruit).

peque, sm. Instant. *Dze resto pà un* —, je ne reste pas un instant. *As de* —, as de pique (jeu de cartes). *Fére passé i* —, ne laisser faire aucun point à la partie adverse; faire passer par les fourches caudines, chasser, poursuivre.

pequé, sm. Le manger. *Lo — di polaille,* ce qu'on donne à manger aux poules.

pequé, v. n. Manger, se dit des bêtes surtout. — *son bien,* manger tout le sien.

pequen-ta, adj. Piquant, ante.

pequegnà, sf. Pincée. *Baillé euna* —, donner une pincée.

pequegne, sf. *(Euna)* Tant soit peu, une miette.

pequegné, v. Pincer du bout des doigts.

pequerna, sf. Chiquenaude, quolibet, raillerie.

pequerné, v. pr. *(Se)* Se chipoter.

pequet, sm. Piquet, pieu qu'on fiche en terre. *Planté de* —, se dit de l'ouvrière des champs qui reste droite à ne rien faire.

pequetta, sf. Piquette.

pequin, sm. (enfantin). Toute sorte de fruits à graines. *Popon, papé pequin,* poupon, manger *pequin.*

per, adj. Pair, égal, semblable.

per, sm. Paire. — *de soque,* paire de galoches.

per, prép. Pour. — *mè,* pour moi, quant à moi.

per, adv. *lé.* Par là. — *lé dentor lo mei d'avri,* par là vers le mois d'avril.

peràtro, adv. Autrement, ou bien. *Fei cen, — !* Fais cela, sinon tu verras ce qui t'arrive.

perboli, v. n. = *beuré,* bv. *(Fére)* Faire cuire à l'eau.

perboli-a, adj. Cuit à l'eau. *Trifolle perbolie,* pommes de terre en robe de chambre.

percal, sm. Percale.

perceiteur, sm. Percepteur.

perceivre, v. Percevoir.

perceitiblo-a, adj. Perceptible.

perche = *péche,* sf. Pêche, fruit.

perchë, sm. Pêcher.

perché = *pèché,* v. Percer.

percllu, adj. Perclus. V. *Nàvro.*

perçu-ya, pp. Perçu, ue.

perdechon, sf. Perdition. *Allé a* —, aller dépérissant, se gâter.

perden-ta, s. Perdant, qui a perdu.

perdon, sm. Pardon, action de pardonner. Angelus. *Sonné lo* —, sonner l'angelus. *Travaillé d'un perdon a l'âtro,* travailler du matin au soir. *Prendre lo* —, aller prier auprès d'un défunt.

perdonnablo-a, adj. Pardonnable.

perdonné, v. Pardonner.

perdre = *pèdre,* v. Perdre.

pére, sm. Père. Pour les bêtes on dit *pare.*

pére-grou, sm. Grand-père.

pereisaou-sa, adj. Paresseux, euse.

pereise, sf. Paresse.

pereucca, sf. Perruque. *Fére euna* —, gronder, trouver à dire.

pereuquë, sm. Perruquier.

pereut, sm. Poire. — *crètsen,* poire bon-chrétien. On dit d'une entreprise qui n'a pas réussi : *L'at fé la forteuna di peureut blet.* V. *Peureut.*

perfet-ta = *parfet-ta,* adj. Parfait, aite.

perfeichon, sf. Perfection.

perfeichonné, v. Perfectionner.

perfeichonnemen, sm. Perfectionnement.

perfi, adv. *(Copé)* Couper un tissu sans sortir d'entre les deux fils.

perforce, adv. Par force.

perforché, v. Contraindre, exciter vivement.

peri, v. n. Périr. — *su le rouëse,* périr sur les glaciers.

pèrié, v. n. Devenir plus maigre, plus mal. — *de lacë,* ne donner plus autant de lait.

perinque, adv. Par ici, par là. — *dentor nouna,* par là vers midi.

perla, sf. Perle.

permanen-ta, adj. Permanent, ente.

permechon, sf. Permission. Adv. —*! euna parola,* pardon ! un mot.

* **permettre,** v. Donner liberté. *Se* —, se prendre une liberté.

permettu-ya = *permi-sa,* adj. Permi, ise.

permi, sm. Permis. — *pe distilé,* permis pour faire l'eau-de-vie.

permië, prép. Parmi.

perni, sf. Perdrix.

pernicieu-sa, adj. Pernicieux, euse.

perpetuità, adv. *(A)* A perpétuité.

perpetuyel-la, adj. Perpétuel, elle.

perpetuyellamente, adv. Perpétuellement.

perquesechon, sf. Perquisition.
perra, sf. Pierre. *Maladi de la* —, se dit de ceux qui font bâtir.
perra a fouà, sf. Pierre à feu.
perrafoudra, sf. La foudre.
perraou-sa, adj. Qui est plein de pierres.
perrëre, sf. = *clliapei*, sm. Lieu tout en pierres.
pers-a, adj. Bleu, eue.
pers, sm. Bleu.
perseqeuchon, sf. Persécution.
perseqeuta-crètsen, sm. Qui tourmente les autres.
perseqeuté, v. Persécuter.
perseqeuteur, sm. Persécuteur.
perseveré, v. n. Persévérer.
perseveren-ta, adj. Persévérant, ante.
persisté, v. n. Persister.
personna = *precenna*, sf. Personne.
personnadzo, sm. Personnage.
personnel-la, adj. Personnel, elle.
personnella, sf. Impôt sur les personnes.
personnifié, v. Personnifier.
persuyadé, v. Persuader.
persuyajon, sf. Persuasion.
* **perte**, sf. Dommage. — *de la vuya*, perte de la vue. *A la perte a la gagne*, adv. A risque et péril.
pertensi-va, adj. Précoce. *Vatse* —, vache qui donne le veau en novembre ou en décembre.
pertinance, sf. Se dit pour désigner la situation des propriétés.
perturbachon, sf. Perturbation.
* **perturbateur**, sm. Qui cause du trouble.
perver-sa, adj. Pervers, erse.
perverchon, sf. Perversion.
perversità, sf. Perversité.
perverti, v. Pervertir.
perverti-a, pp. Perverti, ie.
pesà = *peisà*, sf. Ce qu'on pèse en une fois.
pesan-ta, adj. Pesant, ante, lourd, e. *Pesan pe lo mindzé*, grossier, indiscret pour le manger.
pesantin, sm. Personne peu éveillée.
* **pesanteur**, sf. *a la tëta*, — à la tête, indisposition.
pesantsaou, sf. Pesanteur. Se dit de ce qui est pesant.
pescena = *peceuna*, sf. Piscine.
pesé = *peisé*, v. Peser.
peset, sm. Pois (légume).
pesse, sf. Sapin.
pesta, sf. Peste.
pesta! int. Peste!
pesté, v. n. Crier, s'emporter.
pet, sm. Pet. — *de la meina*, coup de la mine.
petaillà-ye, adj. Qui est tout déchiré.
petarde, sf. Ronce des vignes.
petechon, sf. Pétition.
peteillon, sm. *de fi*, peloton de fil.
peteufla, sf. Vessie. *Conflé la* —, faire des efforts.
petolla, sf. Excrément de chêvre, de lièvre.
petollé, v. Faire des crottins.
petou-da, s. Enfant au berceau. — *de la mamma*, benjamin de la mère.
petrolo, sm. Pétrole.
pètsà, sm. Péché.
pëtsaou, sm. Pêcheur.
petsatsure, sfp. Divers petits objets.

pëtse, sf. Pêche. *Allé a la* —, aller à la pêche.
pëtsé, v. Pêcher.
pètsé, v. Pécher, faire un péché.
petse = *routia,* sf. Tartine.
petson, sm. Flocon. — *de nei,* flocon de neige.
petsou-da, adj. Petit, petite.
petsoudiu-a, adj. Qui est bien petit.
petté, v. n. Peter. *Fére — lo fouet,* faire claquer le fouet. *Fât pà petté pi ààt que lo cu,* il ne faut pas faire plus que ce que l'on peut.
peulà-ye, adj. Pressé, ée. *No sen* —, nous sommes à l'étroit. Ce qui a été pilé.
peulé = bv. *Pité,* v. Piler.
peulò, sm. bv. Gruau. V. *Gru.*
peulon, sm. Pilon. — *de la sà,* pilon du sel.
peupa, sf. Bout de la mamelle. *Meinà a la* —, enfant à la mamelle.
peupé = *qeuqué,* v. Têter.
peuplé, v. Peupler.
peuplo, sm. Peuple.
peur-pura, adj. Pur, pure.
peura, adv. Pourtant. — *l'est parë,* pourtant c'est ainsi. *Vin* —, viens seulement.
peurdzé, v. n. Purger, suppurer.
peurë, sm. Poirier.
peureut, sm. Poire. V. *Pereut.*
peuta, sf. Malice. *Fére la* —, faire fâcher.
peuton, sm. Punaise. On dit d'un homme fier : *L'est fier come un* —.
peutreyar-da, adj. Qui boude.
peutreyé, v. Bouder.
peutro, sm. Poitrine des volatiles. *Vardé su lo* —, se souvenir.

peyàna = *piovàna,* sf. Salamandre.
pi, adv. Plus. *Pi dze travaillo, pi dze gagno,* plus je travaille, plus je gagne.
pi, adv. Pis. *Tan pi per tè,* tant pis pour toi.
pià, sm. Pied. — *de boù,* pied de bœuf. — *de terra* (mesure).
pìa, adj. Pie. *Euvra* —, œuvre pie.
piàgne, sf. Pédale. — *di borgo,* pédale du rouet.
piagné, v. Remuer les pieds, comme si l'on faisait aller une pédale.
pianò, sm. Piano.
piatà, sf. Coup de pied.
piaté, v. n. Tirer des pieds. Fig. Se récrier, tapager.
piateyé, v. Prendre à coups de pieds.
piaton, sm. Socle de la charue.
piaton, adv. A pied. *Allé a* —, aller à pied, par opposition à aller à cheval.
pië, sm. Serviette.
pië, adv. Pire. *Lo piè,* le pire.
pièce, sf. Pièce. *Pièce metressa,* pièce du faîte. V. *Cour.*
pieillé, v. Chercher les pous.
pietà, sf. Piété, dévotion.
pieu-sa, adj. Pieux, euse.
pieusamente, adv. Pieusement.
piecca, sf. Femme qui fiche son nez çà et là pour se faire donner.
pieucà, sf. Coup de bec. *Se baillé euna* —, se dire des mauvaises paroles.
pieuqué, v. Becqueter. Fig. Demander, mendier.
pigro-a, adj. Paresseux, euse.
pila, sf. Pile, pilier.
pilula, sf. Pilule.

pincanta-cen, adv. Quant à cela. V. *Incanta.*
pina, sf. Poussin femelle, jeune poule.
pince, sfp. Pincettes.
pincò, sm. Pinceau.
pindzon, sm. Pigeon.
pindzonëre, sf. Pigeonnier.
pinta, sf. Pinte, mesure ancienne.
pinté, v. Peindre.
pintre, sm. Peintre.
pinteura, sf. Peinture.
piolet, sm. Hâche à manche court. Hâche des guides pour les glaciers.
pioletta, sf. Clou pointu qu'on met aux fers des mulets. On appelle: *Ferré de pouegnen,* ferrer pointu, lorsque l'on ferre les mulets avec ces clous.
pion-piorna, adj. Ivre.
pion, sm. Pointe. — *di tsaousson,* pointe des bas.
piorna, sf. It. *Sbornia. Fére euna —,* boire à s'enivrer.
piornatse, sf. Personne adonnée au vin.
piornatsé, v. Faire l'ivrogne.
piornatson, sm. Ivrogne.
piotin, sm. Pied. — *di tsevrei,* pied de chevreau.
pioton, sm. Pied. — *di boù,* pied de bœuf.
pioù, sm. Pou. *Fât pà tsertsé le pioù pe la paille,* il ne faut pas chercher les minuties. *Avei de pioù,* avoir des dettes.
pioula, sf. Hâche.
piouné, v. n. Pousser un son aigu, comme celui d'un poussin épouvanté.
pipa, sf. Pipe. *Bouna —,* bon filou. *Feumé la —,* rester à ne rien faire.
pipàda, sf. Pipée. *Fére la —,* fumer la pipe.
pipar, adv. *(la)* Là plupart.
pipi, sm. Enfantin. Poule, oiseau.
pista, sf. Piste. *Allé à la —,* suivre les traces, aller à la recherche.
* **pitance**, sf. Son, avoine qu'on donne aux bêtes.
pitocca, sf. *(boqué)* Recevoir des coups.
pitoqué, v. Frapper, donner des coups, aller demandant, mendier.
pitoresque-resca, adj. Pittoresque.
pitou, adv. Plutôt, de préférence. Plus tôt, il n'y a pas longtemps. — *dzi vu,* dernièrement j'ai vu.
pitoyablo-a, adj. Pitoyable.
pitset, sm. Dentelle.
placar, sm. Armoire.
placardé, v. Afficher, appliquer.
placca, sf. Plaque.
* **place**, sf.
placemen, sm. Placement.
placbé, v. Placer.
plafon, sm. Plafond.
plafonné, v. Plafonner.
plan-a, adj. Plan, ane.
* **plan**, sm. Surface plane.
plan, adv. *(tot)* Tout doucement. *Qui vat plan vat san,* qui va lentement, va sûrement.
plana, sf. Plaine.
plana, sf. Varlope plane. *Euna bagga que vei bò la betté dreite, l'est todzor plana,* une chose que vous avez beau mettre droite, qui est toujours *plane.*
planen-tse, s. adj. Qui habite en plaine.
planet, sm. Rabot.
planetta, sf. Planète. *Se te voù que le tartifle vëgnen balle, fât*

le vagné a la planetta di sëton, si tu veux que les pommes de terre deviennent belles, il faut les semer à la planète de la hotte (y mettre bien d'engrais).

planeura, sf. Etendue de plaine.

plàno = bv. *Piéno*, sm. Platane, érable.

planta, sf. Plante, arbre.

planta, adv. *(de)* Tout-à-fait, sans tarder, sur le moment. *Dze vò de —,* je vais sur le champ.

plantachon, sf. Plantation.

planté, v. Planter. — *lo travail,* quitter le travail, l'abandonner.

planton, sm. *d'ommo*, gros homme. *Resté de* —, rester droit devant quelqu'un.

plantse, sf. = *lan*, sm. Planche.

plantsé = *solan*, sm. Plancher.

plaouré, v. Pleurer.

plaouraou-sa, adj. Pleureux, pleureuse. *Jeu* —, yeux pleureux.

plaouro, sm. Action de pleurer, pleurs.

plaouro = *plero* = *piero*, sm. Entonnoir. *Beire come un* —, boire beaucoup.

plaqué, v. Appliquer. — *un solorgno,* appliquer un emplâtre.

plat, sm. Plat. *Seupa i* —, soupe au plat.

platelà, sf. Plein un gros plat.

plat-ta, adj. Plat, plate.

platta, sf. Lieu, endroit. — *de prà,* morceau de pré.

plebicito, sm. Plébiscite.

plegnatsar-da, adj. Qui se plaint toujours.

plegnatsé, v. pr. Se plaindre. *Ma poura tè, dze te plegnatzo,* ma pauvre toi, je te plains.

plègnen, sm. *(lo)* Le plaignant.

pleideyar-da, adj. Qui plaide toujours. On dit des plaideurs : *Ci que gagne l'at incò la tsemise, et ci que per reste patanu,* celui qui gagne a encore la chemise et celui qui perd reste nu.

pleideyé, v. Plaider.

pleidoyé, sm. *(lo)* Tous les papiers d'un procès.

pleinamente, adv. Entièrement.

pleisen-ta, adj. Plaisant, ante. *Pleisen-mè,* de ma propre volonté. *Pleisen-lliù,* de sa grâce.

pleisi, sm. Plaisir, bon office. *Volei-vò me fére un pleisi ? — Dò se dze poui !* Voulez-vous me faire un plaisir ? Deux si je puis.

plen, sm. Cri plaintif.

plen-pleina, adj. Plein, pleine. *Tot plen, a plen,* adv. Beaucoup, en grand nombre.

plendre, v. M. C. F. E. Plaindre. V. pr. Se plaindre, se lamenter.

plère, v. n. M. C. F. F. Plaire

plet, sm. Pli. — *de la tsemise,* pli de la chemise. *Croè* —, mauvaise habitude. *De tseut* —, en tous sens.

plettà-ye, adj. Ridé, ée, qui a des plis.

pletté, v. Plisser. — *le pot,* faire mauvaise mine, désapprouver.

pleumadzo, sm. Plumage.

pleumatse, sm. Panache.

pleumé, v. Plumer. — *la polaille sensa la fére crié,* plumer la poule sans la faire crier. Oter la pelure, l'écorce.

pleumet, sm. Plumet.
pleyé, v. Plier. — *lo lindzo,* plier le linge. — *l'etsenna,* plier le dos.
pleyure, sf. Chignon, tresse de cheveux repliée sur la tête.
plodze, sf. Pluie. *Plodze di mei d'avri, l'est tan d'or pe lo pay,* pluie du mois d'avril, est autant d'or pour le pays. Dev. *Euna bagga qu'in demande de veni et quan vin in se catse pe pà la receivre,* une chose qu'on prie de venir et quand elle vient, on se cache pour ne pas la recevoir.
plodzério, sm. Grande pluie.
plon, sm. Plomb. — *de tsasse,* plomb de chasse.
plondzé, v. Plonger, faire le plongeur.
ploraousa, sf. Espèce de filtre qu'on pend dans l'entonnoir lorsqu'on met du vin dans un tonneau.
Plot, sm. Place au couchant de la cité d'Aoste. Entaille dans le roc pour servir de limite.
plotté, v. Faire des *plot.*
ploure, v. imp. M. C. F. N. Pleuvoir. *Quan plout et fei soleil, feit lo ten di croè tsevrei,* lorsqu'il pleut et fait le soleil, il fait le temps des mauvais chevreaux.
plouta, sf. Berce (plante). Main. *Tsére pe se ploute,* (jargon), tomber dans ses mains.
ploven, sm. Pleuvant, côté du toit d'une maison. *Tet a quatro* —, toit à quatre côtés.
plujeur, adj. Plusieurs.
pluma, sf. Plume. *Dzen de* —, gens de plume.
pluralità, sf. Pluralité. *Su la* —, sur le grand nombre.
poaillen-ta, adj. Se dit des blés rares, petits ; des personnes, des bêtes maigres, malsaines.
pocca, adv. Peu. *Va in pocca!* va un peu ! est-il possible ? *Prèdze — et bon!* regarde bien ce que tu dis !
poesia, sf. Poésie.
poéte, sm. Poète.
poetecco-a, adj. Poétique.
poffa, sf. Peur. *Avei* —, avoir peur.
poffé = *breuffé,* v. n. Pouffer. — *de rire,* pouffer de rire.
poilleina, sf. Poulain femelle. *Ferré la* —, mettre l'anneau lors du mariage.
poillen, sm. Poulain.
polaille = *dzelenna,* sf. Poule.
pole, sm. Pôle.
* **polenta**, sf. Mets fait avec de la farine de maïs.
polentë, adj. Qui mange beaucoup de *polenta.*
polentin = *polentson,* dim. Petite *polenta.*
polèra, adj. Polaire. *Ëteila* —, étoile polaire.
polet, sm. Poulet.
poletecca, sf. Politique.
poletson, sm. Petit poulet.
poletsot, sm. Agent de police.
poli-ta, adj. Poli, ie. *Mal polita,* mal propre.
* **police**, sf. Tribunal, commissaire, agent.
policé, v. Policer. Donner des allures modernes.
polisson-ouna, adj. Vilain, sans civilité, polisson.
polissonneri, sf. Polissonnerie.
polla, sf. Poule. V. *Polaille.*
poloton, sm. Ce qui enfile la bobine du rouet.
polotta, sf. Pelote. — *de nei,*

boule de neige. — *de beurro,* pelote de beurre.
polotté, v. Jeter des pelotes de neige.
poltron-ouna, s. adj. Lâche, qui aime vivre bien.
poltroneri, sf. Lâcheté, gourmandise.
pomàda, sf. Pommade.
pombla, sf. Poids d'horloge.
pomblé, v. n. Voir avec le fil à plomb si une chose est perpendiculaire.
plombin, sm. Plomb des maçons.
pomma, sf. Pomme. *Vardé euna — p'euna sei,* garder quelque chose pour une nécessité.
pommà-ye, adj. Se dit des choux, des laitues, qui sont pommés.
pommé, v. n. Pommer.
pommë, sm. Pommier.
pompa, sf. Grand appareil. *La campagne l'est in —,* la campagne est en grande prospérité.
pompa, sf. Pompe à incendie.
pompé, v. Pomper.
pompië, sm. Pompier.
pon, sm. Pont. *Fére lo — pe tot l'an,* suffire pour toute l'année.
pondzure, sf. Bande qu'on ajoute au fond d'un vêtement de celui qui grandit.
pòna, sf. Poutre du toit entre la pièce maîtresse et celle qui pose sur le mur.
ponei, adv. Pas non plus. — *lliù,* lui non plus. V. *Benei.*
pongà-ye, adj. Qui a été imbibé.
pongué, v. n. Imbiber. *Fére —,* faire imbiber.
pontalé, v. Etayer.
pontefecco-a, adj. Qui est très beau, pompeux.
ponteille, sf. Passerelle.
pontuyel-la, adj. Exact, acte.
* **Pontife,** sm. Evêque, Pape.
pontifié, v. n. Pontifier.
ponton, sm. Planches en arc qui donnent passage. *Fére —,* soutenir le parti de quelqu'un.
pontonné, v. Faire des ponts, des échafaudages. — *su lo ban,* monter sur le banc.
popon, sm. Poupon. *Dzen poupon,* bel enfant.
* **populace,** sf. Bas peuple.
populachon, sf. Population.
popularisé, v. pr. *(se)* Se la faire bonne avec le peuple.
populéro-a, adj. Populaire.
por, sm. Port. Port de mer, transport.
poraché, v. n. Pousser des bourgeons rus terre.
porcelàna, sf. Porcelaine.
porchon, sf. Part, portion, mets.
porchonetta, dim. de *porchon.*
porqueri, sf. Saleté. Fig. Tromperie.
porquet-ta, adj. Saligaud, de.
porrò = *pors,* sm. Poireau.
porta = *pourta,* bv. *eus.* Porte. *Cen qu'in baille pe la porta, entre pe la fenëtra,* ce qu'on donne par la porte, rentre par la fenêtre (l'aumône n'appauvrit pas). *Moutré la —,* faire sortir quelqu'un.
portà, sm. Portail.
portafoille, sm. Portefeuille.
portamantë, sm. Porte-manteau.
portameur, sm. Poutre où repose la charpente du toit.
portamoneya, sm. Porte-monnaie.
portandin-a, s. Porteur, euse.

portatif, adj. Qui peut se porter.
portativa, adj. Productive. *Planta* —, plante qui porte des fruits en quantité.
porté, v. Porter. — *la tsardze,* porter le fardeau. — *la peina,* porter la peine.
porten-ta, adj. Qui se porte bien.
porteque, sf. Portique.
porto! = *saluyo!* A votre santé! Se dit en offrant la coupe à boire. On répond: *bonproface* (buon pro ti faccia).
portrè, sm. Portrait.
portset, sm. Porc, cochon.
portset-ta, adj. Qui est mal propre, qui fait des actions sales.
posà-ye, adj. Posé, ée.
posé, v. Poser. — *cinque et levé chouë,* poser cinq et lever six (voler quelque chose).
posechon, sf. Position.
posetif-va, adj. Positif, ive.
posetivamente, adv. Positivement.
possechon, sf. Possession, jouissance. Pièce de terre.
possedà-ye, adj. Qui est tourmenté, qui tourmente les autres.
possédé, v. Posséder.
possei, v. M. D. Pouvoir.
possepodzu, adv. *pe cen.* Un peu plus, un peu moins pour cela.
possessoéro, sm. Possessoire.
possibilità, sf. Possibilité.
possiblo-a, adj. Possible.
posta, sf. Poste, courrier, bureau de poste.
poste, sm. Place. *Betté a* —, mettre en place.
posté, v. pr. *(se)* Se poster pour attendre, observer.
posteillon, sm. Celui qui porte les lettres.
posteima, sf. Apostème.
posterieur-a, adj. Postérieur, eure.
posterità, sf. Postérité.
posteura, sf. Posture.
postulan, sm. Postulant.
postulé, v. n. Courir, chercher, demander.
pot, sm. Mesure ancienne. Lèvre. *Fére lo* —, faire la grimace, la moue. *Euna bagga que fei lo — quan in entre a meison,* une chose qui fait la moue quand on entre à la cuisine (la crémallière).
potàblo-a, adj. Qui peut se boire.
potadzar-da, adj. Cuisinier, ière, terme de mépris.
potadzé, v. n. Faire la cuisine.
potadzë, sm. Foyer, potager.
potadzo, sm. Nourriture. *Gramo* —, mauvais mets.
potassa, sf. Potasse.
potellé, v. n. Faire la moue.
potellu-ya, adj. Qui a de grosses lèvres.
potence, sf. Gibet, potence.
poteyé, v. n. Bouder, montrer de la mauvaise humeur.
potin, sm. Baiser.
potiné, v. Faire des baisers.
potoflu-ya, adj. Qui a de grosses joues.
potringa, sf. Médicament.
potringué, v. Embrouiller, mêler. — *le baggue,* mêler, amalgamer les choses.
potsà, sf. Une pleine louche, pochée.
potse, sf. Cueiller à potage, louche. *Prendre la* —, prendre la charge du ménage.
potsiné, v. Faire les nourritures, puiser la soupe et s'en

servir à son gré. *Tot lo mondo entràve, tsacun se potsinàve, seupàve tanque crapàve, et gneun se perforchàve,* disaient nos montagnards pour plaisanter les citadins. Mais ils le feraient avec plus de raison encore (aujourd'hui) en entendant ceux-ci dire: *Tot lo mondo vegnàve, beyàve tan que voillàve, discorichàve, riàve et se tëgnàve de bon umeur....* donnant à tous ces verbes l'imparfait de la première conjugaison qui est en *àvo.* V. Gram. (du verbe, p. 27).

potson, sm. Petite poche.

poù, sm. Coq. *Fére lo* —, réveiller les autres le matin. *O tseut poù o tseut polla,* ou tous coq ou tous poules. Tous d'une manière égale.

poûca, sf. Cédule.

pouchà, sf. Poussée. — *de l'an,* bourgeon de l'année.

pouchà-ye, pp. Qui est poussé, excité.

pouché, v. Pousser.

poudra, sf. Poudre. *Prendre fouà come la* —, prendre feu comme la poudre. *L'est tot* —, se di d'un homme vif.

poudrëre, sf. Poudrière.

poudzà, sf La largeur du pouce.

poudzeul, sm. Balcon. V. *Barcon.*

poudzeyé, v. Appuyer du pouce pour faire aller un membre à sa place. Lever le pouce pour exciter.

poue, adv. Puis. Il se met souvent pour le futur: *dze fo poue,* pour *dzë fari,* je ferai.

poué, v. *la vegne.* Tailler la vigne. Voici ce que nos vieux faisaient dire à la vigne: *Pouà-mè, llià-mè, sappa-mè, tsàpla-mè la frappa, dze te fari meiné la dzappa :* taille-moi, lie-moi, remue la terre autour de moi, coupe les sarments autour de moi, je te ferai parler. *Pouà-mè, llià-mè, sappa-mè, tsapla-mè la frappa, betta-mè de dreudze i cu, dze te fari baillé lo betecu :* taille-moi, liemoi, défonce la terre autour de moi, mets autour de moi les sarments coupés, mets-moi du fumier au pied, je te ferai faire la culbute.

pouëjé = *poeijé,* v. Puiser.

pouegnà, sf. Poignée. — *de dzen,* peu de monde.

pouegnà, adv. *(a)* En abondance, à poignées.

pouegnar, sm. Poignard.

pouegnardé, v. Poignarder.

pouegnen-ta, adj. Pointu, ue. Fig. *Lenva* —, langue mordante.

pouegnon, sm. Petite poignée.

pouer = *portset,* sm. Porc, cochon.

pouer-porca, adj. Sale, mal propre.

poueraou-sa, adj. Peureux, euse. — *come euna lëvra,* peureux comme un lièvre.

pouëre, sf. Peur. *La pouëre sarve pà di dan,* la peur ne sauve pas du danger.

pouëte, adv. bv. Tantôt, un instant passé, bientôt.

pouetta, sf. Poupée.

pouf, sm. Dette. *Atseté a* —, acheter à crédit.

pouin, sm. Point. — *et vergula,* point et virgule. *Martin l'at perdu l'âno p'un poin,* Martin a perdu l'âne pour un point.

pouin, sm. Poing. *Cou de* —,

coup de poing. *Pouin de Sainte Anna, tsaque dò fan l'impanna,* poing de sainte Anne, chaque deux font l'empan. *Teni le man i pouin,* rester à ne rien faire, tenant une main dans l'autre.

pouindre, v. Poindre, piquer. Fig. Offenser.

pouinte, sf. Pointe. *— di clliotsé,* pointe du clocher. *— de coutë,* point de côté. *— di dzor,* pointe du jour.

pouinté, v. Pointer. *— lo fusi,* pointer le fusil.

pouis, sm. Puis.

pouissance, sf. Puissance.

pouissen-ta, adj. Puissant, e.

pouprë, adv. *(a)* A peu près.

pourmon, sm. Poumon.

pouramente, adv. Pauvrement.

pouro-a, s. adj. Pauvre.

pourpa, sf. Poulpe.

pourpu-ya, adj. Qui a de la poulpe.

pourri, v. n. Pourrir.

pourri = *peurret,* sm. Le pourri du fruit.

pourri-a, adj. Pourri, ie.

pourriteura, sf. Pourriture.

* **poursuite**, sf. Action de poursuivre.

pourta, sf. Porte. V. *Porta.*

pourtan, conj. Pourtant, cependant.

pourvi = *provi,* v. Pourvoir.

* **pourvuque,** conj. A condition que..... S'exprime aussi par: *Basta que.....*

pous = *pouce,* sm. Pouls. *Totsé lo —,* toucher le pouls.

pousa, sf. Moment. *Dei pousa,* depuis longtemps. *Fére —,* se reposer un instant.

poussa, sf. Poussière.

povraille, sf. Gens pauvres.

povret-ta, adj. Pauvret, ette.

poyà, sf. Montée. *Toodzen a la —,* tout doucement aux affaires. V. *Montà.*

poyé, v. Monter, aller montant.

poyon, sm. Quelque chose comme un escalier.

prà, sm. Pré. *Gran prà, gran clliende,* grandes richesses, grandes dépenses.

pralet = *praillon,* sm. Petit pré.

praou, adv. = bv. *prou.* Assez.

pratecca, sf. Pratique.

prateccàblo-a, adj. Praticable.

prateccan, adj. Qui pratique, pratiquant, homme religieux.

pratecco-a, adj. Qui connaît, qui est accoutumé.

pratequé, v. Pratiquer.

prë, sm. Lait caillé, motte dont on fait le fromage. Dev. *Euna bagga que vei bò la tappé llioen l'est todzor prë,* une chose que vous avez beau jeter loin et qui est toujours près, *(prë).*

prë, prép. Près. *Tsemin pi —,* chemin plus court.

precatéro, sm. Purgatoire.

precedé, v. Précéder.

preceden-ta, adj. Précédent, ente.

precepicho, sm. Précipice.

precepità-ye, adj. Précipité, ée, hâté.

precipitachon, sf. Précipitation.

precipitamente, adv. A la hâte.

precepité, v. Précipiter. *Se —,* v. pr. Tomber dans un précipice.

precette, sm. Précepte.

prèché, v. Prêcher.

preci-sa, adj. Précis, ise.
precijon, sf. Précision.
precisamente, adv. Précisément.
preconchon, sf. Précaution.
preconchonné, v. pr. *(se)* Se précautionner.
precurseur, sm. Précurseur. *Lo* —, S. Jean-Baptiste.
predecesseur, sm. Prédécesseur.
predestinà, sm. Prédestiné. *Le* —, les élus.
predicachon, sf. Prédication.
predicateur, sm. Prédicateur.
predominé, v. Prédominer.
predommo, sm. Prud'homme, expert.
prędzà, sf. Discours. *Fére euna* —, parler, discourir un peu.
predzé, v. Parler. *In predzen, in s'inten,* en parlant, on s'entend.
predzo, sm. *di dzen,* le dire du monde.
preface, sf. Préface.
prefeiteura, sf. Préfecture.
preferablamente, adv. Préférablement.
preferablo-a, adj. Préférable.
preferé, v. Préférer.
preference, sf. Préférence.
prefet, sm. Préfet. *Fére lo* —, vouloir commander.
prègne, adj. Se dit d'une bête chargée.
prei-sa, adj. Pris, ise.
preisa, sf. Récolte. — *de tabaque,* prise de tabac.
preison, sf. Prison. *Ni pe tor ni pe reison, leisse-tè pà fottre in preison,* ni à tort, ni à raison, ne te laisse pas mettre en prison.
preisonnë-re. s. Prisonnier, ière.
prejudicho, sm. Préjudice, dommage.
prejudiciàblo-a, adj. Préjudiciable.
prejudicié, v. Préjudicier.
prejugé, sm. Préjugé. *Avei de* —, avoir des préjugés.
prelevé, v. Prélever.
premedité, v. Préméditer.
premië-re, adj. Premier, ière.
premiëremente, adv. Premièrement.
premice, sfp. Les premiers fruits.
premuni, v. pr. *(se)* Se prémunir.
pren-prègne, adj. Se dit d'une bête pleine, chargée (*prægnans).*
prendre, v. M. C. Prendre, saisir, voler. — *lo cu pe le tsàsse,* prendre une chose pour l'autre.
preoccupachon, sf. Préoccupation.
preoccupé, v. pr. *(Se)* Se préoccuper.
preparachon, sf. Préparation.
preparatif, sm. Préparatif.
preparé = *apprestè,* v. Préparer.
preposé = *gappian,* sm. Douanier.
prëre, sm. Prêtre. *Predzé pe lo —, et lo cler l'at sei,* demander pour le prêtre tandis que c'est le clerc qui a soif. (Demander pour d'autres ce qu'on veut pour soi-même).
presbitéro, sm. Presbytère.
prescrichon, sf. Prescription.
prescrire, v. M. C. F. F. Prescrire. *Leiché* —, laisser perdre par la prescription.
presen, sm. Présent. *Ten* —, temps présent. Présent, don, cadeau.

presen-ta, adj. Présent, ente.

presentablo-a, adj. Présentable.

presentachon, sf. Présentation (de la sainte Vierge).

presentamente, adv. Présentement.

presenté, v. Présenter, offrir. *M'an pà presentà cen que m'entre i jeu,* on ne m'a rien offert.

preservachon, sf. Préservation.

preservatif, sm. Préservatif. *Remëdzo* —, remède préservatif.

preservé, v. Préserver. *Dzeu n'en preserve!* Dieu nous en garde!

presidé, v. Présider.

presiden-ta, s. Personne qui préside.

presidence, sf. Action de présider.

presonchon, sf. Présomption, trop de suffisance. *Avei de* —, craindre, appréhender quelque chose de fâcheux.

presontuyeu-sa, adj. Présomptueux, euse.

* **presque** = *case,* adv. A peu près.

prëssa = *couette,* sf. Hâte. *Quinta couette!* Quel empressement!

prëssa, adj. Se dit d'une bête qui a besoin d'être traite immédiatement. *La vatse l'est* —, la vache doit être traite immédiatement.

prëssà-ye, pp. Pressé, ée, qui a hâte.

prëssé, v. imp. Presser. *I prësse,* il presse.

prëssen-ta, adj. Pressant, e.

precenna = *personna,* sf. Personne.

pressoer = *treuil,* sm. Pressoir.

* **prestance,** sf. Gravité, dignité.

preste-a, adj. Prêt, prête.

presto, adv. bv. Vite.

presumé, v. Présumer, se proposer.

pret, sm. Prêt, solde des soldats.

prëta, sf. Prêt, action de prêter.

prëté, v. Prêter. *Se* — *le s-un le s'âtre,* s'entr'aider.

pretenchon, sf. Prétention.

pretenden-ta, s. Prétendant, ante.

pretendre, v. Prétendre.

pretendu-ya, s. Prétendu, ue. *Fére lo* —, vouloir prétendre.

preteste, sm. Prétexte.

pretesté, v. Prétexter.

preteur, sm. Préteur, juge.

preteura, sf. Préture.

prëtrise, sf. Prêtrise. *Prendre la* —, être fait prêtre.

preuva = *prœuva,* sf. Preuve, témoin.

preuvé = *prouvé,* v. Prouver.

prevallei, v. M. C. Prévaloir. *Se* —, v. pr. profiter de la simplicité d'un autre pour le tromper.

prevaricachon, sf. Prévarication.

prevariqué, v. Prévariquer.

prevei, sm. A propos.... —, *dzi euna bagga a te dëre.....* A propos, j'ai une chose à te dire.

prevegnen-ta, adj. Prévenant, ante.

prevenchon, sf. Prévention.

preveni, v. M. B. F. D. Prévenir, avertir.

previledzà-ye, adj. Qui a un privilége.

previledzé, v. Accorder une faveur.
previlèdzo, sm. Privilège.
prevò, sm. Prévôt.
prevotà, sf. Prévôté.
prevoyance, sf. Prévoyance.
prevoyen-ta, adj. Prévoyant, ante.
preyé, v. Prier Dieu, les saints.
preyëre, sf. Prière.
pri, sm. Prix, valeur. *A gneun* —, adv. En aucune manière.
prie, sf. Planche de jardin, bande de terrain au jardin.
prié, sm. Qualité de raisin précoce.
prié, v. Prier, inviter, convier, supplier.
prie-Dzeu, sm. Prie-Dieu.
prieur-a, s. Prieur, eure.
primère, adj. Primaire. *Ecoula* —, école primaire.
premitif, adj. Primitif. *Le ten* —, les temps primitifs.
prin, adj. m. Mince. *Feulé* —, filer mince.
prima, adj. f. Mince. *Teila* —, toile mince, fine. *Sa* —, sel pilé.
prim'arba, sf. Première aurore.
* **prince,** sm. Prince.
princessa, sf. Princesse.
* **principal,** sm. *Lo* —, le plus important.
principal-a, adj. Principal, ale.
principalamente, adv. Principalement.
principo = *commencemen,* sm. Principe.
printagnë-re, adj. Printanier, ière.
printagnëre, sf. Etoffe de coton.
printen = *fourrië,* sm. Printemps.
priorà, sf. Prieuré.
prisé, v. Priser, prendre la prise.
* **priseur,** sm. de tabac.
privà-ye, adj. Qui a été privé.
privachon, sf. Privation.
privé, v. Priver. *Se* —, s'abstenir.
probabilità, sf. Probabilité.
probablamente, adv. Probablement.
probablo-a, adj. Probable.
probità, sf. Probité, bon renom.
problémo, sm. Problème.
procè, sm. Procès.
procechon, sf. Procession. *Avei l'espri in* —, penser à tout autre chose qu'à ce qu'on devrait.
procedé, v. n. Plaider.
procedeura, sf. Procédure.
prochen, sm. Prochain. *Amé son* —, aimer son prochain.
proclamachon, sf. Proclamation.
proclamé, v. Publier.
procura, sf. Procuration.
procuré, v. Procurer.
* **procureur,** sm. Qui a la procuration.
prodegalità, sf. Prodigalité.
prodeggo, s. adj. Prodigue.
prodegué, v. Prodiguer.
* **prodige,** sm. Effet surprenant.
prodijeu-sa, adj. Prodigieux, euse.
produchon, sf. Production.
produi, sm. Produit. — *di bien,* produit, revenu d'une propriété.
* **produire,** v. M. C. F. H. Faire naître, procurer, causer.
produtif-va, adj. Productif, ve.
profàna, adj. f. Profane. Ne

se dit que de l'histoire profane.

profanachon, sf. Profanation.

* **profanateur,** sm. Qui profane les choses saintes.

profané, v. Profaner.

profàno-a, adj. Par opposition à ce qui est religieux.

profechon, sf. Profession, métier. — *de foé,* profession de foi.

profecie, sf. Prophétie.

professé, v. Professer.

* **professeur,** sm. Qui enseigne les sciences, les arts.

profète, sm. Prophète. *Ti fran étà* —, tu as vraiment été prophète, tu as deviné.

profetessa, sf. Celle qui prophétise.

profi = *profië,* sm. bv. *recap.* Profit, gain, avantage.

profitablo-a, adj. Profitable.

profité, v. n. Profiter.

profon-da, adj. Profond, onde. V. *Afon.*

profondé, v. n. Tomber au fond. *Lo solan l' est profondà,* le plancher s'est écroulé.

* **profondeur,** sf. *di Mistéro,* profondeur des Mystères.

profondzaou, sf. Profondeur. — *di croù,* profondeur de la fosse.

profujon, sf. Profusion.

progràmo, sm. Programme.

progrè, sm. Progrès. — *di dzambéro,* progrès de l'écrevisse, progrès à rebours.

progressé, v. n. Progresser.

progressiste, sm. Fauteur du progrès.

projeitilo, sm. Projectile.

* **projet,** sm. de loi, de liquidation.....

projeté, v. Faire des projets.

prolon, sm. Délai.

prolondzé, v. Prolonger.

prolongachon, sf. Prolongation.

promenàda, sf. Promenade.

promené, v. Promener. *Mandé* —, ne pas écouter, renvoyer quelqu'un.

promessa, sf. Promesse.

* **promettre,** v. S'engager à faire, à dire.

prometu-ya = *promi-sa,* pp. Promis, ise.

promi-sa, pp. Promis, ise. V. *Prometu.*

pròno = *prouno,* sm. Prône, sermon.

pronon, sm. Pronom.

prononça, sf. Manière de prononcer.

prononché, v. Prononcer. — *lo mot,* prononcer le mot. *Se* —, se montrer pour ou contre.

prononciachon, sf. Prononciation.

prònostecca, sf. Pronostic.

pronostequé, v. Penser, conjecturer.....

pron-ta, adj. Prompt, prompte, vif. Se dit aussi d'une vache prête à donner le veau.

prontitude, sf. Promptitude.

propadzé, v. Propager.

propagachon, sf. Propagation. — *de la foé,* propagation de la foi.

propaganda, sf. Propagande. Se dit ordinairement en mauvaise part.

propenchon, sf. Propension.

propicho, adj. Propice, favorable.

propò, sm. Propos. *Lo bon* —, le bon propos.

proporchon, sf. Proportion. Adv. *A* —, à proportion.

proporchonnà-ye, pp. Qui est en proportion.

proposé, v. Proposer. *L'ommo propouse et Dzeu dispouse*, l'homme propose et Dieu dispose.

proposechon, sf. Proposition. *Fére euna* —, faire une proposition.

propou, sm. Propos. adv. *Bien a* —, bien à propos.

propramente, adv. Proprement. — *lliu*, vraiment lui.

propretà, sf. Propreté.

proprietà, sf. Propriété.

proprietéro-a, s. Propriétaire.

propro, adj. Propre. *Non* —, nom propre.

propro-a, adj. Qui n'est pas sale. *Fére bon, qui pout ; fére propro, qui vout*, seul celui qui peut (qui a de l'argent) peut faire bon à manger; quant à faire propre, tous ceux qui le veulent, le peuvent. Ce qui appartient à soi. V. *Net*.

proratà, sm. Proportion. *Payé* —, payé au prorata.

prospeitus, sm. Prospectus.

prosperé, v. n. Prospérer.

prosperità, sf. Prospérité

prospéro-a, adj. Prospère.

prosterné, v. pr. *(Se)* Se prosterner.

protedzé, v. Protéger.

proteichon, sf. Protection.

proteiteur, sm. Protecteur.

proteitrice, sf. Protectrice.

protesta, sf. Excuse, prétexte. *Pe pà veni, l'at trovà la protesta que l'ëre malado*, pour ne pas venir, il a trouvé l'excuse qu'il était malade. Protestation.

protestachon, sf. Action de protester.

protestan-na, s. Protestant, ante. Se dit aussi des chrétiens non pratiquants.

protestantismo, sm. Protestantisme.

protesté, v. Protester.

protocollo, sm. Protocole. *Papé* —, papier grand format.

protso-e, adj. Proche, près.

* **protuteur**, sm. Qui fait les fonctions de tuteur.

proù, adv. bv. Assez.

prouva, sf. Preuve, témoin.V. *Preuva*.

prouvé, v. Prouver, témoigner.

provàna, sf. Fosse pour y planter les ceps.

prované, v. Faire des *provane*.

provejon, sf. Provision. — *de roba*, provision de denrées.

provejonné, v. Faire provision.

proveni, v. M. B. F. D. Provenir. *Cen provin de tè*, cela vient de toi, c'est ta faute.

proverbial-a, adj. Proverbial, ale.

proverbo, sm. Proverbe. On dit fréquemment : *Come deut lo* —, comme dit le proverbe.

provi = *pourvi*, v. Pourvoir.

providence, sf. Providence.

* **province**, sf. d'Aoste (aujourd'hui *Circondario)*.

provincial-a, adj. Provincial. *Taille* —, impôt qu'on paye à la province. *Pére* —, père provincial.

provisoéro = *in attenden*, adj. Provisoire. *Un provisoéro que dure tan que lo rodzo de brenva*, un provisoire qui dure autant que le rouge de mélèze, qui dure longtemps.

provisoéremente, adv. D'une manière provisoire.

provocachon, sf. Provocation.

* **provocateur**, sm. Celui qui provoque.
provoqué, v. Provoquer
pruden-ta, adj. Prudent, ente.
prudence, sf. Prudence.
pruma, sf. Prune.
prunò, sm. Pruneau. *Tisàna de* —, décoction de pruneaux.
» **publecachon**, sf. Publication.
» **publecamente**, adv. Publiquement.
» **publeque** = *publecca*, adj. Publique.
» **publié**, v. Publier.
* **pudeur**, sf. Honte honnête, modestie.
pudze, sf. Puce. *Le — de Tolon, de llioen semblon de pioù, et de protso lo son*, les puces de Toulon, de loin semblent des poux, et de près le sont réellement.
pudzolë-re, adj. Qui est toujours plein de puces.
puerilo-a, adj. Puérile. *Vouéce* —, voix enfantine.
punése, sf. Punaise. V. *Peuton.*
puni, v. Punir, châtier.
puni-a, pp. de punir.
punichon, sf. Punition.
pupil-la, s. Pupille, qui est sous tutelle.
pura, adj. f. de *peur*. Pure.
purdzé = *peurdzé*, v. Purger.
purga = *peurga*, sf. Purgation.
puretà, sf. Pureté (vertu).
purificachon, sf. Purification (de la sainte Vierge).
purifié, v. Purifier.
* **putatif**, adj. *S Josè pére putatif de l'Infan Jésu*, S. Joseph, père putatif de l'Enfant Jésus.

(») Ces mots font aussi : *Peublecachon*, *peublecca*, etc.

Q

Q se met à la place de *c* dans les mots qui en français commencent par: *Cai, co, cou, cui, cu* et qui en patois doivent faire: *ké, keu;* et cela pour ne pas fausser le son des mots.

qésse, sf. Caisse. — *di mor*, cercueil. Dev. *Euna bagga que ci que la commande, l'est pà per lliù, ci que la feit l'impleye pà et ci que l'impleye la veit pà;* une chose que celui qui la commande, elle n'est pas pour lui; celui qui la fait ne l'emploie pas et celui qui l'emploie ne la voit pas (le cercueil).

qeumun-a, adj. Commun, e. *Paché* —, pâturage commun.

qeupené, v. Plaindre. *Ma poura-tè, dze te qeupeno fran,* ma pauvre toi, je te plains vraiment.

qeur-ta, adj. Court, e. *Être a* —, manquer, être à court de... *No sen a qeur de fen, de roba,* nous manquons de foin, de nourriture.

qeuré, v. Curer. — *un pouis,* nettoyer un puis. — *meison,* dévaliser la maison.

qeuriaou-sa, adj. Curieux, se.

qeuriaousità, sf. Curiosité.

qeuseun, sm. Cousin. — *premië,* cousin germain.

qeuseuna, sf. Cousine.

qeuseuna, sf. Cuisine.

qeuseunë-re, s. Cuisinier, ère.

qeuseuné, v. Cuisiner.

qeuvë = *goveil,* sm. Cuvier.

qeuverclio, sm. Couvercle.

qeuverclié, v. Mettre le couvercle.

qeuverta, sf. Couverture.

quadrateura, sf. Quadrature.

quadrilatéro, sm. Quadrilatère.

* **quadrupède**, sm. Animal à quatre pieds.

quadruplo, sm. Quadruple.

qualificachon, sf. Qualification.

qualifié, v. Qualifier.

quan, adv. Quand. — *dz'ëro,* lorsque j'étais. — *vin-t-ë?* quand vient-il?

quant-a mè, adv. Quant à moi.

quantità, sf. Quantité.

quarenta, adj. Quarante.

quarenteina, sf. Quarantaine.

quarentëmo-a, adj. Quarantième.

quartana, sf. Mesure d'environ un décalitre.

quartanà, sf. Quartanée (cent toises). — *de prà,* cent toises de pré.

quartë, sm. Quartier. — *de pan,* quartier de pain qu'on donne à tous les participants aux processions de mai ou des Rogations.

* **quarteron**, sm. Mesure en étain d'environ deux litres.

quartetta, sf. Mesure d'eau-de-vie contenant un quart de livre. *Beire la* —, boire la *quartetta.*

quatorjëmo, adj. Quatorzième.

quatorze, adj. Quatorze.

quatreina, sf. Quatraine, environ quatre.

quatren, sm. Quatrain. *Battre i* —, battre le blé à quatre, en faisant tomber le fléau chacun séparement.

quatrëmamente, adv. Quatrièmement.

quatrëmo-a, adj. Quatrième.

quatro, adj. Quatre. *Fére le — ten,* faire mauvais temps.

quatse, adj. Quelque, un peu, environ.

quatseun-a, s. adj. Quelqu'un, une.

que, pron. Qui. *Ci — vin,* celui qui vient. *Cen que dze dìo,* ce que je dis. Qui, comme pronom, ne s'emploie que sans antécédent. *Qui vat, qui vint,* on vat, on vient.

què, pro. Quoi. *Dze si pà* —, je ne sais quoi.

quei-queya, adj. Coi, coite. *Resté* —, ne pas parler, ne pas bouger.

queijé, v. pr. *(Se)* Se taire.

querella, sf. Querelle.

querellé, v. pr. *(Se)* Se quereller.

queren, sm. Qui va se faire nourrir de part et d'autre.

queri, v. Quérir. *Va — d'éve,* vas prendre de l'eau.

querié = *crié,* v. Appeler, crier.

quessevoille, pro. Quoi que ce soit.

quettance, sf. Quittance.

quettanché, v. Quittancer.

quetté, v. Quitter, laisser, abandonner.

quetto-a, adj. Quitte, délivré.

queuché, v. imp. Se dit du vent qui emporte la neige.

queudé, v. n. Tâcher, essayer.

queuffa, sf. Jouet d'enfant. V. *Cretta.*

queuqué = *peupé,* v. Têter.

queuquerëla, sf. Vase pour donner sucer du lait aux enfants, biberon.

queus, sm. Tourmente de neige. V. *Couis.*

queutelemet, sm. Culbute.

queutemelé, v. Culbuter.

queuva = *cuya* = *còva,* sf. Queue.

que vin, adj. Prochain, qui vient. *L'an* —, l'année prochaine.

queya, adj. fém. Coite, tranquille, calme.

qui, pro. Qui. — *te l'a deut?* Qui te l'a dit?

* **quiconque**, pr. Qui que ce soit.

quin-ta! adj. Quel! quelle!

quincaille, sf. Marchandise de quincailler.

quincailleri, sf. Quincaillerie.

quinsevoille, pro. Quel ce soit.

quintà, sm. Quintal.

quintsà-ye, adj. Sali, ie. V. *Tsintsà.*

quintsé, v. Salir, souiller.

quinjëmo, adj. Quinzième.

quinze, s. adj. Quinze.

quinzeina, sf. Quinzaine.

R

Le *re* itératif, est peu en usage dans le dialecte valdôtain. Ainsi, on ne dit pas: *Rebetté a son lardzo,* remettre à sa place, mais *torné betté a son lardzo,* mais tourner mettre à sa place.

rabà, sm. Rabat de prêtre.

rabadan, sm. Tapage, bruit confus.

rabè, sm. Rabais. — *de pri,* rabais de prix.

rabeilladzo, sm. Action d'arranger un membre disloqué.

rabeillé, v. Remettre un membre disloqué à sa place.

rabeilleur-rabeilleusa, s. Personne du peuple qui a un don particulier pour guérir des fractures, rebouteur.

rabel, sm. Bruit, tapage. *Leiché tot a* —, laisser tout en désordre.

rabellé, v. Traîner. — *le soque,* traîner les galoches. — *lo prà,* rateler le foin menu. — *aoutre,* traîner de jour en jour.

rabelure, sf. Foin menu qu'on a ratelé.

rablë-re, adj. Qui est lent, bon à rien.

rablé, v. Traîner par terre.

rablo, sm. Racloir du four.

raça = *rassa,* sf. Race.

* **racaille**, sf. Rebut.

racar, sm. Construction rustique en bois. Grenier. V. *Grané.*

rache, sfp. Enfants. *Baou plen de* —, étable pleine d'enfants.

rachetà-ye, pp. de *racheté.*

racheté, v. Racheter, ne se dit qu'en parlant du Sauveur.

racheuré, v. pr. *(se)* Se rassurer.

rachon, sf. Ration.

racllié, v. Prononcer l'*r* du gosier. Racler. *Di ten de noutro pàre, no faillet roudzé lo pan deur! N'en bonten ara, n'en todzor dò caoutë su tabla, l'un pe racllié l'atro,* du temps de notre père, il nous fallait ronger le pain dur! nous avons bon temps maintenant, nous avons toujours deux couteaux sur la table, un pour racler l'autre.

racllin, sm. Raclure.

racomodé, v. Remettre en état

raconté, v. Raconter.

radical-a, adj. Radical, ale.

radieu-sa, adj. Radieux, euse

radze, sf. Fureur, grand désir. *De* —, adv. Précipitamment.

rafermi, v. Raffermir.

rafinà-ye, adj. Subtil, qui veut en savoir long.

rafiné, v. Raffiner. — *lo seucro,* raffiner le sucre.

rafineri, sf. Raffinerie.

rafineur, sm. Celui qui raffine.

rafla, adv. *(de)* De suite, sur le champ. *Euna* —, sf. Un rien.

raflé, v. Rafler. — *tot,* prendre tout, ne rien laisser.

ràga, sf. Petite fillette.
ragataille, sf. Troupe d'enfants.
ràgo, sm. Petit garçon. Garçon de maçon, de ramoneur.
ragou, sm. Ragoût.
ragouté, v. Ragoûter.
ragouten-ta, adj. Ragoûtant, ante.
raguet, sm. Tout petit garçon.
raguetta, sf. Toute petite fille.
rajaou, sm. Rasoir.
rajeuni-a, adj. Rajeuni, ie.
rajeuni, v. n. Rajeunir.
ralenti, v. Ralentir. — *lo pà,* aller plus lentement. V. n. Devenir plus froid.
ralondzi, v. M. B. F. A. Rallonger.
ràma, sf. Branche.
ramà, sf. Pluie battante.
ramaille, sf. Branches, débris des plantes.
ramassetta, sf. Brosse.
rambour, sm. Remboursement.
rambourśé, v. Rembourser.
ramë, sm. bv. Rameau.
ramificachon, sf. Ramification.
ramoliva, sf. Rameau de laurier ou d'olive qu'on bénit le jour des Rameaux. *Demendze de la* —, dimanche des rameaux.
* **ramoneur**, sm. Qui ramone les cheminées.
ramoné, v. Ramoner.
rampà, sf. Montée de chemin.
rampa, sf. Crampe.
rampar, sm. Rempart.
rampé, v. n. Ramper. — *a quatro tsambe,* se traîner des pieds et des mains.
rampeillé, v. Grimper.
rampin, sm. Croc, crochet. *Trové un* —, trouver une excuse.
rampiné, v. n. Marcher avec peine.
ramplaché, v. Remplacer.
ramporté, v. Remporter.
ramu-ya, adj. Branchu, ue.
ran, sm. Rang. *Premië* —, premier rang. Branche.
ran, adv. *(a)* Tout près, contre.
* **rance**, adj. Rance. *Gou di* —, goût du rance.
rancheri, v. Enchérir encore.
rancuna, sf. Rancune.
rancunaou-sa, adj. Rancuneux, euse.
randa, sf. Racloire. Ais qu'on passe sur la mesure de blé.
randé, v. Passer la racloire.
randevou, sm. Rendez-vous.
rando-a, adj. Ras, plein.
randon, adv. *(a)* Autour, jusqu'au bord.
ranfana, sf. Asthme. *Avei la* —, faire du bruit en respirant.
ranfané, v. n. Râler, avoir la *ranfana.*
ranflé, v. n. Etre hors d'haleine.
rango-a, adj. Malsain, qui souffre des jambes, des reins.
rangot, sm. Râle de la mort.
rangot-ta, adj. Qui est lent, bon à rien.
rangoté, v. n. Râler, haleter, avoir de la peine en faisant quelque chose.
ranimé, v. Ranimer.
ranimé, v. pr. *(se)* Reprendre courage.
ranseignemen, sm. Renseignement.
ranversé, v. Renverser, faire tomber.
ranversemen, sm. Renversement.
ranvoé, sm. Renvoi, vomissement.

ranvoyé, v. Renvoyer. V. *Remandé.*

ràpa, sf. Raclette de ramoneur. *Fére la* —, faire le ramoneur. — *di bron,* ce qui reste attaché au fond de la marmite. V. *Arcin.*

rapé, v. Racler. — *lo tsafiaou,* ramoner la cheminée. — *le trifolle,* ôter la pelure des pommes de terre en raclant.

rapet, sm. Racloir.

rapetta, sf. Etrille.

rapidità, sf. Rapidité.

rapido-a, adj. Rapide.

rapiëcé, v. Rapiécer. V. *Remendé.*

rapina, sf. Rapine. *Vivre de* —, vivre de choses volées.

rappa, sf. Grappe. — *di resin,* marc du raisin.

rappelé, v. n. Rappeler en justice. *Se* —, v. pr. Se rappeler. V. *Recordé.*

rappelu-ya, adj. Qui a le poil droit, qui n'est pas lisse.

rappion, sm. Petite grappe.

rappionné, v. Chercher les grappes oubliées après la vendange.

rappor, sm. Rapport.

rapporté, v. = *torné dëre.* Rapporter ce qu'on a vu ou entendu.

rapporteur-eusa, s. Qui est accoutumé à faire des rapports.

rapprotsé, v. Rapprocher.

rapprotsemen, sm. Rapprochement.

ràs-a = *raas,* adj. Ras. *Tondre* —, couper ras. *Coppa ràsa,* coupe rase.

rasà, sf. Coupe. — *de bouque,* rasée de bois, coupe de bois.

rasé, v. Raser

raset-ta, adj. Mouton, brebis tondus de frais.

rasibus, *(fére)* Manger tout le sien.

raso-a, adj. Qui est plein jusqu'au bord.

rassa, sf. Race. V. *Raça.*

rassasié, v. Rassasier. V. *Lodzé.*

rassemblé, v. Rassembler.

rassi-a, adj. Qui est rassis, épuré.

* **rat,** sm. Rat. *Quan le tsat l'y son pà, le rat l'y danson,* lorsque les maîtres n'y sont pas, chacun fait comme il veut.

ratafià, sm. Ratafia.

ratafian-a, adj. Lent, qui ne suit pas les autres.

rataillon, sm. Copeau que fait la hache. *Lo rataillon saoute pà llioen di tron,* le copeau ne saute pas loin du tronc. Tel père..... tel fils.

ratatoille, sf. Personne ou chose de peu.

ratë, sm. Rateau. *Ëtre de la confrari di* —, être de la confrérie du rateau, être un peu voleur.

ratelà, sf. Ratelée. — *de fen,* ratelée de foin.

ratelé, v. Rateler. — *d'un là, de l'âtro,* voler de part et d'autre.

ratelé, sm. Epine dorsale.

ratelë = *panatë,* sm. Ratelier du pain.

ratelure, sf. Ce qu'on a ratelé.

ratëre, sf. Ratière.

rateura, sf. Rature.

ratificachon, sf. Ratification.

ratifié, v. Ratifier. — *sa parola,* confirmer ce qu'on a dit.

rattavoueilledze = *rattavoladze,* sf. Chauve-souris.

rava, sf. Rave. *Rava, ravioula;*

panse pleina et mà denà, rave, rave, ventre plein et mal diné.
ravadzà, sf. Action de ravager. Une quantité.
ravadzé, v. Ravager.
ravadzo, sm. Ravage.
ravalé, v. pr. *(se)* Se ravaler.
ravaoudar-da, adj. Qui remue les choses de la maison.
ravaoudé, v. Tourner, remuer de çà et de là.
ravaouderi, sf. Ravauderie, chose de peu.
ravaoudése, sf. Un reste, quelque peu.
ravaoudure, sf. Toute sorte de petites choses de peu.
ravëre, sf. Champ semé de raves.
ravi-a, adj. Ravi, ie.
ravi, v. Ravir.
ravisseur, sm. Qui enlève avec violence le bien d'autrui.
ravitaillé, v. pr. *(se)* Se procurer le nécessaire.
rayé = *regué,* v. Effacer, faire des raies.
rayon, sm. Rayon. — *de solei,* rayon de soleil.
rayonné, v. Rayonner.
rayura, sf. Ce qui a été rayé.
ré, sm. Seconde note de la gamme.
reacchon = *reaschon,* sf. Réaction.
reacchonnéro, sm. Réactionnaire.
realisàblo-a, adj. Qui peut se réaliser.
realisé, v. Réaliser.
realità, sf. Réalité.
rëatset = *rëatsat,* sm. Rachat.
rebaouti, v. Eprouver une secousse en entendant du bruit, éprouver un sursaut, rebondir, sursauter.
rebâti, v. Rebâtir.
rebâtre, v. River. — *le clliou,* river les clous. Fig. Répliquer, retorquer.
rebat, adv. *(allé a)* Aller roulant.
rebatta, sf. Jouet en forme de boule.
rebattabouse, sm. Scarabée stercoraire.
rebatté, v. Rouler. — *pe lo mondo,* rouler par le monde. *Se — pe terra,* se rouler par terre.
rebatteuva, sf. Se dit de l'action de sonner la seconde fois l'heure.
rebeillon, sf. Rébellion.
rebeire, v. M. H. Boire une seconde fois.
rebello-a, adj. Rebelle.
rebèque, sm. Ce qui est recourbé en forme de crochet. Revanche. V. *Revendzo.*
rebèqué, v. Répondre à celui qui a droit de commander. *Se —,* répondre, se révolter.
rebeut = *rebu,* sm. Rebut. *Martsandi de —,* marchandises de rebut. Ce qui a été vomi.
rebeuté, v. Vomir ce qu'on a mangé. Par politesse on dit : *Torné tappé vià,* jeter de nouveau loin. On dit à celui qui mange du miel : *Pouer ! te mendze cen que le bëtse rebeuton,* cochon, tu manges ce que les bêtes vomissent.
rebeuun, sm. Ce qu'on donne à une vache après son repas.
rebiolé, v. n. Se dit de ce qui repousse de nouveau, qui reprend sa santé, sa jeunesse.
rebiolin, sm. Herbe fraîche ment repoussée.
reblantsi, v. Reblanchir.

reblantsissadzo, sm. Blanchissage.
reblèque, sm. Fromage fait avec du lait non écrêmé, ou avec de la crême.
reblètsé, v. Tirer encore du lait après qu'on a trait.
rebombé, v. Rebondir.
rebondé, v. Regorger, être plein. — *de roba,* avoir de tout en abondance. *La tenna rebonde*, la tine est pleine jusque sur les bords.
rebondi, v. n. Résonner, retentir.
rebor, sm. Rebord.
rebordé, v. Reborder.
rebot, adv. *(Fére a)* Faire mal, à rebours.
rebotsé, v. Recrépir.
rebotu-ya, adj. Qui répond mal, de travers.
reboudzé, v. Remuer. — *la caillà,* remuer le lait caillé.
reboudzé = bv. *rebourdzé,* v. Susciter des questions, les réveiller.
reboudzemen, sm. Remuement.
rebouyé, v. Remettre une seconde fois à la lessive.
rebratà-ye, adj. Qui est retroussé.
rebraté, v. Retrousser. — *le mandze,* retrousser les manches.
rebreutse, sfp. Ruses, paroles de travers pour s'excuser, pour agacer.
rebreyé, v. Broyer de nouveau. — *la pâta,* broyer de nouveau la pâte.
recap, sm. Avantage, profit.
recapelé, v. pr. *(se)* Se remettre de maladie, revenir au sien.
recaoudre, v. M. C. F. F. Recoudre.
recapitulachon, sf. Récapitulation.
recapitulé, v. Récapituler.
receichon, sf. Réception.
receivre, v. Recevoir.
recelé, v. Recéler.
receleur-eusa, s. Qui recèle. *L'y sareit pà de voleur se fuchent pà le receleur,* il n'y aurait pas de voleurs, s'il n'y avait pas de receleurs.
recencemen, sm. Recensement.
recepé, v. *le vis.* Receper les plants de vigne.
recetta, sf. Recette du médecin.
recevàblo-a, adj. Recevable.
* **receveur,** sm. Qui perçoit les deniers publics.
rëché, v. Réveiller, éveiller. Fig. *Se* —, ouvrir les yeux, devenir plus vigilant.
rechëté, v. Rasseoir. *Leiché* —, laisser rasseoir l'eau trouble.
racheut-a, pp. *de ressuyé.* Qui a perdu son humidité, qui a séché. *N'en veyen pà le jeu recheut,* nous n'en voyons pas les yeux secs, nous n'en voyons pas la fin.
rechordre, v. Paraître de derrière quelque chose, apparaître.
reci, sm. Récit, narration.
recidiva, sf. Récidive.
recitachon, sf. Récitation.
recité, v. Réciter.
reclamachon, sf. Réclamation.
reclamé = *reclliamé,* v. Réclamer.
reclliu, sm. Renfermé. *Flà di reclliu,* odeur du renfermé.
reclliujon, sf. Réclusion.
recognëssàblo-a, adj. Reconnaissable.

recognëssence, sf. Reconnaissance.
recognëssen-ta, adj. Reconnaissant, ante.
recognëtre, v. M. C. F. G. Reconnaître. *Se —*, rentrer en soi-même, se raviser.
recolenne, sfp. Ce qui tient le milieu entre la rite et l'étoupe.
recomandachon, sf. Recommandation.
recomandé, v. Recommander. — *l'âma,* faire les prières de la recommandation de l'âme.
recomenché, v. Recommencer.
recompensa, sf. Récompense.
recompensé, v. Récompenser.
reconciliachon, sf. Réconciliation.
reconcilié, v. Réconcilier.
reconduire, v. M. C. F. H. Reconduire. Mieux : *Torné meiné.*
reconforté, v. Fortifier, soulager, consoler.
reconfronté, v. Confronter de nouveau.
reconstruchon, sf. Reconstruction.
* **reconstruire,** v. M. C. F. H.
reconté, v. Recompter. — *le sou,* recompter l'argent.
recontré, v. Rencontrer. *Le montagne se recontron pà, më le s-ommo se recontron,* les montagnes ne se rencontrent pas, mais les hommes se rencontrent.
recontro, sf. Rencontre. *Atseté pe —*, acheter par occasion.
recopé, v. Couper une seconde fois.
recopié, v. Recopier.
recopeura, sf. Ce qui a été recoupé.
recordé, v. Rappeler au souvenir. *Se —*, se rappeler, se souvenir.
recors = *recousse,* sm. Regain. *Seyé lo recors devan que lo fen,* couper le regain avant le foin (marier la fille plus jeune avant l'aînée).
recorredzé, v. Recorriger.
recorta, sf. Récolte.
recorté, v. Récolter.
recoueilleite, sf. Récolte, tout ce qu'on recueille des fruits de la terre.
recoueilli, v. M. B. F. A. Recueillir, récolter. Ramasser, lever de terre.
recouére, v. M. C. F. L. Recuire.
recour, sm. Recours.
recourbé, v. Recourber.
recoure, v. Recourir. On dit aussi : *Recouri,* v. M. B. F. B.
recoutsé, v. *le vis.* Provigner.
recramé, v. Prendre encore la crême qui se forme.
recreachon, sf. Récréation.
recreé, v. Récréer. — *atot de conte,* amuser par des histoires. *Se —*, se récréer, se divertir honnêtement.
recreitre, v. M. C. F. G. Recroître.
recreublé, v. Cribler de nouveau.
recreuvi, v. M. B. F. A. Recouvrir.
recrutemen, sm. Recrutement.
* **reçu,** sm. *di taille,* reçu des impôts.
* **recueil,** sm. *de canteque,* recueil de cantiques.
recuperé, v. Récupérer.
reçuya, sf. Action de recevoir quelqu'un. Ce qu'on présente

à boire, à manger, à celui qui arrive chez vous.

redachon, sf. Rédaction.

redacteur, sm. Celui qui rédige.

redenchon, sf. Rédemption.

redenteur, sm. Rédempteur.

redëre, v. M. H. Redire, répéter. *Trové a* —, reprendre, blâmer, trouver à redire.

redevablo-a, adj. Redevable.

redigé, v. Rédiger.

rediculo-a = *rediqeulo-a,* adj. Ridicule.

redimé, v. Racheter. — *lo bien,* faire un rachat.

redoblé, v. Redoubler, augmenter. Replier ce qui a été déplié. — *le botte* = *soler*, ressemeller les souliers.

redoblemen, sm. Redoublement.

redoré, v. Dorer de nouveau.

redoutàblo-a, adj. Redoutable.

redouté, v. Redouter.

redrëché, v. Redresser.

redres, sm. Ordre, propreté dans les affaires de la maison.

reduchon, sf. Réduction.

reduire, v. M. C. F. H. Réduire. — *a la misére,* rendre misérable.

rèdzaou, sm. Régent. — *di ru,* directeur du ruisseau.

redzerdi, v. Rebondir. — *de pouëre ,* frissonner de peur, frémir.

redzeté, v. n. Pousser des rejetons.

redzeton, sm. Rejeton. — *de l'an,* poussée de l'année. Enfant, descendance.

redzeundre, v. Ajouter une seconde fois.

redzoindre, v. M. C. F. E. Rejoindre. — *lo fi,* attacher deux bouts de fil. — *in tsemin,* rejoindre en chemin.

redzoui = *redzovi,* v. Réjouir. V. *Rejoui.*

redzure, v. M. C. F. M. Réduire. — *le meinà,* tenir les enfants retirés. — *le baggue,* ne pas laisser les affaires éparpillées.

rëe, prép. Arrière. — *feus,* arrière petit-fils.

rëel-la, adj. Réel, réelle, franc, juste.

rëelire, v. Elire de nouveau. Ce verbe n'a guère que l'inf. et le pp.

refachon, sf. Retour, ce qu'on ajoute quand on troque. V. *Retorna.*

refeiché, v. Remettre les bandes.

refeichon, sf. Réfection.

refeitoéro, sm. Réfectoire.

refendre, v. Fendre de nouveau.

refére, v. M. I. Refaire. Ajouter quelque chose quand on échange. *Se* —, devenir meilleur.

réfié, v. Tordre plusieurs fils ensemble.

refieri, v. n. Aboutir.

reflé, v. n. Respirer. — *un momen,* respirer un instant.

reflechi, v. n. Réfléchir, penser.

refleichon, sf. Réflexion, observation.

reflet, sm. Action de réfléter.

reflетté, v. Refléter.

reflouri, v. Refleurir.

reflu, sm. Reflux.

réfo, sm. *(fi)* Fil retors.

refolé, v. Fouler de nouveau, presser.

refondre, v. Refondre.

refourma, sf. Réforme.

reformé, v. Réformer.

refrattéro, sm. Celui qui du temps de Napoléon I, refusait d'aller sous les drapeaux.
refreidi, v. Refroidir, rendre froid.
refreidissemen, sm. Refroidissement.
refrèné, v. Refréner. — *le vicho,* refréner les vices.
refren, sm. Refrain.
refrëtsé, v. Renouveler. — *la pouca,* renouveler la cédule. V. n. Mouiller la pâte pour faire le pain.
refrigeran, sm. Réfrigérant. *Ongan* —, onguent réfrigérant.
refrognà, sf. Refrognement.
refrogné, v. Trouver à dire en montrant de la mauvaise humeur.
refu, sm. Refus.
refuge = *refujo,* sm. Refuge.
refugié, v. pr. *(se)* Se réfugier.
refusé = *refeusé,* v. Refuser.
refutachon, sf. Réfutation.
refuté, v. Réfuter.
regà-ye, adj. Qui a des raies, des lignes, strié.
regal, sm. Régal, don, présent.
regalada, sf. *(beire a la)* Boire à la régalade.
regalé, v. Régaler.
regalisse, sf. Réglisse.
regar, sm. Regard. — *sarvadzo,* regard farouche.
regardé, v. n. Compéter, concerner.
regenerachon, sf. Régénération.
regeneré, v. Régénérer.
regga, sf. Ligne, raie.
regi, v. Régir, gouverner.
regicide, sm. Régicide.
regimbé, v. n. Regimber.
regimo, sm. Régime. *Tsandzé de* —, changer de vie.
registrachon, sf. Enregistrement.
registré, v. Enregistrer.
registro, sm. Registre.
regné, v. Couper le bout. — *lo trà,* rogner la poutre. — *qeur,* dire peu de mots.
règné, v. Régner.
règno, sm. Règne, royaume.
regoillé, v. Regonfler.
regoillemen, sm. Regonflement. — *de l'éve,* regonflement de l'eau.
regolet, sm. Jeu d'enfants. *Fére lo* —, former un cercle et tourner en se tenant chacun par la main.
regordzé, v. Regorger.
regotà-ye, adj. Frisé, ée.
regoté, v. *le pei,* friser les cheveux. *Se regoté,* v. pr. Se friser.
regotin, sm. Mèche de cheveux frisés. Copeaux que fait le rabot.
regrepi-a, adj. Qui a des plis, des rides.
regrepi, v. Plisser.
regret, sm. Regret.
regrettàblo-a, adj. Regrettable.
regretté, v. Regretter.
regreuvé, v. Ramasser, réunir. *Se* —, se retirer chez soi.
regué, v. Faire des lignes, des raies. *Le meinà regon dret,* les enfants filent droit, se comportent bien.
regularisachon, sf. Régularisation.
regularisé, v. Régulariser.
regularità, sf. Régularité.
regullië-re, adj. Régulier, ière.

regullièremente, adv. Régulièrement.
rei, sm. Roi. — *di* —, Dieu. *Avouë qui l'at pà lo rei l'y perd*, le roi perd avec celui qui n'a rien.
reideura, sf. Bête, personne, raide, qui va lentement.
reidondze, sf. Etat de ce qui est raide.
rëilla, sf. Règle, économie.
rëillà-ye, adj. Règlé, ée.
rëillé, v. Règler.
rëillemen, sm. Règlement.
reimplere, v. Remplir de nouveau.
reimprimé, v. Réimprimer.
reina, sf. Reine. — *di vatse*, vache qui l'emporte sur les autres, dans leurs batailles.
reinar, sm. Renard. *Fin* —, fourbe, filou.
reine-glode, sf. Reine-claude.
reinetta, sf. *(pomma)* Pomme reinette.
reinoille, sf. Grenouille.
reique, adv. Seulement. — *cen*, seulement ça, rien que ça. — *lliù que...*, ce n'est que lui qui....
reis = *reice*, sf. Racine.
reison, sf. Raison.
reisonnablo-a, adj. Raisonnable.
reisonné, v. n. Raisonner.
reisonnemen, sm. Raisonnement.
reisonneur, sm. Raisonneur. *Fére lo* —, discuter sur ce qui est commandé.
reitifié, v. Rectifier.
reiteur, sm. Recteur.
reitori, sf. Rectorie.
rejailli, v. M. B. F. A. Jaillir. V. *Dzerrié*.
* **rejet**, sm. *de la loé*, rejet de la loi.
rejeté = *vomi*, v. Rejeter. V. *Rebeuté*.
rejoui, v. Réjouir, porter la joie. V. pr. *Se* —, se réjouir.
* **rejouissance**, sf. Noce, fête de famille.
rejouissen-ta, adj. Réjouissant, ante.
relachon, sf. Relation.
relami, v. Rendre moins serré, moins tendu. *Lo fret relame*, le froid diminue.
relanché, v. n. Se dit d'un liquide qui dépasse les bords.
relardzi, v. Elargir de nouveau.
relatif-va, adj. Relatif, ive.
relatsé, v. Relâcher. — *lo pà*, aller plus doucement.
relàtsemen, sm. Relâchement.
relàtso, sm. Relâche, repos.
relegachon, sf. Relégation.
relegué, v. Reléguer.
releque, sf. Relique.
relequéro, sm. Reliquaire.
relevaille, sfp. Relevailles.
relevé, v. Recopier. *Se* —, se remplacer tour à tour, reprendre sa santé, sa fortune.
* **relief**, sm. *di pay d'Oûta*, reliet du Duché d'Aoste.
relié, v. Relier. — *lo lëvro*, re lier le livre.
relieur, sm. Qui relie les livres.
relieura, sf. Reliure.
religeu-sa, s. Religieux, euse.
religeu-sa, adj. Qui a de la religion.
relijon = *relejon*, sf. Religion.
rellière, v. M. C. F. F. Relire.
rellière, v. M. C. F. L. Lier de nouveau. — *lo fagot*, relier le fagot.
reliquà, sm. Quelque peu de chose qui reste encore.
relodzë, sm. Horloger.
relodzo, sm. Horloge. Douleur

qu'on sent au changement de temps.
relondzi, v. Rallonger.
relouyé, v. Remettre à sa place un membre disloqué.
reloyé, v. Donner de nouveau à bail. — *lo bien*, mettre de nouveau le bien à louage.
remaché, v. Remercier. V. *Remercié.*
remachen-Dzeu. Grâce à Dieu.
remandé, v. Renvoyer d'un jour à l'autre.
remandzé, v. Mettre de nouveau un manche.
remarca, sf. Remarque. *D'aprë la* —, d'après l'observation. *Betté euna* —, mettre un signe en terre ou ailleurs pour se reconnaître.
remarcablo-a, adj. Remarquable.
remarqué, v. Remarquer. — *la roba*, faire attention à la quantité ou à la qualité de nourriture que d'autres mangent.
remarquen-ta, adj. Qui observe de petites choses.
remarià-ye, pp. Remarié, ée.
remarié, v. Remarier. *Se* —, se remarier.
remaseille, sf. Derniers restes, choses de peu.
remaseuil, sm. Mauvais restes.
rematsé, v. Remâcher. — *la mèma bagga*, redire la même chose.
remechon, sf. Rémission. *Sensa* —, sans autre, sans remettre.
remedié, v. Remédier. *Se* —, se corriger.
remedzo, sm. Remède, moyen.
remelliëremen, sm. Amélioration dans la campagne.
remellierié, v. n. Se porter mieux.
rememorié, v. Remettre en mémoire.
remendé, v. Rapiécer.
remercié = *remaché*, v. Remercier.
remerciemen, sm. Remercîment.
remettre, v. Remettre. — *a deman*, renvoyer à demain. — *euna lettra*, remettre une lettre.
remi-sa, adj. Qui n'est plus neuf, déjà usé.
remisa, sf. Remise, abri. — *di tsevà*, remise pour les chevaux.
remisé, v. Retirer dans la remise.
remoillé, v. Mouiller une seconde fois.
remonté, v. Monter de nouveau. — *la montra, lo comerce*, remonter la montre, le négoce.
* **remontrance**, sf. Réprimande.
remor, sm. Remords.
rèmoué, v. Habiller, changer habillement. — *in fëta*, habiller en fête. — *lo meinà*, lever l'enfant du berceau, lui changer les linges.
ren, sm. Rien, pas. Rang. — *de dzovalle*, rangée de javelles.
renda, sf. Rente en denrées.
rendre, v. Rendre, restituer, produire.
renditot, adv. Pas du tout.
renegà, sm. Renégat.
renié, v. Renier.
reniemen, sm. Reniement.
reniten-ta, s. Rénitent, ente.

renomà-ye, adj. Qui a bon renom.
renonça, sf. Renonce.
renonché, v. Renoncer.
renonciachon, sf. Renonciation.
renovellé, v. Renouveler.
renovellemen, sm. Renouvellement.
renperen, adv. Aucunement.
renque, adv. *tsecca,* seulement un peu. V. *Reique.*
rente, sf. Rente.
rentë-re, s. Rentier, ière.
rentsà, sf. Rangée. — *de vatse,* rangée de vaches. — *de dzen,* suite, défilé de personnes.
rentse, sf. File, suite. *Fére euna gran* —, dire beaucoup de choses.
repà, sm. Repas. *Pequé lo sin sensa fére un bon repà,* manger tout le sien sans faire un bon repas. V. *Souye.*
reparablo-a, adj. Réparable.
reparachon, sf. Réparation.
reparé, v. Réparer, nettoyer, tout manger.
reparëtre, v. M. C. F. G. Reparaître.
reparti, v. n. M. B. F. C. Partir de nouveau.
reparti, v. Répartir, partager, répliquer.
repartichon, sf. Répartition.
repassà-ye, adj. Minutieux, se.
repassé, v. Passer de nouveau.
repassé, v. Repasser (le linge). V. *Esterié.*
repayé, v. Payer une seconde fois.
repensé, v. n. Repenser.
repenten-ta, adj. Repentant, ante.
repenti, sm. Repentir (des fautes). *De cen lé, te và pà prendre lo — a Roma;* de cela tu t'en repentiras bientôt.
repenti, v. pr. *(se)* Se repentir.
repertoéro, sm. Répertoire.
repèsé, v. Peser une seconde fois.
repetichon, sf. Répétition. *Montra a* —, montre à répétition.
repeublecca, sf. République. Maison où il n'y a point d'ordre, où tous commandent.
repeubleqen, sm. Républicain.
repeuché, v. n. Se dit d'un liquide qui étant versé coule le long de la paroi extérieure du vase qui le reçoit.
repeugnance, sf. Répugnance.
repeugnen-ta, adj. Répugnant, ante.
repeugné, v. n. Répugner.
repeuplé, v. Repeupler.
repi = *rëe epi,* sf. Se dit d'un champ que l'on sème deux ans de suite.
rèpié, v. Refaire. — *lo meur,* refaire la base du mur. — *le tsaouson,* refaire les bas en dessous de la cheville.
repinté, v. Repeindre.
replaché, v. Replacer.
replan, sm. Plan, plateau sur une colline.
replani, v. Rendre plan. V. n. Devenir plan.
replecca, sf. Réplique.
replequé, v. Répliquer, répondre. — *la mëma bagga,* redire la même chose.
repletté = *replissé,* v. Replisser.
repleyé, v. Replier.
repojaou, sm. Endroit où l'on pose le faix pour se reposer.
repon, sm. Répons. *Tsaque ver-*

set l'at son —, toute parole a sa réplique.

reponden, sm. Répondant, caution. *Qui repond paye,* qui cautionne paye.

repondre, v. Répondre, cautionner. *Qui mal intend, pië repond,* qui mal comprend, pire répond.

reponsa, sf. Réponse.

reposé, v. Reposer. *Alle* —, aller dormir.

reposoèr, sm. Reposoir (du Jeudi-Saint).

repouchà, sf. Poussée. — *de l'an,* ce qu'une plante a repoussé dans l'année.

repouché, v. Repousser.

repoûta, sf. Choucroute.

repreensiblo-a, adj. Répréhensible.

repreisa, sf. Reprise, action de retomber dans la même maladie après qu'on se portait déjà mieux.

reprendre, v. M. C. Reprendre. — *le meinà,* corriger les enfants. V. n. Reprendre la santé.

representachon, sf. Représentation.

representé, v. Représenter, agir au nom d'un autre.

representen, sm. Représentant.

reprimé, v. Réprimer.

reprimenda, sf. Réprimande.

reprimendé, v. Réprimander.

reprin, sm. Farine qui tient le milieu entre la farine proprement dite et le son.

reprobachon, sf. Réprobation.

reproduchon, sf. Reproduction.

reprodzé, v. Reprocher.

reprodzo, sm. Reproche. *Sensa* —, tournure dont on se sert lorsqu'on raconte une bonne action qu'on a faite: *Dzi deut un pater, sensa* —, sans vouloir me louer, j'ai dit un pater.

reputachon, sf. Réputation. *Vendre à sa* —, vendre à sa valeur.

reputé, v.n. Réputer, tenir pour.

reqeuché = *reqeurché,* v. Raccourcir.

reqeulàda, sf. Action des troupes qui reculent devant l'ennemi.

reqeulé, v. Reculer.

reqeulet, sm. Furoncle. V. *Orbet.*

reqeulon, adv. *(a)* A reculons.

reqeussi = *reqeursi,* v. Raccourcir.

requenté, v. Ramasser ce qui reste. — *lo bron,* prendre les restes de la marmite. — *meison,* manger tout ce que l'on a.

requeran, sm. Requérant.

requeri, v. Requérir, désirer. *lo prëre,* demander le prêtre.

requi-se, adj. Qui est demandé pour témoin.

requi, sm. Repas que l'on fait le dimanche après les noces.

requien = *recouien,* sm. Requiem.

rer-rére, adj. Rare. *Rer come le corbé blan,* rare comme les corbeaux blancs. Clairsemé. *Le blà son* —, les blés sont clairsemés.

rer, sm. Petite quantité d'un liquide qui jaillit. *Un — de lacé,* un filet de lait.

rer, adv. *(de)* Peu souvent.

reramente, adv. Rarement.

resca, sf. Risque.

rescapereille, adv. *(a)* A risque et péril.

resegnà, sf. Pluie fine d'un instant.
resegnà-ye, adj. Résigné, ée.
resegnachon, sf. Résignation.
resegné, v. pr. *(se)* Se résigner.
resegné, v. n. Pleuvoir à petites gouttes. *Quan plout et resegne, feit lo ten di vegne,* quand il pleut et qu'il *resegne,* il fait le temps des vignes.
reserva, sf. Réserve. *A la reserva de.....* adv. Sauf, à l'exception de....
reservà-ye, s. adj. Réservé, ée.
residé, v. n. Résider. — *in Veulla,* habiter à Aoste.
residen-ta, adj. Résidant, e.
residence, sf. Résidence.
residu, sm. Résidu, le restant.
resilié, v. Résilier.
resin, sm. Raisin. — *abran,* groseille.
resisté, v. n. Résister.
resistence, sf. Résistance.
resolu-ya, adj. Qui est disposé, déterminé.
resoluchon, sf. Résolution, décision.
resoudre, v. M. C. Résoudre. *Se* —, v. pr. Se déterminer.
respeitàblo-a, adj. Respectable.
respeité, v. Respecter.
respeituyeu-sa, adj. Respectueux, euse.
respet, sm. Respect. Lorsqu'on doit prononcer à table une parole un peu triviale, on s'excuse en disant : *Se bon respet a la yanda et a la compagni,* sous bon respect à la nourriture et à la compagnie.
respir, sm. Respiration.
respirachon, sf. Respiration.
respiré, v. n. Respirer. V. *Terrié lo flà.*
responsabilità, sf. Responsabilité.
responsàblo-a, adj. Responsable.
resqué, v. Risquer.
rëssa, sf. Grosse scie. — *a l'éve,* scie à l'eau.
ressan, sm. Scieur de long.
ressani, v. n. Reprendre la santé.
rëssé, v. Scier.
ressegnon, sm. Petit goûter. *Fére* —, prendre une tranche de pain et un chiquet d'eau-de-vie à la fin de la veillée. Cet usage n'existe casi plus depuis que nos campagnards n'ont plus la liberté de distiller leur marc.
ressemblé, v. n. Ressembler.
ressemblence, sf. Ressemblance.
ressemelé, v. Ressemeler. — *le soler,* ressemeler les souliers.
ressemé, v. Semer une seconde fois.
ressenti, v. pr. M. B. *(se)* Se ressentir. *Dze me ressento de ma maladi,* je me ressens de ma maladie
ressentimen, sm. Ressentiment.
ressin, sm. Sciure. *Pourté lo* —, semer de la sciure le long du chemin depuis la maison de celui qui se marie et de celle qu'il a délaissée, et *vice-versa.*
ressor, sm. Ressort, consorterie.
ressourça, sf. Ressource, recours, moyens.
ressuscité, v. Ressusciter.
ressuyé, v. n. Ressuyer, per-

dre l'humidité. *Lo fen ressuye,* le foin sèche.

resta, sf. Reste. *Euna petsouda* —, un petit reste.

restan, sm. Restant, ce qui reste.

resté, v. n. Rester, demeurer. — *quei,* ne pas bouger, ne pas parler, rester coi.

» **restituchon**, sf. Restitution.

» **restituyé**, v. Restituer.

restorachon, sf. Restauration.

restoran, sm. Restaurant.

restoré, v. Restaurer.

restrendre, v. Restreindre.

resultà = *resurtà,* sm. Résultat.

resulté = *resurté,* v. n. Résulter.

resumé, v. Résumer.

resureichon, sf. Résurrection.

ret-reide, adj. Raide. *Fére lo* —, sm. faire le gaillard, le fanfaron.

retabli, v. Rétablir, remettre en état. *Se* —, se remarier.

retaconé, v. Rapiécer.

retar, sm. Retard.

retardatéro-a, s. adj. Retardataire.

retardé, v. Retarder, différer.

retë, v. Toucher, heurter.

rëté, v. n. Cesser. — *dè ploure,* cesser de pleuvoir.

retëgnen-ta, adj. Qui est fort attaché à l'intérêt.

retenchon, sf. Rétention. Ce que le gouvernement retient sur les traitements. — *de l'eurenna,* rétention d'urine.

reteni, v. M. B. F. D. Retenir.

retenti, v. n. Retentir. V. *Retouné.*

retentissemen, sm. Bruit, rumeur occasionnée par le scandale ou autre faits.

retenu-ya, adj. Retenu, ue.

retenuya, sf. Retenue, réserve.

reterada, sf. Action de se retirer de la campagne.

reterié = *retiré,* v. Retirer. — *lo blà,* retirer le blé. *Se* —, se retirer le soir chez soi.

reterié, v. Tirer une seconde fois. V. n. Tirer de... ressembler à... — *a son pére,* ressembler à son père.

* **retondre**, v. Tondre de nouveau.

retopé, v. Boucher de nouveau.

retor, sm. Retour.

* **retordre**, v. Tordre de nouveau.

retorna, sf. Ce qu'on donne en retour lorsqu'on fait des échanges.

retotsé, v. Retoucher, corriger.

retouné, v. n. Retentir, renvoyer le son.

retouno, sm. Retentissement, écho. *Que fat-ë fére p'avei de roba ?* L'écho répond : *Roba.* Que faut-il faire pour avoir des denrées ? L'écho répond : vole.

retraché, v. Retracer.

retractachon, sf. Rétractation.

retracté, v. Retracter. — *sa parola,* se dédire.

retreici, v. Rétrécir.

retreicissemen, sm. Rétrécissement.

retrensé, v. Retrancher.

retrète, sf. Retraite.

retrogràde, sm. Rétrograde.

retrogradé, v. n. Rebrousser chemin.

retrové, v. Retrouver. V. pr. *Se* —, se revoir ensemble.

(») Ces mots se disent tant d'une chose prêtée que d'une chose volée.

retsàda, sf. *Pan a la —,* pain que l'on a mis au four sans le réchauffer. *Drumi a la —,* aller dormir sans faire le lit.
retsaouché, v. Rechausser.
retsaoudà-ye, pp. Qui a été réchauffé.
retsaplé, v. Hâcher, fendre de nouveau.
retsardzé, v. Recharger.
rètse, sf. Mangeoire des bêtes. *Betté la — pi afon,* mettre la mangeoire plus bas, diminuer le manger.
rètsé, sm. Grosse et longue planche où l'on attache les vaches en montagne.
retsegnà, sf. Réprimande. *Fére euna —,* gronder, répliquer avec colère.
retsegné, v. n. Témoigner de la mauvaise humeur. *Se —,* se crisper, se raccourcir.
retsoentsat, sm. *(fére lo)* Rapporter au père, à la mère, les choses de la famille.
reufla, sf. Meuble pour pendre la lampe et la faire tourner où l'on veut.
reuil, sm. Le reste des autres.
reuillé, v. Ne pas manger tout. *— lo fen,* laisser du foin à la crèche.
reuni, v. Réunir.
reunion = *assemblà,* sf. Réunion.
reup, sm. Poids ancien (25 livres).
reussi, v. Réussir.
reussita, sf. Réussite.
reutserè-re, s. Personne très riche.
reutsesse, sf. Richesse.
reutso-se, adj. Riche.
reuva = *ruya,* sf. Rue.
revé = *reeé,* v. Tirer à côté, ôter du milieu. *Se —,* v. pr. Se tirer de côté, laisser passer.
reveil, sm. Réveille-matin.
reveillé, v. Réveiller.
revelachon, sf. Révélation.
revelé, v. Révéler, découvrir.
revenan, sm. Revenant. *Pouère di —,* peur des revenants.
revendicachon, sm. Revendication.
revendiqué, v. Revendiquer.
revendre, v. Vendre ce qu'on a acheté.
revendzaou-sa, s. Revendeur, euse.
revendzé, v. Séparer deux personnes qui se battent. *Se —,* v. pr. Prendre la revanche.
revendzen, adj. *(cou)* Coup défendant.
revendzo, sm. Revanche. *Aprë la partia lo —,* après la partie la revanche. Chacun à son tour.
reveni, v. n. M. B. F. D. Revenir, reprendre sentiment.
revenqui, v. Contredire, nier.
revente, sf. Revente.
* **revenu,** sm. *Payé lo —,* payer les intérêts.
rever, sm. Revers. *— de forteuna,* revers de fortune, disgrâce.
rever = *revés,* sm. Revers. V. *Indret.*
reverberachon, sm. Réverbération.
reverberé, v. Réverbérer.
reverdi, v. n. Reverdir.
reverdeyé, v. n. Redevenir vert.
revère, v. M. J. Revoir. *Tanqu'a —,* jusqu'au revoir. *A —,* adv. A plus forte raison.
reversà-ye, adj. Qui se tient d'une manière renversée.
reversiblo-a, adj. Reversible.
revertsà, sf. Mauvaise action.

Fére euna —, faire une sottise. *Dëre euna* —, répondre mal.
revertsà-ye, adj. Qui est revêche, qui répond mal.
revertson, adv. *(a)* A rebours.
reveti, v. Revêtir.
revié, v. Allumer. — *lo fouà*, allumer le feu.
reviré = *reverié,* v. Retourner. — *le mandze,* retrousser les manches. *Se* —, v. pr. Se révolter, répliquer, dire sa raison, regarder en arrière, se retourner.
revisé, v. pr. *(se)* Examiner encore avant de prendre une détermination, se raviser.
reviseur, sm. Réviseur.
* **revivre,** v. n. Reprendre vie.
revocàblo-a, adj. Révocable.
revocachon, sf. Révocation.
revolta, sf. Révolte.
revolté, v. pr. *(se)* Se révolter.
revolu-ya, adj. Révolu, ue.
revoluchon, sf. Révolution.
revoluchonnéro, sm. Révolutionnaire.
revon, sm. Bord, rebord.
revoqué, v. Révoquer, annuler.
revuya, sf. Revue.
reya, sf. Sillon. *La premiëre — l'est pà dzornà,* le premier sillon n'est pas la journée.
reyé, v. Sillonner. — *lo tsan,* labourer le champ.
ribadeura, sf. Crépissure.
ribambella, sf. Ribambelle, bamboche, longue suite, quantité.
ribé, v. Recrépir.
riboté, v. n. Riboter, faire ripaille.
riboteur, sm. Qui fait souvent la ribote.
ribotta, sf. Ribote.
richar = *reutseré,* sm. Richard, homme très riche.
richarda = *reutserëre,* sf. Richarde.
ridà-ye, adj. Ridé, ée. V. *Plettà.*
ride = *plet,* sf. Ride. — *di vesadzo,* rides du visage.
ridiculo = *ridiqeulo,* sm. Ridicule.
ridò, sm. Rideau.
rien-ta, adj. Riant, ante.
rigidità, sf. Rigidité.
rigido-a, adj. Rigide, sévère.
rigoureu-sa, adj. Rigoureux, euse.
rigoureusamente, adv. Rigoureusement.
* **rigueur,** sf. Rigueur.
rima, sf. Rime. On dit d'un déraisonnable : *L'at ni rima, ni reison,* il n'a ni rime ni raison.
rimé, v. n. Rimer.
* **rimeur,** sm. Celui qui fait des rimes.
rinchà, sf. Rincée. *Baillé euna* —, gronder, battre quelqu'un.
rinché, v. Rincer, passer à l'eau propre ce qu'on a lavé.
rinchure, sf. *di s-eise,* rinçure de la vaisselle.
rincllié, v. n. *le den.* Grincer des dents.
rincllin, sm. Violon.
rindzé, v. n. Ruminer. *La fére* —, la faire payer chère.
rindzo, sm. Rebut des vaches, restes, débris de fourrage.
rire = *rie,* sm. Rire. *A la botse di fou, lo — l'y abonde,* à la bouche des fous, le rire abonde. *Fére euna panchà de* —, rire à plein ventre.
rire = *rie,* v. M. J. Rire.
ris, sm. Riz.

risà = *risàda,* sf. Risée, éclat de rire.
risëre, sf. Risière.
risiblo-a, adj. Risible.
risolla, sf. Rissole.
risot, sm. Portion, plat de riz *(risotto).*
rita, sf. Rite (chanvre). *Fi de* —, fil de rite.
riva, sf. Grand ruisseau.
rivadzo, sm. Rivage de la mer.
rival-a, s. adj. Rival, ale.
rivalisé, v. n. Rivaliser.
rivalità, sf. Rivalité.
roba, sf. Denrée, nourriture, robe de femme. *Bella —!* adv. Peu importe! pas de quoi!
robà-ye, pp. Volé, ée.
robalicho, sm. Vol, larcin, la chose volée.
robé, v. Voler. Proverbe des voleurs: *Qui l'at pouëre di dzàblo de tsaaten, cràpe de fan d'iver,* celui qui a peur du diable en été, crève de faim d'hiver.
robeustesse, sf. Robustesse.
robeusto-a, adj. Robuste.
roc = *berrio,* sm. Rocher.
rocaillaou-sa, adj. Rocailleux, euse.
roché, v. Rosser.
roclliò, sm. f. V. *Rossa.*
rodé, v. n. Rôder. — *ator,* rôder autour.
rodeur, sm. Qui rôde, la nuit surtout.
rodzassu-ya, adj. = *su lo rodzo.* Rougeâtre.
rodzo-e, adj. Rouge. *La vère totta rodze,* passer par une terrible épreuve, la voir toute rouge.
rodzo, sm. Rouge. Nom donné aux libéraux après 1848. — *come un pavoù,* rouge comme un pavot.
Rogachon, sfp. Rogations.
rognaou-sa, adj. Rogneux, se. Qui est rude, non lisse.
rogne = *gratta,* sf. Gale.
rogne, sf. Dispute, discorde.
rogné, v. Gronder, trouver à dire. *Se* —, se disputer.
* **rognon,** sm. *Pay d'Oûta lo maouton, Tsateillon lo rognon,* le pays d'Aoste est le mouton et Châtillon en est le rognon.
roil, sm. Rouleau de toile, de drap. *Tsaousson a* —, bas qui tombent repliés sur la cheville du pied.
ròlo, sm. Rôle, liste des corvées..... *A tor de* —, à tour de rôle.
Roma, sf. Rome. *In demanden in vat a* —, en demandant on va à Rome.
roman, sm. Conte souvent fabuleux.
romana, sf. Romaine, (poids).
romance, sf. Chanson dont le sujet est triste.
romanin, sm. Romarin.
ron, sm. Terrain défriché de frais.
ron-da, adj. Loyal, de bon compte. *A la ronda,* à l'entour.
ronca, sf. = *fossaou,* sm. Bêche.
roncaché, v. Défricher.
ronfa, sf. Affaire, histoire, bruit qui court. *Todzor la mëma* —, toujours le même train.
ronflé, v. n. Ronfler.
ronflar-da, adj. Ronfleur, se.
rongeur, adj. Rongeur. *Ver* —, remords de conscience.
ronteura, sf. Mauvais sujet, mauvaise bête.
rontre, v. Rompre, briser. —

lo tsan, donner le premier labour.

rontsé, v. Défricher.

rontset, sm. Lieu, terrain défriché.

rontu-ya, adj. Rompu, ue. V. *Rot-ta.*

ros-sa, adj. Roux, rousse. Jeu enfantin : *Jeu ros, va avouë l'ors ; jeu gris, va avouë lo couis :* yeux rouges, va avec l'ours ; yeux gris, va avec la tourmente.

rosà-ye, adj. Rosé, ée. Se dit du visage.

rosà, sf. Rosée. — *di matin,* rosée du matin.

roséro, sm. Rosaire. *Fëta di* —, fête du S. Rosaire.

rosetta, sf. Rosette. *Fére la* —, se dit du vin, de l'eau-de-vie, qui forment des globules lorsqu'on les verse dans un verre.

rôssa, sf. Mauvaise bête, homme de rien.

rossàna, sf. Rougeole.

rossatura, sf. Chose de peu de valeur.

rossegnon = *rossegnol,* sm. Rossignol.

rossegnolin, sm. Rossignol.

rostin-a, adj. Têtu, rebelle.

rot, adj. Hernié. *Ommo* —, homme hernié.

rot-ta, adj. Rompu, ue.

rot, sm. Eructation.

rôtse, sf. Roc, rocher.

rôtso, sm. Grosse pierre brute.

rotson = *meillon,* sm. Pierre. *Prendre a* —, prendre à coups de pierre, jeter des pierres à quelqu'un.

rotta, sf. Route, grand chemin. *A — de cou,* adv. Un grand nombre de fois.

rottan, sm. Chose de rebut.

rotté, v. n. Avoir des éructations.

rouaton, adv. *(allé a)* Aller se traînant des mains et des genoux.

rouatta, sf. Brouette.

rouatté, v. n. Mener la brouette.

roubio, sm. Feu. *Betté lo* —, mettre le feu.

roudzé, v. Ronger. — *l'ousse,* ronger l'os. — *lo pan deur,* manger le pain dur.

rouëdo, adv. Beaucoup, grandement. — *llioen,* très loin, rudement loin.

rouëse, sf. Glacier.

rouetso-e, adj. Qui est rude au toucher.

roulé, v. n. Rouler, courir.

roulò, sm. Rouleau.

roullière, sf. Blouse de charretier, de marchand de vaches.

rouné, v. n. Faire un bruit sourd, rauque.

rouno, sm. Grognement, bruit sourd. — *di pouer,* grognement du porc.

rouno, sm. Cercle. *Fére lo* —, être réunis en forme de cercle. — *de la leuna,* cercle qu'on voit quelquefois autour de la lune, halo.

rousa, sf. Rose.

rousë, sm. Rosier.

routi, sm. Rôti, viande rôtie.

routi, v. Rôtir, griller.

routina, sf. Routine.

rouye, sf. Petite boule. Jeu : *Dzoyé a la* —, jouer à la boule.

rova = *ruya,* sf. Roue.

rovadzo, sm. Rouage.

rovei, smp. bv. Ronces.

royal-a, adj. Royal, ale.

royalisto-a, adj. Qui tient le parti du roi.

royaume = *ro-yaume,* sm. Royaume.

royé, v. Tourner. — *la polenta*, tourner la *polenta*.

royon = *modon*, sm. Bâton dont on se sert pour tourner la *polenta*.

ru, sm. Ruisseau.

ruban, sm. Ruban. V. *Levrey*ᵃ.

rubicon-da, adj. Rubicond, onde.

rudo-a, adj. Dur, sévère.

ruina, sf. Ruine.

ruiné, v. Ruiner.

ruma, sf. Rhume.

rumatismo, sm. Rhumatisme.

rusa, sf. Dispute, chicane, finesse, artifice.

rusà-ye, adj. Rusé, ée.

rusaillon, sm. Qui est plein de ruses, de chicanes.

rusé, v. Ruser. *Se* —, se disputer, se chicaner, se servir de ruses.

reustecco-a, adj. Rustique, rude, intraitable.

rutse, sf. Ecorce des plantes.

ruya = *reuva*, sf. Rue.

ruya = *rova*, sf. Roue.

ruyàdzo = *rovàdzo*, sm. Rouage.

ruyet, sm. Petit ruisseau.

ruyetta, sf. Petite roue.

S

sa, adj. poss. Sa. *Sa mére,* sa mère.
sà, sf. Sel.
saat, sm. Saut.
sabbà, sm. Sabbat des juifs.
sabbatina, adj. fém. *(messa)* Messe qu'on fait dire le samedi après la mort.
sabla, sf. Sable. *Se tappé de — i cu,* faire la leste, l'élégante.
sablaou-sa, adj. Sableux, euse.
sablëre, sf. Sablier.
sablonaou-sa, adj. Sablonneux, euse.
sabò, sm. Sabot, chaussure de bois.
sabotë, sm. Sabotier.
sabrà, sf. Coup de sabre. *Baillé euna —,* faire précipitamment, à l'engros.
sabré, v. Sabrer, faire une chose comme ce soit.
sàbro, sm. Sabre. — *de boè!* int. Sabre de bois!
saccadzà, adv. *(euna)* Une grande quantité, beaucoup, plus qu'il n'en faut.
saccadzé, v. Saccager.
saccadzo, sm. Saccage. *Fére —,* tapager, bouleverser, voler.
saccagnà, sf. Action de secouer. V. *Soppatà.*
saccagné = *soppaté,* v. Secouer, trouver à dire, gronder.
sacerdòce, sm. Sacerdoce.
sacerdotal-a, adj. Sacerdotal, ale.
sacrà-ye, adj. Sacré, ée.
sacré, v. Sacrer.
sacremen, sm. Sacrement. — *de messa,* élévation de l'hostie.
sacreficateur, sm. Sacrificateur.
sacreficho, sm. Sacrifice.
sacrefié, v. Sacrifier.
sacrelédzo, sm. Sacrilège.
sacresti, sf. Sacristie.
sacrestin, sm. Sacristain.
saddo-a, adj. Savoureux, euse.
sàdzo, sm. Saule, branche et plante.
* **safran,** sm. *Ris i —,* riz au safran.
* **sagesse,** sf. *Pri de —,* prix de sagesse.
saiḷḷi, v. n. M. B. F. A. Sortir.
saillot = *lliossar,* sm. Sauterelle.
saint-e, adj. Saint, sainte.
saintemente, adv. Saintement.
saintfon, smp. Fonts baptismaux.
saintsolei, sm. Ostensoir.
saintouillo, sm. Extrême-onction.
salà-ye, pp. Qui a du sel. Fig. Qui coûte cher.
salada, sf. Salade.
saladë, sm. Saladier.
salan, sm. Salé de chair de porc.
salé, v. Saler, mettre du sel.

salegnon, sm. Céras assaisonné de sel et de poivre.
salëre, sf. Salière.
saletà = *porqueri,* sf. Saleté.
sali = *quintsé,* v. Salir.
saligot-ta, s. Saligaud, aude.
saline, sf. Lieu où se fait le sel.
salissen-ta, adj. Salissant, e.
saliva, sf. = *cupi,* sm. Salive.
salivé, v. n. Saliver.
salla, sf. Salle. — *a mindzé,* salle à manger.
sàlo-a, adj. Sale, malpropre.
salon, sm. Salon, appartement.
salop-pa, adj. Saligaud, vilain.
salopàda, sf. Action de vilain.
saloperi, sf. Saloperie, vilenie.
salpëtra = *sepëtra,* sf. Salpêtre.
salu, sm. Salut. Action de saluer. *Fére son —,* se sauver.
salutachon, sf. Salutation.
salutéro-a, adj. Salutaire.
saluyada, sf. Grande révérence.
saluyo! = *porto!* sm. A votre santé! je vous salue!
sambayon, sm. Mets fait avec du vin et des œufs.
sanfaçon. Sans façon.
san-sàna, adj. Sain, saine. *San come un peisson,* sain comme un poisson. Les parents ont l'habitude de dire à leurs enfants: *Dze vo s-i adë alevà san et libro de voutre membro,* je vous ai tout de même élevés sains et libres de vos membres.
san, sm. Sang. — *di veine,* sang des veines.
* **sandale,** sf. Chaussure de religieux.
sanfoen, sm. Qualité de foin, luzerne.
sanglië, sm. Sanglier.
sanlliot, sm. Hoquet.
sanllioté, v. n. Pousser des sanglots.
sanguin-a, adj. Sanguin, ine.
sanguinéro, adj. Sanguinaire.
sans, sm. Sens. *Foura de —,* hors de propos, de sentiment.
sansi, sm. Soupir de peine, de douleur.
sansié, v. n. Soupirer d'émotion.
sansuya = *sanseuva,* sf. Sangsue.
sansuyalità, sf. Sensualité.
sansuyel-la, adj. Sensuel, elle.
santë, sf. Santé. *In bouna —,* en bonne santé.
santë! = *saluyo!* sm. A votre santé! V. *Porto.*
santificachon, sf. Sanctification.
santifié, v. Sanctifier. — *la fëta,* sanctifier la fête.
saouceusse, sf. Saucisse en boyau de vache.
saouceussetta, sf. Viande de porc dans des boyaux de porc.
saouceusson, sm. Saucisson.
saouceussonë, sm. Charcutier.
saoudar = *sordà,* sm. Soldat.
saoudé, v. Souder.
saoudera, sf. Soudure.
saoutaillé, v. n. Sautiller, jouer comme font les enfants.
saoutaou, sm. Faucheur. Les faucheurs rencontrent souvent une herbe très dure à faucher, dite *Blantsetta.* Il se fait alors, entr'eux, ce dialogue:

S. *Blantsetta, t'i bà!*

B. *Comen ët-eu arbeillà!*

S. *Pantalon pers et dzepon de velu.*

B. *Ebin, si panco bà!*

Vient un autre faucheur, vrai campagnard.
S. *Blantsetta, te fâ bà !*
B. *Comen ët-eu arbeillà ?*
S. *Tsasse grise et dzepon blan.*
B. *Ci cou me fâ bà.*
Blantsetta, tu en es bas. — Comment es-tu habillé ? — Pantalon bleu et gilet de velours. — Eh bien ! je ne suis pas encore en bas. Blantsetta, il te faut bas. — Comment es-tu habillé ? — Chausse grise et gilet blanc. — Cette fois il me faut bas.

sapa, sf. Pioche, bêche. — *di ru*, bv. *ëterpa*, pioche du ruisseau. — *de la mëilla*, bêche du maïs.

sapà, sf. Coup de bêche.

sapé = *fosseuré*, v. Piocher.

sapei, sm. bv. Passage au travers d'une haie. Sandales dont le dessous est en bois.

sapeur, sm. Soldat qui porte la hâche.

sapin, sm. Sarcloir.

sapin, sm. = *pesse*, sf. Sapin.

sapiné, v. Remuer la terre avec le sarcloir.

saque, sm. Sac. *Dellière lo* —, tout dire. *Bon pe son* —, bon pour soi seulement.

saquè, adj. Quelque chose.

saquet, sm. Petit sac.

saquetë-re, adj. Qui est chargé de petits sacs.

saquetson, sm. Tout petit sac.

saquetta, sf. Sac qu'on porte comme un havresac. *Porté la* —, aller demander l'aumône

saqui, pro. Quelqu'un.

saquin, adj. *dzor.* Quelque jour.

sarcllië, v. Sarcler.

sarcllin, sm. Sarclure. — *di courti*, sarclure du jardin.

sarclliure, sf. Herbe qu'on coupe avec la faucille parce qu'on ne peut la couper avec la faux.

sardina, sf. Sardine.

sardze, sf. Serge, étoffe ourdie de fil et tissue de laine faite comme la toile. Robe faite de serge.

sardzetta, sf. Tissu de laine fait comme la toile.

sardzon, sm. bv. Robe de serge.

sargaillé, v. n. Se dit du bruit que font des clefs, des noix qu'on aurait en poche.

sargaillon, sm. Personne légère, vacillante.

sargaillouna, sf. de *sargaillon.*

sarguetta, sf. Serviette.

sarra, sf. Prise. *Lo mourté feit* —, le mortier prend, s'endurcit, fait prise.

sarrà-ye, adj. Serré, ée, renfermé à l'étroit. *Francé sarrà*, français serré, français relevé. Nos campagnards appellent ainsi le français d'un orateur qu'ils ne réussissent pas à comprendre.

sarradzin, sm. Sarrasin. Le vulgaire attribue aux Sarrasins les murs, les monuments antiques.

sarradzina, sf. Plante.

sarraille, sf. Serrure.

sarraillë, sm. Serrurier.

sarré, v. Serrer, enfermer. — *pe lo cou*, prendre par le cou.

sarsi, v. Raccommoder, refaire avec l'aiguille la trame déchirée ou usée.

sartaou-sa, s. Tailleur, euse.

sarti, v. Enfoncer. — *lo clliou*,

enfoncer le clou avec un marteau. — *euna piatà,* donner un coup de pied.
sarva, sf. Sauge.
sarvadzin, sm. Sauvagin. *Gou di* —, goût sauvagin.
sarvadzo-e, adj. Sauvage, non apprivoisé. — *i travail,* qui travaille précipitamment, sans attention.
sarvé, v. Préserver, garantir, sauver.
sarvo-a, adj. Sauf, sauve.
sarvo, prép. Sauf, excepté.
sat = *set,* adj. Sept. *De sat in quatro,* adv. Bien rarement.
satan, sm. Démon.
satanecco-a, adj. Satanique.
sateina, sf. *(euna)* Environ sept.
satelite, sm. Partisan, suppot.
satëmo-a, adj. Septième.
satëmo, sm. *(messa di)* Messe qu'on célèbre le septième jour après celui de la mort.
satyre, sf. Parole piquante, mordante.
satisfachon, sf. Satisfaction.
satisfé-ta, adj. Satisfait, aite.
satisfére, v. M. C. Satisfaire.
satse, sf. Besace. V. *Bessatse.*
satson, sm. Un côté de la besace. V. *Bessatson.*
sauf = *sarvo,* prép. Sauf.
sauvé, v. pr. *(se)* Se sauver, faire son salut, s'en aller, s'échapper.
Sauveur, sm. Jésus-Christ.
sàva, sf. Sève.
savàta, sf. Savate. Fig. Femme malpropre, de mauvaise vie.
savatà, sf. Coup de savate. *Fottre euna* —, donner des coups, faire des reproches.
savatar-da, adj. Qui use beaucoup de vêtements.
savaté, v. Chiffonner, gâter. — *lo lindzo,* chiffonner le linge.
savatë = *tsavatin,* sm. Celui qui raccommode les souliers.
savei, v. Savoir.
savei, sm. *(lo)* Le savoir faire.
saven-ta, adj. s. Savant, ante.
* **saveur**, sf. *Sensa* —, sans goût.
* **savon**, sm. *A fére la barba a un âno, in perd sa peina et son savon,* à faire la barbe à un âne, on perd sa peine et son savon.
savonné, v. Savonner. Fig. Battre, réprimander.
savonnetta, sf. Savonnette.
savouré = *assadé,* v. Savourer.
savouraou-sa, adj. Savoureux, euse.
savu, sm. Sureau.
sàyo-e, adj. Sage, posé, modeste, pour les personnes ; et pas méchant, pour les bêtes. *Fére sàyo,* passer la main sur l'objet que l'on caresse. *Fére sàyo a mamma,* embrasser la maman.
se, sè, a sè, p. pers. Se, soi, à soi. — *loué de per sè,* se louer de soi-même.
se, conj. Si. *Se te vin,* si tu viens.
se bin que, conj. Quoique, quand même, bien que...
seance, sf. Séance. — *di conseil,* séance du conseil.
secan-ta, adj. Ennuyeux, euse, ennuyant, ante.
secaoure, v. M. C. F. F. Abattre. — *le gneu,* abattre les noix.
secojaou, sm. Celui qui abat les noix.
secon-da, adj. Second, onde. *Menuta* —, minute seconde.

secondamente, adv. Secondement.
secondé, v. Seconder, aider.
secosuya, sf. Perche pour abattre les noix.
secotsà, sf. Une pleine poche.
secotse, sf. = bv. *bouidze*, poche de l'habit.
secour, sm. Secours.
secoure, v. Secourir. V. *Secouri*.
secouri, v. M. B. F. B. Secourir.
secret, sm. Secret, moyen, ressort.
secret-ta, adj. Secret, ète.
secretariat, sm. Secrétariat.
secrètamente, adv. Secrètement.
secreteri. sf. Secrétairerie.
secretéro, sm. Secrétaire.
secroulà, sf. Secousse.
secroulé, v. Secouer une plante pour faire tomber les fruits, ébranler.
secularisé, v. Séculariser.
secularisachon, sf. Sécularisation.
seculliè-re, adj. Séculier, ière.
securità, sf. Sécurité.
seduchon, sf. Séduction.
seduire, v. M. C. F. H. Séduire.
seduisen-ta, adj. Séduisant, ante.
seduteur-sedutrice, adj. Séducteur, séductrice.
sedzorné, v. n. Séjourner.
segnal, sm. Signal.
segnalé, v. pr. *(se)* Se signaler.
segnalemen, sm. Signalement.
segnatéro, sm. Signataire.
segnateura, sf. Signature.
segné, v. Signer, mettre sa signature.
sègné, v. pr. *(se)* Se signer, faire le signe de la croix.
segnefien-ta, adj. Signifiant, ante.
segneficachon, sf. Signification.
segnefié, v. Signifier.
sègneur, sm. Le Seigneur. Personne riche, noble.
segno, sm. Signe. *Fére* —, faire signe.
segnet, sm. Signet.
segnoula, sf. Manivelle.
sei, sf. Soif. *Fére beire un'âno quan la pà* —, agir inutilement.
seichon, sf. Section.
seila, s. Seigle. V. *Blà*.
seilà, sf. Un plein seau.
seinà, sf. Saignée.
seiné, v. Saigner, tirer du sang. *La pléye seine*, la plaie saigne.
seinolen-ta, adj. Qui est taché de sang, qui dégoutte de sang, saignant.
seison, sf. Saison.
seità, sf. Sécheresse.
sella, sf. Selle. Pour dire qu'un vêtement va mal, on dit: *Vat bien come la sella a un tsin*, il va bien comme la selle à un chien.
sellé, v. Seller, mettre la selle.
sellë, sm. Sellier, harnacheur.
* **selon**, prép. Suivant. *Selon mè*, à mon avis. — *la moda*, d'après l'usage.
semaille, sf. Semaille.
semàna, sf. Semaine. *La semàna di trei dedzoù*, jamais.
semblablo-a, adj. Semblable.
semblan, sm. Semblant. *Fére* —, feindre.
semblé, v. n. Paraître. — *a son pére*, ressembler à son père. *Qui se semble, s'assemble*, qui se ressemble, s'assemble.
semella, sf. Semelle.
semen, sf. Semence.

semenà-ye, adj. Semé, ée.
semené, v. Semer.
* **semestre**, sm. Solde de six mois.
semestriel-la, adj. Semestriel, elle.
* **semeur**, sm. Celui qui sème.
seminariste, sf. Séminariste.
seminéro, sm. Séminaire.
semolla, sf. Semoule.
semonça, sf. Offre. V. *Somonça.*
semondre, v. Offrir, présenter. *Se — pe berdzé,* se présenter pour faire le berger.
semossa, sf. Lisière, bord du drap.
senat, sm. Sénat.
senateur, sm. Sénateur.
senatorial-a, adj. Sénatorial, ale.
senegogga, sf. Réunion des sorciers, selon les préjugés. Fig. Se dit d'une maison où règne le tapage, le désordre.
senllia, sf. Sangle.
senllia, adj. *(fleur)* Fleur qui n'est pas double, fleur simple.
senllié, v. Sangler.
senllio, adj. *(fi)* Fil simple, non double.
senoillar-da, adj. Qui perd habituellement les choses.
senon, adv. Sinon, autrement. — *tè,* sauf toi.
sensa, prép. Sans. Pour donner à espérer à un enfant, on lui dit: *Dze t'atsetto pouë un motsaou de la couleur. s'envat in sensa,* je t'achèterai un mouchoir de la couleur qui s'en va en rien, c.-à-d., aucun mouchoir.
sensachon, sf. Sensation.
sensibilità, sf. Sensibilité.
sensiblamente, adv. Sensiblement.
sensiblo-a, adj. Sensible.
sentë, sm. Sentier.
sentecco, sm. Syndic, maire.
sentence, sf. Sentence.
sentenché, v. Porter sentence.
senti, v. M. B. Entendre, sentir. — *dëre,* entendre dire. — *fret,* sentir froid.
sentimen, sm. Sentiment.
separàblo-a, adj. Séparable.
separti, v. Séparer deux combattants.
sepeli, v. Ensevelir. V. *Inseveli.*
sepeulcro, sm. Ne se dit que du saint Sépulcre.
sepeulteura, sf. Sépulture.
sèque-sètse, adj. Sec, sèche. *Prèdzé—,* parler sérieusement. *Beuché —,* frapper dur, fort.
sèque, sm. Sec, sécheresse.
sequella, sf. Séquelle, longue suite.
sequestré, v. Séquestrer.
sequestro, sm. Séquestre.
seraou, sf. Sœur. *Etre frére et —,* être tous les deux la même chose.
serbié, v. bv. Monder. V. *Sarcllié.*
seré, sm. Céras. V. *Céré.*
sereina, sf. *(drumi a la)* dormir à la belle étoile.
sereinàda, sf. Sérénade.
sereiné, v. n. Devenir serein.
sereinità, sf. Sérénité.
seren-sereina, adj. Serein, e.
serieu-sa, adj. Sérieux, euse.
serieusamente, adv. Sérieusement.
seringa, sf. Seringue.
seringà-ye, adj. Se dit de celui qui perd en justice.
seringué, v. Seringuer.
sermen, sm. Serment.
sermentà-ye, adj. Assermenté, ée.
serpen, sm. Serpent. V. *Bouye.*

serpolet = *tsarpolet,* sm. Serpolet.
serra, sf. Col, sommet.
servan, sm. *(de messa)* Celui qui sert la messe.
serventa, sf. Servante.—, *Monseur,* votre servante M. le Curé, salut que nos mères faisaient à leur Curé.
servi, v. Servir.
servicho, sm. Service. *Lo tsiquet feit* —, le petit verre fait du bien.
servilità, sf. Servilité.
servilo-a, adj. Servile.
* **serviteur,** sm. Domestique.
set = *sat,* adj. Sept. *Dz'i* — *fromadzo i dobië, se te devenne véro l'y at, le douno tseut* —, j'ai sept fromages dans mon bissac, si tu devines combien il y a, je les donne tous les sept.
setanta, adj. Septante.
setanteina, sf. Environ septante.
setantëmo, adj. Septantième.
setembro, sm. Septembre.
setentrion, sm. Nord.
setë, sm. Deux doubles décalitres, setier.
sëton, sm. Hotte.
sëtonnà, sf. Une hottée.
setou, adv. Du moment, tout de suite, aussitôt.
seublé, v. Siffler.
seublet, sm. Sifflet.
seublo, sm. Sifflement. *Fére un* —, siffler une fois pour appeler quelqu'un de loin.
seublo, sm. Ecumoire. *T'i fou come un* —, tu es fou comme une écumoire.
seùblo-a, adj. Qui est fou, simple, sans malice.
seuché, v. Sucer, tirer un suc avec les lèvres. V. *Qeuqué.*
seucrà-ye, adj. Sucré, ée.
seucré, v. Sucrer.
seucrëre, sf. Sucrière.
seudzet, sm. Sujet.
seudzet-ta, adj. Sujet. — *a beire,* porté à boire.
* **seul,** adj. *L'est lo* —, c'est l'unique.
seula, adj. Seule. — *bagga,* unique chose.
seumia, sf. Singe. V. *Sindzo.*
seumiet-ta, adj. Petit singe, terme de mépris.
seumioté, v. Contrefaire, agir en singe.
seupa, sf. Soupe, potage.
seupé, v. Avaler, manger ce qui est liquide. *Seupé de lacë,* manger du lait.
seupëre, sf. Soupière. Dans quelques endroits on appelle de ce nom la vache à lait que l'on garde à la maison en été pour les besoins du ménage.
seupetta, sf. Soupe au plat, mitonnée.
seuplecca, sf. Supplique.
seuplequé, v. Faire des suppliques.
seurdzen, sm. Sergent de l'armée, huissier.
seurmegnon, sm. Surnom, sobriquet.
seustance, sf. Substance. *No sen sensa* —, nous sommes sans nourriture.
seustanté, v. pr. *(se)* Se nourrir.
sevéramente, adv. Sévèrement.
severità, sf. Sévérité.
sevéro-a, adj. Sévère.
sevi, v. n. Sévir, agir avec rigueur.
seya, sf. Soie, poil de sanglier.

seyaou, sm. Faucheur. V. *Saoutaou.*
seyé, v. Faucher. — *lo prà,* faucher le pré.
séze, adj. Seize.
si *dzò,* suis-je. *Dze si,* je suis.
sicllié, v. n. Pousser des cris aigus.
siclliemen, sm. Sifflement. — *di borgo,* sifflement du rouet.
siécle, sm. Siècle.
* **siége,** sm. Ne se dit que du Saint-Siège.
sillaba, sf. Syllabe.
sillabé, v. n. Prononcer les mots par syllabe.
simetria, sf. Symétrie.
simplamente, adv. Simplement. — *cen,* seulement cela.
simplet-ta, adj. Simple, bonasse.
simplicità, sf. Simplicité.
simplifié, v. Simplifier.
simplo-a, adj. Simple.
simulà-ye, pp. Simulé, se dit des actes.
sin, adj. Sien, qui est à lui, fém. : *Sina. Lo* —, le sien, fém. : *la sina.*
sincéramente, adv. Sincèrement.
sincérità, sf. Sincérité.
sincéro-a, adj. Sincère.
sindzeri, sf. Singerie, grimace, geste, manière affectée.
sindzo, sm. Singe. *Fére lo* —, contrefaire les autres.
singularisé, v. pr. *(se)* Se singulariser.
singularità, sf. Manière différente de celle en usage.
singullië-re, adj. Singulier, ière.
singullièremente, adv. Singulièrement.
sire, sm. *(gramo)* Mauvais sire, mauvais sujet.
sirò = *sirop,* sm. Sirop.
sistémo, sm. Système, manière de dire, de faire.
situyà-ye, pp. Situé, ée. — *i miëdzor,* situé au midi.
situyachon, sf. Situation.
sobramente, adv. Sobrement.
sobrë, v. n. bv. Rester. *Cèn que sobre,* ce qui reste.
sobrequet, sm. Sobriquet. V. *Seurmegnon.*
sobro-a, adj. Sobre.
socarro, sm. Pièce carrée qu'on met sous le bras aux chemises.
socca, sf. Galoche.
soccalà, sf. Coup de galoche. *Fottre cuna* —, donner un coup de galoche.
soccalé, v. n. Faire du bruit avec les galoches.
soccalë, sm. Qui fait des galoches.
soccalle, sfp. Grosses galoches.
sociàblo-a, adj. Sociable.
socialismo, sm. Socialisme : parti contraire à la bourgeoisie, au trône et l'autel.
* **socialiste,** sm. Partisan du socialisme.
società, sf. Société.
sodzé, sm. Tronc de saule qui porte les branches.
sodzë, sm. Celui qui nettoie l'étable, fend le bois dans les chalets de montagne.
soègné, v. Soigner.
sof, prép. Sauf, excepté.
sofà, sm. Sofa.
soflet, sm. Soufflet. — *di magnin,* soufflet de l'étameur. *Baillé un* —, donner une giffle, un soufflet.
soflettà, sf. Souffletade.
sofletté, v. Souffleter.
sofranin = *soprin,* sm. Mèche imbibée de soufre, en usage

dans les temps où l'on tirait le feu de la pierre.

sogné, v. Fournir, contribuer. — *a llière le dzovalle,* tenir coup à lier les javelles.

soladzé, v. Soulager. *Se soladzé,* v. pr. Prendre la nourriture convenable.

soladzemen, sm. Soulagement, secours.

solan, sm. Plancher.

solannel-la, adj. Solennel, le.

solannisé, v. Solenniser. — *la fëta,* solenniser la fête.

solannità, sf. Solennité.

soldà = *sordà,* sm. Soldat.

soldé, v. Solder, payer comptant.

solei, sm. Soleil. — *meussen,* soleil couchant. *Saint* —, ostensoir.

soleillà, sf. Un moment de soleil. *Prendre euna* —, être un peu au soleil.

soleillé = *assoleillé,* v. Faire que quelque chose ait le soleil.

solenllio-a, adj. Simple. *Fi* —, fil simple. V. *Senllio.*

solet-ta, adj. Seul, seule.

soletta, sf. Semelle. — *di botte,* semelle des souliers.

solevé, v. Soulever. — *l'un et abaffé l'âtro,* soulever l'un et mortifier l'autre. V. pr. *Se* —, se révolter.

* **sol,** sm. Fonds de terre. Note de musique.

solfié, v. Solfier.

solicitachon, sf. Sollicitation.

solicité, v. Solliciter, demander.

* **solicitude,** sf. Souci, soin, attention.

solidé, v. Consolider.

solidero-a, adj. Solidaire.

soliditià, sf. Solidité.

solitéro-a, adj. Solitaire.

solitude, sf. Lieu éloigné, retiré.

soliva, sf. Poutre transversale qui soutient un plancher.

solorgno, sm. Emplâtre.

soluchon, sf. Solution. — *d'un procè,* solution, fin d'un procès.

solvàblo-a, adj. Solvable.

somà, sf. Somme, charge de mulet.

sombro-a, adj. Sombre, peu éclairé, mélancolique, taciturne.

somechon, sf. Soumission.

somettre, v. pr. *(se)* Se soumettre.

somi-sa, adj. Soumis, ise.

somma *d'ardzen,* sf. Somme d'argent.

sommé, v. Additionner.

sommità, sf. Sommité.

somonça, sf. La chose qu'on offre. V. *Semonça.*

somondre, v. Offrir, présenter.

* **son,** pron. *Son pére,* son père.

* **son,** sm. *di clliotse,* son des cloches. *Euna bagga que passe Dzouëre sensa pon,* une chose qui passe la Doire sans pont.

sondé, v. Sonder.

sondzé, v. Rêver, avoir des songes. — *a payé,* penser, tâcher de payer.

sondzo, sm. Songe, rêve.

sondzon, sm. Sommet, le haut.

sonnàda, sf. Sonate.

sonnaillar-da, adj. Qui ne fait que sonner.

sonnaille, sf. = *carrà,* sm. Sonnaille. Dev. *Quan lo vi beit, lo mort tsante,* quand le vivant boit, le mort chante.

sonnaillé, v. n. Sonnailler.

sonnaillemen, sm. Une sonnerie qui ennuie.

sonné, v. Sonner. — *lo perdon,* sonner l'Angelus.
sonneri, sf. Sonnerie du pendule.
* **sonnet,** sm. Poésie.
sonnin, sm. Petit sommeil.
sonno, sm. Sommeil. *Fére un —,* faire un sommeil. *Avei —,* avoir envie de dormir.
sonza, sf. Saindoux.
sopendre, v. Lever de terre, soulever. *Se sopendre devan dzor,* se lever avant jour.
sopëtra, sf. Salpêtre.
soplé. S'il vous plait. *Tsecca l'armouna —,* un peu d'aumône s'il vous plait.
soppat, sm. Secousse. — *di tsarret,* secousse du chariot.
soppatà, sf. Gronderie. *Baillé euna —,* secouer un peu, trouver à dire.
soppatà, adv. Une quantité. *Euna — de fen,* une grande quantité de foin.
soppaté, v. Secouer. — *le pudze,* danser. — *le pegnotte,* faire une saisie.
soque, sf. Galoche.
sor, sm. Sort. *Tiré i —,* tirer au sort.
sor = *chour,* sf. Espèce, genre. *Grama — sor de dzen,* mauvaise race de gens.
sorceleri, sf. Sorcellerie.
sorchë = *sourchë-re,* s. adj. Sorcier, ière. Se dit de celui qui devine une chose.
sordà = *saoudar,* sm. Soldat.
sornetta, sf. Sornette, allusion, louange offensante.
sorten-ta, adj. Sortant, e. *Conseillë —,* conseiller sortant.
sorti, v. n. M. B. F. C. Sortir.
sortia, sf. Sortie. — *de messa,* le moment où l'on sort de la messe.
sot-ta, s. adj. Sot, sotte.
sotse, sf. Pou des moutons, des chèvres.
sottamente, adv. Sottement.
sottenàblo-a, adj. Soutenable.
sotteni, v. M. B. F. D. Soutenir. *Se —,* v. pr. Se nourrir, maintenir ses forces.
sotterraou, sm. Fossoyeur.
sotterré, v. Ensevelir, cacher en terre.
sottrére, v. Soustraire. — *le meinà,* soustraire les enfants.
* **sou,** sm. *Le sou fan le livre,* les sous font les francs.
* **souche,** sf. *de la parentà,* souche de la parenté.
* **souci,** sm. *Sensa —,* sans souci.
soucié, v. pr. *(se)* Se soucier.
souèté, v. Souhaiter.
soufla, sf. Se dit d'un endroit où le vent souffle fort.
soufla-fouà, sm. Instigateur, boute-feu.
souflé, v. Souffler. *Pamë —,* ne plus respirer.
souflemen , sm. Action de pousser des souffles.
souflo, sm. Souffle.
soufré, v. Soufrer. — *la vegne,* soufrer la vigne.
soufren-ta, adj. Souffrant, e.
soufrente, sfp. *(âme)* Ames du Purgatoire.
soufri, v. M. B. F. A. Souffrir.
souma, sf. Anesse.
soumetta = *sommetta,* sf. Petite ânesse.
soupçon, sm. Simple conjecture.
soupçonné, v. Soupçonner.
soupir, sm. Soupir.
* **soupirail,** sm. *de la crotta,* soupirail de la cave.
soupiré, v. n. Soupirer. — *de vari,* désirer de guérir. — *le*

dzor passà, regretter les jours passés.

* **souplesse,** sf. Flexibilité. Fig. Docilité.

souplo-a, adj. Souple.

sous-Prefet, sm. Sous-Préfet.

soupro = *soufro,* sm. Soufre. *Baillé lo —,* donner le soufre à la vigne.

sourça, sf. Source, cause.

sourci, sm. Sourcil.

sourien-ta, adj. Souriant, e.

souscrichon, sf. Souscription.

* **souscrire,** v.

souscriteur, sm. Celui qui souscrit.

soussegné, v. Soussigner.

soustrachon, sf. Soustraction.

souterren, sm. Souterrain.

souvegnance, sf. Souvenance. *De ma —,* de mon souvenir.

souveni, v. pr. *(se)* M. B. F. B. Se souvenir. V. *Se recordé.*

souveni, sm. Souvenir.

souveren, sm. Souverain.

souye, sf. Repas. *Apareillé pe dove —,* préparer les rations des vaches pour deux repas.

soven, adv. Souvent.

soyàra, adv. Tantôt, tout à l'heure. Ce mot exprime toujours le passé.

special-a, adj. Spécial, ale.

specialamente, adv. Spécialement.

specialità, sf. Spécialité.

specifié, v. Spécifier. — *le baggue,* spécifier les choses.

speculachon, sf. Spéculation.

speculateur, sm. Spéculateur.

speculé, v. n. Spéculer.

speitàcllio, sm. Spectacle. Se dit de ce qui fait horreur, impression.

speitateur, sm. Spectateur.

spirituyel-la, adj. Spirituel, elle. *Bien —,* bien spirituel.

spirituyeu, adj. *(vin)* Vin alcoolique.

* **splendeur,** sf.

splendido-a, adj. Splendide, magnifique.

spoillateur, sm. Spoliateur, voleur qui s'annexe le bien des autres.

squeletta, sf. Squelette. Fig. Maigre, décharné.

stabilità, sf. Stabilité, fermeté.

stablo-a, adj. Stable.

stachon, sf. Station. *Fére le —,* faire le chemin de la croix.

stâle, sf. Stalle des chanoines.

statu, sm. Statut.

statura = *stateura,* sf. Stature.

statuya, sf. Statue.

statuyetta, sf. Petite statue.

stenografe, sm. Sténographe.

steppa, sm. Planche d'une grande épaisseur.

sterilità, sf. Stérilité.

sterilo-a, adj. Stérile. Qui porte peu ou pas de fruits.

stilo, sm. Style, manière d'écrire.

stimulachon, sf. Stimulation.

stimulé, v. Stimuler. — *a étudzé,* stimuler à étudier.

stipulé, v. Faire un contrat, y mettre des clauses, des conditions.

stras, sm. Mauvais linge.

strasson-na, adj. Qui ne fait que déchirer ses vêtements. Gamin, blanc-bec, fanfaron.

stratagémo, sm. Stratagème, ruse, finesse. *Fére de —,* crier gesticuler, tapager...

strofa, sf. Strophe. *Tsanté euna —,* chanter un couplet.

Les mots en *spe,* comme *special,* etc., se prononcent : *especial,* tout en conservant la graphie française.

studieu-sa, adj. Studieux, use.
stupidità, sf. Stupidité.
stupido-a, adj. Stupide, hébété.
su, prép. Sur. — *lo fen,* sur le foin. — *lo tot,* sur le marché.
sù, adv. En haut. — *a la montagne,* en haut à la montagne.
sù, sm. Haut. *Allé lo* —, aller en montant. *Fére sù et bà,* dire oui et non, tenir le pour et le contre.
subalterno-a, adj. Subalterne.
subastachon, sf. Séquestre.
subasté, v. Séquestrer, mettre à l'encan.
subi, v. Subir.
sublimo-a, adj. Sublime.
subordinachon, sf. Subordination.
subordonnà, sm. Subordonné.
suborné, v. Suborner. — *le meinà,* porter les enfants, v. g. à prendre à la maison quelque chose, pour se le faire donner.
suborneur-suborneusa, s. Suborneur, euse.
» **suscedé,** v. Succéder.
» **suscè,** sm. Succès.
» **susceichon,** sf. Succession.
» **susceisseur,** sm. Successeur.
» **susceicif-va,** adj. Successif, ive.
» **suscide,** sm. Subside.
» **sussistance,** sf. Subsistance.
» **sussisté,** v.n. Subsister, exister.
» **sustance,** sf. Substance. *Sensa* —, sans nourriture.
» **sustantiel-la,** adj. Substantiel, elle.
» **sustantif,** s. Substantif.
» **sustitu,** sm. Substitut.
» **sustituchon,** sf. Substitution.
» **sustituyé,** v. Substituer.

(») — Mots qui en français commencent par *sub, suc.*

» **suttilo-a,** adj. Subtil, ile, délié, mince.
sucombé, v. n. Succomber.
sucorda, adv. *(pe)* Par dessus le marché.
sucursàla, sf. Succursale.
sud = *miëdzor,* sm. Sud, midi.
* **suffire,** v. n. — *de tot,* avoir de tout suffisamment.
* **suffisance,** sf. *L'at trop de* —, il a trop de présomption, d'estime de soi-même.
suffocachon, sf. Suffocation.
suffoqué, v. Suffoquer, étouffer.
suffradzo, sm. Suffrage. — *di s-ame,* suffrages, prières pour les défunts.
sugeré, v. Suggérer. = *Soufflé i bouëgno,* souffler à l'oreille.
suicido, sm. Suicide.
suisse = *chouisse,* sf. Suisse.
* **suite,** sf. Ceux qui suivent, ce qui vient après. *Tot de* —, adv. Sur le champ.
suivan, prép. Suivant. V. *Selon.*
sujeichon, sf. Sujétion. *Avei de* —, être soumis, gêné.
* **sujet,** sm. — *de discorda,* sujet de discorde.
sujet-ta, adj. Sujet, ette.
sulfato = *surfato,* sm. Sulfate.
* **sultan,** sm. Fig. Homme à plusieurs femmes.
superbio = *superbo,* adj. Orgueilleux, hautain. Beau, magnifique.
* **superficie,** sf.
superficiel-la, adj. Superficiel, elle.
* **superflu,** sm. Ce qui est de trop.
superflu-ya, adj. Superflu, ue.
superieur, sm. Supérieur.

superieura, sf. Supérieure.
superiorità, sf. Supériorité.
* **superlatif,** sm. Le plus haut degré.
supertechon, sf. Superstition.
supplanté, v. Supplanter.
supplean, sm. Suppléant.
suppleé, v. Suppléer.
supplemen, sm. Supplément.
suppletif, adj. Se dit des impôts. *Ròlo* —, rôle de nouveaux impôts.
supplian-ta, s. adj. Suppliant, ante.
supplicachon, sf. Supplication.
* **supplice,** sm. Punition corporelle. Fig. Peine, affliction.
supplicià-ye, pp. Qui a souffert le supplice. Fig. Qui est tourmenté.
supplicié, v. Supplicier.
supplié, v. Supplier.
suppor, sm. Support.
supportàblo-a, adj. Supportable.
supporté, v. Supporter.
supposé, v. Supposer.
supposechon, sf. Supposition.
supprechon, sf. Suppression. — *di fëte,* suppression des fêtes.
supprimé, v. Supprimer. — *marendzon,* ne plus manger le goûter.
suprémo, sm. Etre suprême, Dieu.
* **surabondance,** sf. Très grande abondance.
surabondan-ta, adj. Surabondant, ante.
surabondé, v. n. Surabonder. V. *Rebondé.*
surfàce, sf. Surface, superficie.
surimposé, v. Mettre un nouvel impôt.
surimpou, sm. Nouvel impôt qu'on met sur une rente déjà imposée.
surintandan, sm. Surintendant (des écoles).
surlundeman, sm. Surlendemain.
surmegnon, sm. Surnom. V. *Seurmegnon.*
surmonté, v. Surmonter.
surnaturel-la, adj. Surnaturel, elle.
surpassé, v. Surpasser.
surpeleusse, sm. Surplis.
surplu, sm. Surplus, l'excédant.
surprenan-ta, adj. Surprenant, ante. On ne dit pas: *Surpregnen,* pour ce qui cause de la surprise, de l'étonnement.
surprendre, v. M. C. Surprendre.
surpreisa, sf. Surprise.
surprei-sa, pp. Surpris, surprise.
surtassa, sf. Surtaxe.
surtassé, v. Surtaxer.
surtou, adv. Surtout, principalement.
surveillan, sm. Surveillant.
surveillé, v. Surveiller. — *le meinà,* avoir l'œil sur ce que font les enfants.
surveni, v. n. M. B. F. D. Survenir. *L'est survenu lo croè ten,* le mauvais temps est survenu.
surviquen = *surviven-ta,* s. Survivant, ante.
survivre, v. n. = *Survequi,* survivre.
susceitiblo-a, adj. Susceptible.
suscité, v. Susciter. — *de rogne,* faire naître des disputes.

suspeité, v. Suspecter, soupçonner.
suspet-ta, adj. Suspect, suspecte.
suspendre, v. Suspendre. — *lo travail,* suspendre le travail, différer, interdire.
sustantachon, sf. Nourriture.
sustanté, v. Nourrir.
suyaman, sm. Essuie-main.

T

t, sm. Le *t* final, dans les verbes, n'est en usage qu'à la troisième personne du singulier: *l'at,* il a; *saret,* il sera.

ta, pro. f. *Ta tabla,* ta table. *Ton,* pron. m. *Te,* pr. pl.

tabacon, adj. Qui consume force tabac.

tabaleure, adj. Simple, sans malice.

tabaque, sm. Tabac.

tabaqué, v. n. Priser du tabac.

tabaquëre, sf. Tabatière.

tabernacllio, sm. Tabernacle.

tabeuché, v. Frapper. — *a la pourta,* frapper à la porte. Fig. Insister.

tabeus, sm. Benet, sans intelligence.

tabeussemen, sm. Tapage produit par des coups redoublés. — *di fàvro,* tapage du forgeron.

tabla, sf. Table. — *di lëvro,* table des livres.

tablà, sf. Une pleine table.

tablateura, sf. Tablature. Fig. *Baillé de —,* donner de l'embarras.

tablé = *tabler,* sm. Planche suspendue, où l'on met le pain.

tabletta, sf. Alphabet. — *de cicolà,* tablette de chocolat.

tablò, sm. Tableau.

tabole, sm. Niais, simple.

tabolin = *taboletta,* adj. Simple.

tacito-a, adj. Qui est sous-entendu.

tacitamente, adv. Tacitement.

taciturno-a, adj. Taciturne.

tacolé, v. n. Dire des *bougres,* des *diables,* jurer.

tacolet, sm. Diable. — *de vatse,* vache peu docile.

tacon, sm. = *guëde,* sf. Pièce qu'on met en rapiéçant.

taconné, v. Rapiécer. V. *Remendé.*

tac-tac, sm. *(un bon)* Une bonne langue.

tactecca, sf. Tactique.

tafié, v. (jargon) Manger.

tagnëre = *tana,* sf. Tanière.

tail, sm. Tranchant. — *di caoutë,* tranchant du couteau.

taillablo-a, adj. Terrain soumis à l'impôt.

taille, sf. Impôt foncier, coupure, stature. — *a la man,* coupure à la main. *Grou de —,* grand de stature.

taillé = *copë,* v. Tailler, couper.

taillen-ta, adj. Tranchant, e.

taillepan = *copapan,* sm. Coupe-pain.

taillerin, sm. Pâte faite à main.

tailleur = *sartaou,* sm. Tailleur d'habits.

tailleusa = *sartaousa,* sf. Tailleuse d'habits.

tailleutsé, v. Couper à gros morceaux.

taillon, sm. Somme qu'on promet à celui qui prend un malfaiteur.

taillure, sf. Tranche. — *de pan,* tranche de pain.

talen, sm. Talent. *Ommo de* —, homme instruit.

talle, sfp. *(Ëtre i)* Etre aux trousses. *Verrië le* — s'en aller, mourir, tm.

* **talon,** sm. *di pià, di soler,* talon des pieds, des souliers.

talonné, v. Talonner. Toucher du pied les talons de celui qui marche devant soi. Presser: *Cice meinà fan ren s'in le talonne pà,* ces enfants ne font rien si on ne les talonne pas.

* **tambour,** sm. *Battre lo* —, battre la caisse.

tambourné, v. n. Battre du tambour.

tambournin, sm. Qui bat du tambour.

tamijà-ye, pp. Ce qui a été passé au tamis.

tamijé, v. Tamiser.

tamis, sm. Tamis. *Fou come un* —, fou comme un tamis. Dev. *Euna bagga que leisse allé vià lo bon, et varde lo gramo,* une chose qui laisse aller loin le bon et garde le mauvais.

tamiseur, sm. Celui qui tamise.

tampië, adv. Tant pis.

tan, adv. Tant. — *de dzen,* tant de monde.

tàna, sf. Tanière, gîte.

tandi que = *bin que,* adv. Tandis que.

tané, v. Tanner. — *la pë,* tanner la peau.

taneri, sf. Tannerie.

tanet-ta, adj. Qui est couleur de tan.

taneur, sm. Tanneur.

tanfo, sm. Odeur du renfermé.

tanmenten, adv. A proportion, à mesure que..... — *que me vin,* pour autant qu'il me vient.

tanque, adj. Jusque. — *nouna,* jusqu'à midi. *Tanque!* Salut! à nous revoir.

tapadzar-da, adj. Personne qui fait du bruit.

tapadzé, v. n. Tapager, crier, discuter.

* **tapageur,** sm. Celui qui fait habituellement du tapage.

tapiché, v. Tapisser.

tapina, sf. *(fére)* Se dit des marmottes qui dorment en hiver.

tapis, sm. Tapis.

tapisseri, sf. Tapisserie.

tapissië, sm. Tapissier.

tappa, sf. Etape.

tappi-a, adj. Touffu, épais.

tappé, v. Jeter. — *vià,* jeter loin. — *di cu,* tirer des fers (se dit des mulets). — *lo cu,* danser, (se dit des filles danseuses).

taquin-a, adj. Qui est tenace, un peu avare.

taquiné, v. Taquiner.

taquineri, sf. Taquinerie.

tar, adv. Tard. *In deu lo* —, vers le tard.

tàra, sf. Tare. — *di barà,* tare des barils.

taraboula, sf. Simple, imbécile, bonasse.

tar-da, adj. Tardif. *Allé drumi a eun'aoura tarda,* aller dormir à une heure tardive.

tardatéro-a, adj. Qui arrive tard, qui retarde.

tardé, v. n. Tarder. — *a parti,* ne partir que tard.
tardet-ta, adj. Un peu tardif.
tardi-a = *tardi-va,* adj. Qui arrive tard, qui mûrit tard. *Vatse tardiva,* bv. *cordze,* vache qui donne le veau tard.
tardocca, adj. f. Nigaude, sotte.
tardoque, adj. m. Nigaud, sot, sans bon sens.
tari, v. n. Tarir. *La fontana —,* la source tarit. V. *Agoté.*
tarifa, sf. Tarif. *Payé la —,* payer le tarif.
tarpa, sf. = *tarpon,* sm. Taupe.
tarponëre, sf. Taupinière.
tarratsu, adj. *(prèdzé)* Parler d'une voix rauque, pour ne pas être connu.
tassa, sf. Tasse (de café).
tassa, sf. Taxe des impôts.
tassé, v. Taxer. — *lo pri,* fixer le prix.
tasson = *tësson,* sm. Blaireau.
tartifla = *trifolla,* sf. Pomme de terre. *T'i maque euna —,* tu n'es qu'une simplette.
tartiflë, adj. Amateur des pommes de terre. *Grou —,* se dit des messieurs qui ont un gros ventre.
tartiflëre, sf. Champ semé de pommes de terre.
tàta, sf. Ce qu'on porte pour faire tâter (surtout du vin).
tàtà, sm. (Enfantin) Cheval, mulet.
tâté, v. Goûter. *Tâta se l'est bon,* goûtes si c'est bon.
tâton, adv. *(allé a)* Aller tatonnant. Adj. Personne simplette, benette.
tatonné, v. Tâtonner.
tatsà-ye, pp. Qui a des taches. *Tatsà d'avarice,* qui est tenu pour avare.
tatse, sf. Gros clou fait à main, tache d'encre, d'huile...
tatsé, v. Tacher. — *moyen,* faire en sorte de...
tavan, sm. Taon *(tabanus).*
tavané, v. n. Rêver, divaguer, perdre son temps ci et là.
tavë, sm. bv. Planche, ais.
taveillon, sm. Petit morceau d'ais.
taverna, sf. Taverne, cabaret.
tavernë-re, adj. Celui qui tient taverne. Celui qui fréquente les tavernes.
te, pr. Tu ; *tè,* toi.
t-ë pa ? N'est-ce pas ?
tè, tè, adv. *te moutro mè !* Attends, attends, je te montre moi !
té *ço-çeu,* tiens ceci.
tè ! int. *fat-ë pa !* Tiens ! ne faut-il pas...
teâtro, sm. Théâtre. *Semble un —,* ça semble un théâtre. Se dit d'une maison où règne le tapage, le désaccord.
tebaïde, sf. Thébaïde. *Solitéro de la —,* solitaire de la Thébaïde.
techaou = *tisseran,* sm. Tisserand.
tëdé = *tsëdé,* v. Tiédir. *Fére — lo vin,* faire tiédir le vin.
tëdo-a, adj. Tiède.
tegne, sf. Teigne. *La — meine la gregne,* un petit mal amène un mal plus grand.
teila, sf. Toile. — *de grou,* toile d'étoupe. — *de prin,* toile fine de rite.
teille, sf. Tille. — *di tsenèvo,* membrane grossière du chanvre.
teillé = *teilloté,* v. n. Séparer le chanvre de son écorce.
teillerë, sm. Instrument pour *teilloté.*

teilletta, sf. Membrane qui renferme les boyaux.
teisa, sf. Toise. *Betté man a la* —, mettre main à la toise, vendre du bien, du terrain.
teisé, v. Toiser.
teità, sf. Toit, toiture, aile du toit.
tel-la, adj. Tel, telle.
tellamente, adv. Tellement.
telegrafe, sm. Télégraphe.
telegrafié, V. Télégraphier.
temeréro-a, s. adj. Téméraire.
temerità, sf. Témérité.
temoègnadzo, sm. Témoignage.
temoègné, v. Témoigner.
temoen, sm. Témoin.
temperamen, sm. Tempérament.
temperance, sf. Tempérance.
temperateura, sf. Température.
tempëta, sf. Tempête. Fig. Tapageur, dissipé.
tempëté, v. n. Tempêter, crier, tapager.
templa, sf. Tempe.
templà, sf. Coup. *Boqué euna* —, recevoir un terrible coup.
templé, v. Battre, donner des coups.
templo, sm. Temple. — *di s-abreyo,* temple des juifs.
tempòre, smp. Les quatre-temps.
tempra, sf. Trempe. *De bouna* —, de bonne trempe.
tempré, v. Tremper. — *lo fer,* tremper le fer. *Leiché* —, laisser refroidir.
ten, sm. Piège, trébuchet. V. *Trabeutset.*
ten, sm. Temps. — *douce,* temps humide. *De mon* —, de mon âge. *Un ommo i* —, un homme avancé en âge. *A* —, adv. A temps.
tenablo-a, adj. Tenable, qui peut tenir, durer.
tenaille = *trecaouse,* sfp. Tenailles.
tenaillé, v. Tourmenter, presser au travail.
tenan, sm. Tenant. *Être neul* —, ne posséder rien.
tenanchë, sm. Tenancier.
tenda, sf. Tente de soldat.
tendre, v. Tendre. — *man,* prêter la main. — *un trabeutset,* dresser une embûche.
tendrë, adj. *(vë)* Veau encore jeune.
tendrëre, adj. *(vatse)* Vache qui a donné le veau de frais.
tenèbro, smp. Ténèbres. *Officho di* —, office, matines de la semaine sainte.
tenevalla, sf. Tarière.
tenevalin = *taravalin,* sm. Percerette.
teni, v. M. B. F. D. Tenir. — *la lenga i tsaat,* ne pas parler. — *men,* regarder. — *a men,* se souvenir.
tenna, sf. Tine, cuve.
tennadzo, sm. Lieu où sont les cuves.
* **tenon**, sm. Ce qui entre dans la mortaise.
tenor, sm. Ténor. *Vouéce de* —, voix de taille.
tentablo-a, adj. Tentable.
tentachon, sf. Tentation.
tentateur, sm. *(l'espri)* Le démon.
tenté, v. Tenter, attirer, donner envie.
tenuya = *teneuva,* sf. Tenue. *De ma* —, de mon temps, du temps que je vis.
teologie, sf. Théologie.
teologien, sm. Théologien.

tepin, sm. Pot. — *di lacë,* vase du lait.
teppa, sf. Gazon.
teque, sm. Malice, aversion, caprice, tic.
termené, v. Planter les limites.
termeno, sm. Limite. A la mort de l'un des deux frères, l'on dit à l'autre: *L'est un — de plantà,* c'est une limite déjà plantée.
terminéson, sf. Terminaison.
termo, sm. Terme, manière de dire. *La vatse l'est a —,* la vache est au jour de mettre bas.
terra, sf. Terre. *Plat de —,* plat en terre. *Fére — dei dò s-an,* être enterré depuis deux ans.
terradzo, sm. Honoraire qu'on donne au curé lors d'un enterrement.
terraillà = *interraillà-ye,* adj. Qui est sale de terre.
terraillé, v. n. S'amuser avec de la terre. *T'i todzor a —,* tu es toujours à t'amuser avec de la terre (se dit aux enfants).
terraille, sf. Vaisselle, choses en terre.
terré, v. Terrer. — *lo tsan,* jeter de la terre sur la neige du champ, afin qu'elle fonde plus tôt.
terreinà-ye, pp. Se dit d'un lieu d'où la neige a disparu.
terreiné, v. n. Devenir privé de neige. *Lo plan terreine,* la neige disparaît de la plaine, le terrain commence à se mon- [trer.
terren, sm. Terrain.
terrëre, sf. Terrienne, celle qui n'a pas de frère.
terretta, sf. Terrine en terre grossière.
terrettin, sm. Petite terrine.
terria-boura, sm. Tire-bourre.
terriblo-a, adj. Terrible.
terrié, v. Tirer. — *lo canon,* tirer le canon. — *su lo dzàno,* être de la couleur approchant le jaune.
terrifié, v. Terrifier.
terrina, sf. Terrine en faïence.
territoéro, sm. Territoire.
terrò, sm. Melange de fumier et de terre.
tesecco-a, adj. Etique, malade de phthisie.
tesie, sf. Phthisie.
testan-a, adj. Qui est fait à sa tête, têtu.
* **testateur**, sm. **testatrice**, sf.
teste, sm. Texte. Citation, manière de dire.
testé, v. n. Tester. Fig. Se dit d'une lampe qui s'éteint, d'un animal qui crève.
tet, sm. Toit. Dev. *Euna queverta pleina de guëde et que l'at gneun pouin,* une couverture pleine de pièces et qui n'a pas un point.
tëta, sf. Tête. — *matta,* tête folle. — *de tsou,* tête de chou.
tetet = bv. *piet,* sm. Mamelle. Se dit des bêtes.
tetin, sm. Mamelle des personnes.
tëtse, sf. Tas de javelles, de bois entassé avec art. Autrement V. *Mouë.*
teuf, sm. = bv. *banfa.* Touffeur. — *di vin,* odeur du vin qui cuit dans la cuve. — *di baou,* touffeur de l'étable.
teup, adj. m. Obscur. *Ten —,* temps obscur, nébuleux.
teupa, adj. f. Obscure. *Tsambra —,* chambre obscure.
teupet, adv. A l'obscur. *Allé a —,* aller dans l'obscurité, sans lumière.

teuré, v. n. Jeter de la fumée. *Lo tsafiaou teure,* la cheminée fume.
teuro, sm. Fumée, tourbillon de poussière.
teutun, adv. Cependant. *L'ëre reutso, — l'est mor,* quoique riche, il est pourtant mort. Dites à un pauvre : Voulez-vous du vin ? Il répond : *Teutun soplé,* je le veux bien, s'il vous plait.
teutun, adv. La même chose.
teya, sf. Bois gras.
teyon, sm. Morceau de bois gras. *Avié lo —,* allumer un morceau de bois gras.
t'i, tu es.
tiara, sf. Tiare.
tic-tac, *(ëtre a)* être en dispute.
* **tige**, sf. *De mëma —,* de même race.
* **tigre**, sm. Fig. Homme dur, cruel.
tigressa, sf. Tigresse.
* **tilleul**, sm. = *teuil.*
timbrà-ye, adj. Timbré, ée. *Tsecca —,* un peu fou.
timbré, v. Timbrer.
timbro, sm. *(papë)* Papier timbré.
timidità, sf. Timidité.
timido-a = *anchaou,* adj. Timide.
* **timon**, sm. *(ëtre i)* Gouverner la maison.
tin, pro. Tien. *Lo —,* le tien; *la tina,* la tienne.
tindre, v. Teindre. — *pers,* teindre bleu.
tinfouà, sm. Buche qu'on met sur la braise pour maintenir le feu. Fig. Se dit d'une fille qui reste à couvrir le feu, ne se mariant pas.
tintamaré, v. Tintamarrer.
tintamàro, sm. Tintamarre.
tinté, v. Tinter. *La clliotse tinte,* la cloche tinte.
tinteura, sf. Teinture.
tinteurë-re, s. Teinturier, ière.
tinteuri, sf. Teinturerie.
tintin, sm. *(enfantin) Eite lo dzen —,* regarde le joli son. Se dit de tout ce qui produit un son.
tiradzo, sm. Tirage (des conscrits).
tiraillé, v. Tirailler. *Se fére — pe payé,* se faire tirailler pour payer.
tiré = *terrië,* v. Tirer. — *lo fusi, lo tsaret,* tirer le fusil, le chariot.
tiren, sm. Tiroir. Poutre qui supporte un toit, un plancher.
tiren-ta, adj. Qui est tendu, bandé.
tirò, sm. Instrument pour trainer les billots.
tiroliro, adj. *(ëtre)* Avoir un peu bu.
tisàna, sf. Tisane.
tisè = bv. *totsé,* v. *lo fouà,* attiser le feu.
* **tison**, sm. = *tsaouton di fouà,* tison de feu.
tisseran, sm. Tisserand.
tisseranda, sf. Celle qui fait de la toile.
titi, sm. (enfantin) Chien.
titre, sm. Titre.
tocagne, adj. fém. Folle, imbécile.
todzor, adv. Toujours. — *teutun,* toujours la même chose.
todesque-todesca, adj. Têtu, ue, revêche.
toèletta, sf. Toilette. *Fére —,* faire toilette.
toï, sm. Tuf. *Crotta de —,* voute en tuf.

toleràblo-a, adj. Tolérable.
toleran-ta, adj. Tolérant, ante.
toleré, v. Tolérer, supporter.
tomata, sf. Tomate.
tomba, sf. Tombe. Parlant des pères et mères vieux l'on dit: *L'est mioù l'ombra que la tomba.*
tombé, v. n. Tomber (mieux *tseere).*
tombò, sm. Tombeau monumental.
tomberò, sm. Tombereau.
tomeya. adj. f. Simplette.
ton, pro. Ton. — *pére,* ton père. sm. Thon (poisson). Ton. — *de la vouëce,* ton de la voix. *Se baillé de* —, se donner du ton. Fig. *Tsandzé de* —, changer de vie, faire autrement.
tondeison, sf. Tondaison. *A la* —, au temps de tondre.
* **tondre**, v. Couper la laine, les cheveux. Fig. *Se fére* —, se laisser exploiter.
tonnère! *(gran)* Exclamation de surprise.
tonnelliё, sm. Tonnelier.
tonseura = *clierdze,* sf. Tonsure.
tonseuré, v. Tonsurer.
toodzen, adv. Doucement. — *a la pouyà!* doucement aux affaires!
toppé, v. Boucher. — *le bouegno,* boucher les oreilles. — *euna borna,* boucher un trou, payer une dette.
toppen, sm. Bouchon.
toque = *bocon,* sm. Morceau.
toquet, sm. Petit morceau.
toquetta, adj. Follette.
tor, sm. Tort. *Lo — gneun lo vout,* le tort personne ne le veut.
tor, sf. Tour. — *di Lëpreu,* tour du Lépreux. *A bëtor,* adv. Tour à tour. *Fére lo — i bëtse,* soigner le bétail; bv. *regreyé le bëtse.*
torbeillon, sm. Tourbillon.
tordion, sm. Petit tour de danse.
* **tordre**, v. *la corda,* tordre la corde. — *lo cou,* tordre le cou. *Baillé de fi a* —, donner du fil à tordre.
torgnaou, sm. Tourneur.
tormen, sm. Tourment, inquiétude.
tormenta, sf. Tourmente. V. *Couis.* — *crètsen,* sm. Personne qui tourmente les autres.
tormentà-ye, adj. Qui est tourmenté, ée.
tormenté, v. Tourmenter.
tornà, sf. Tournée. *Fére euna* —, faire un petit tour.
tornavan, sm. Avant-porte qui a pour bout de couper le vent.
torné, v. n. Revenir de nouveau. — *fére,* — *dëre,* refaire, redire; ou *refére, redëre.*

Dans les mots suivants, la particule *ra* et *re* qui indiquent un sens itératif, s'exprime en patois par *torné:*

torné *ajeusté,* rajuster.
» *avié,* rallumer.
» *meiné,* ramener.
» *apprendre,* rapprendre.
» *adzeundre,* ratteindre.
» *accapé,* rattraper.
» *betté,* remettre.
» *demandé,* redemander.
» *fremé,* refermer.
» *frotté,* refrotter.
» *impleyé,* remployer.
» *gnouë,* renouer.
» *porté,* reporter.
» *baillé,* redonner.

torneyé, v. Tournoyer. — *pe*

la feira, rouler, tourner par la foire.
torran = *torron,* sm. Torrent. — *degordzà,* torrent debordé. Se dit de celui qui parle sans arrêt.
tors-a, adj. Tors, torse, qui penche de côté.
torteura, sf. Torture.
torteuré, v. Torturer.
tortoillé, v. Tortiller.
tortse, sm. Grand flambeau, torche.
tortsé = *treuillë,* v. Presser le marc.
tortson, sm. Torchon. — *de paille,* grosse botte de paille. — *de femalla,* femme courte et épaisse.
tos = *toù,* sf. Toux.
tossagnar-da, adj. Qui ne fait qu'ennuyer.
tossagne, adj. f. Ennuyeuse.
tossagné, v. Agacer, ennuyer.
tossi = *teussi,* v. n. Tousser.
tot, sm. Tout. *Su lo* —, sur le marché, en plus. — *d'incou,* adv. Aussitôt. — *d'un cou,* en une seule fois. — *plen,* adv. Beaucoup, tout plein.
tot-ta, adj. Tout, toute.
* **total**, sm. *Su lo* —, sur le marché, en plus.
total-a, adj. Total, ale.
totara, adv. Tantôt, bientôt. — *dze si allà,* tout-à-l'heure, je suis allé. — *dz'alleri,* tout-à-l'heure j'irai. V. *Soyara.*
totparë, adv. *l'est parë.* Egalement, c'est la même chose.
totsé = *maneyé,* v. Toucher, manier, prendre. — *lo fouà,* attiser le feu. — *lo meulet,* frapper, toucher le mulet avec une verge pour le faire marcher.
totsebarra, adv. *(dzoyé a)* Jeu d'enfant.
toù, sf. Toux. V. *Tos.*
tou, adv. Tôt. — *lo matin,* de bonne heure.
toù ! int. Pour appeler les sourds, les fous.
toucho, sm. *(tossico)* Poison. *Aât come an meya, baas come an feya, douce come de mëque, amer come de toucho,* haut comme une meule (de foin), bas comme une brebis, doux comme de miel, amer comme de poison.
touffu-ya, adj. Touffu, ue.
toula = bv. *courda,* sf. Planche de pré, de champ.
toula, sf. Table où l'on broie le pain.
toula, sf. Ferblanc.
toulë, sm. Ferblantier.
toura = *agotta,* adj. Vache sans lait.
touté, v. Oter. — *la vòya,* ôter l'envie, le désir. *Se* —, s'en aller, se retirer : bv. *Se gavé.*
trà, sm. Poutre. *Iu veit euna butse i jeu di s-âtre, et in veit pà un — din lo sin,* on voit une paille dans les yeux des autres, et on ne voit pas une poutre dans le sien.
trabeutset, sm. Trébuchet. Chose mal assurée qui risque de tomber.
traça, sf. Trace. — *pe la nei,* neige foulée. — *di fen di pailler i baou,* trainée de foin du fenil à l'étable.
tracaché, v. Tracasser.
tracasseri, sf. Tracasserie.
traché, v. Tracer.
trafeque, sm. Trafic, négoce.
trafequé, v. Trafiquer. Fig. Avoir de mauvaises relations avec une personne.

traï, v. Trahir, tromper.
traïson, sf. Trahison.
* **trajet**, sm. — *de tsemin*, trajet de chemin. V. *Trat.*
tralet, sm. Petite poutre.
trallionire, v. n. M. C. F. H. Luire, brilier à peine.
trambellé, v. n. Chanceler.
trambelu-ya, adj. Qui est peu ferme sur ses pieds, chancelant.
tramé = *ourdi,* v. Fig. Machiner, comploter.
tramouail, sm. Haut pâturage de montagne où les vaches vont habiter peu de temps.
tramouaillé, v. n. Changer souvent d'habitation.
tramoué, v. Transporter. *Tramoua-tè d'inque,* ôte-toi d'ici. Fig. Réprimander.
tramourti-a, pp. (de tramortire) *de fret,* engourdi de froid.
trampeyé, v. n. Boiter.
trampo-a, adj. Boiteux, euse.
trancho, adv. *(in)* N'être ni endormi, ni bien éveillé.
trancrichon, sf. Transcription.
* **transcrire**, v. M. C. F. I. Copier un écrit.
tranfer, sm. Transfert, se dit des capitales.
transferé, v. Transférer. — *la fëta,* transférer la fête.
transfiguarachon, sf. Transfiguration.
transformé, v. Transformer.
transgrechon, sf. Transgression.
transgressé, v. Transgresser.
transi-a, adj. Transi, ie.
transi, v. n. Transir de froid, de peur, de frayeur.
transigé, v. Transiger.

translachon, sf. Translation, se dit des fêtes, des reliques.
transpor, sm. Transport. — *di martsandi,* transport des marchandises.
transporté, v. Transporter. *La vatse l'at transportà dzë dzor,* la vache a donné le veau dix jours après le terme.
transvasé, v. Transvaser.
transpiré, v. n. Transpirer.
trapané, v. n. Suinter. Se dit d'un liquide qui sort par les pores d'un récipient. *L'affére commence a* —, l'affaire commence à s'ébruiter.
trapassà-ye, adj. Personne qui vient de mourir.
trapassà, sm. Trépassés. *Preyé pe le* —, prier pour les trépassés. *Qui l'atten le soler d'un* —, *l'at leisi d'allé granten detsà,* celui qui attend les souliers d'un trépassé, a le temps d'aller longtemps déchaussé.
trapassé, v. n. Trépasser.
traplantà-ye, pp. Qui a été transplanté. Qui habite un pays qui n'est pas le sien.
traplanté, v. Transplanter.
trapolla, sf. Chose mal ferme, piége.
trapolu-ya, adj. Qui est pesant à marcher, qui fait de faux pas.
trappa, sf. Trappe. *Beiché pe la* —, descendre par la trappe.
* **trappiste**, sm. Religieux de la Trappe.
trapu-ya, adj. Trapu, ue.
trasor, sm. Trésor.
trasori, sf. Trésorerie.
trasoriè, sm. Trésorier.
trat = *tret,* sm. Petit trajet de chemin.
traté = *trèté,* v. Traiter. — *a metse,* nourrir de pain blanc.

— *de lare,* traiter de voleur. *Se trate de....* il s'agit de...

* **travail,** sm. — *di man,* travail consistant à filer, coudre... *Lo — di fëte inreutsei pà,* le travail des fêtes n'enrichit pas.

travaillé, v. Travailler.

* **travailleur,** sm. Celui qui travaille beaucoup.

traver, adv. *(de)* De travers.

traversa, sf. Traverse.

traversà, sf. Traversée.

traversé, v. Traverser.

* **traversin,** sm. Oreiller long.

travëti, v. pr. *(se)* Se travestir.

trecaoudé, v. n. Carillonner.

trecaouse, sfp. Tenailles, tricoisses.

trechaou, sm. Cordon de tresse de femme.

treché, v. Tresser.

tredoille, sf. Femme de mauvaise vie.

tredoillé, v. n. Faire la *tredoille.*

trèfla, sf. Peur (jargon).

trèjëmo, adj. Treizième.

trei, sm. Trois. *Trei-quatro,* adj. Trois à quatre.

treina, sf. Traînée.

treiné, v. Traîner. — *un trà,* traîner une poutre. Fig. Mener au long.

treinë, sm. Traineau.

treinetta = *gropetta,* sf. Centinode, trainasse.

treineur, sm. Ceux qui traînent les minéraux.

tremblé, v. n. Trembler. *La man me tremble,* la main me tremble.

tremblemen, sm. Tremblement.

tremblo, sm. Peuplier, tremble. V. *Arbé. Avei lo —,* = *creublé,* se dit de celui qui tremble des mains.

trembloté, v. n. Trembler un peu.

tren, sm. Train. *Tsandzé de —,* changer de manière de vivre. *Veni a gran —,* arriver en grand nombre. *Fére lo —,* tapager, mener mauvaise vie.

tren, sf. Trident.

trenta, adj. Trente. *Dei qu'in a fé —, fât fére trent'un,* dès qu'on a fait trente, il faut faire trente et un (dès qu'on est bien avant, il faut finir).

trenteina, sf. Trentaine.

trentëmo, sm. Trentième. *Servicho di —,* service funèbre du trentième.

trentenéro, sm. Possession de trente ans.

trentenéro-a, adj. Qui a trente ans.

trentron, sm. Une dent du trident, d'une fourchette.

trentsà, adj. Lait qui prend l'aigre. *N'en pà fé de seré, lo lacë l'ëre —,* nous n'avons pas fait de céras, le lait était aigre.

trentsaou, sm. Tailloir. Pièce de bois plate et ronde que nos pères, lors de leurs patriarcales fêtes, donnaient aux convives pour trancher le bouilli.

trentsé, v. Trancher. — *la questson,* trancher le différend.

trentse = *lëtse,* sf. Tranche. — *de pan,* tranche de pain.

trepà, sm. Trépas.

trepassà = *trepassé,* sm. Trépassé. V. *Trapassà,* etc.

trepellé, v. Tirer à soi. — *lo tsaret,* tirer le chariot. — *d'ardzen,* exiger de l'argent. *Fât pà se fére — p'allé a noce,* il ne faut pas se faire tirer pour aller à noces.

trepellu-ya, adj. *(tser)* Viande coriace, membraneuse.

trére, v. M. C. F. L. bv. *Gavé.* Tirer. — *le trifolle,* tirer, extraire les pommes de terre. *Fât avei lo tsapë pe lo trére,* il faut avoir le chapeau pour l'enlever: outre vouloir il faut pouvoir.

trètàblo-a, adj. Traitable.

trèté, v. Traiter. — *de noutre baggue,* traiter de nos affaires. V. *Traté.*

trètemen, sm. Traitement.

trètro-a, adj. Traître, traîtresse.

treucca, sf. Tronc, souche d'un arbre.

treuil, sm. Pressoir.

treuillé, v. Presser au *treuil.* Fig. Manger volontiers (jargon).

treuilleis, sm. Vin du pressoir.

treuque-à-treuque, *(tsandzé)* Changer une chose pour une autre sans rien donner en plus.

treuqué, v. Changer.

trèva, sf. Trève. *Sensa* —, sans relâche.

trevolé, v. n. Trembler, frissonner.

trevolin, sm. = **trevolina,** sf. Frisson occasionné par le froid ou par la peur.

tri-a, adj. Menu, ue. *Tsaplé* —, hâcher menu.

tria, sf. *(avei la)* Avoir la diarrhée.

triail, sm. Ce qui est menu. — *di fen, di bouque,* débris du foin, du bois.

* **triangle,** sm. *(fét a)* Ce qui est triangulaire.

tribu, sm. Impôt. *Payé lo* —, payer l'impôt, le tribut.

* **tribu,** sf. *Le dòse* —, les douze tribus.

tribulachon, sf. Tribulation.

tribuna = *tsanteri,* sf. Tribune des chantres.

* **tribunal,** sm. *In pleideyen devan lo —, ci que gagne l'at incò la tsemise, et ci que per l'est patanu,* en plaidant par devant le tribunal, celui qui gagne a encore la chemise, et celui qui perd est nu.

triché, v. Tromper, frauder, tricher.

triche, sf. Trompeur, chicaneur.

tricheri, sf. Tricherie.

tricò, sm. Flanelle. — *de lana,* tricot de laine.

tricoté, v. Tricoter.

trifolla, sf. Pomme de terre. V. *Tartifla.*

trimé, v. n. Aller vite, courir en chemin.

* **trimestre,** sm. *(tseque)* Chaque trois mois.

Trinità, sf. *(la sainte)* La sainte Trinité.

trinqué, v. n. Trinquer.

trin-tran, sm. *(teni lo)* Tenir le tapage, le désordre. *Todzor lo mëmo* —, toujours la même chose, le même train.

trin-trin, sm. (onomatopée). — *de l'ardzen in secotse,* le *trin-trin* de l'argent en poche.

triolet = *trifoueil,* sm. Trèfle.

trionfan, adj. Triomphant.

trionfateur, sm. Triomphateur.

trionfe, sm. Triomphe. *La campagne l'est in* —, la campagne prospère. *L'arc de* —, l'arc d'Auguste à Aoste.

trionfé, v. n. Triompher.

* **tripe,** sf. L'on dit d'une chose qui ne vaut rien : *Ço vât pà le — d'un tsin,* ceci ne vaut pas les tripes d'un chien.

triplé, v. Tripler. — *la paye,* tripler le payement.

triplo, sm. Triple.

tripotadzo, sm. Tripotage.

tripoté, v. Tripoter.

tristamente, adv. Tristement.

* **tristesse,** sf. Peine, affliction.

tristo-a, adj. Triste, chagrin, ine.

trobla, sf. *(avei la)* Ne pas voir clair.

troblé, v. Troubler. — *la péce,* troubler la paix.

troblo, sm. Trouble, désordre, soulèvement.

troblo-a, adj. Trouble. *Vin —, ten —,* vin trouble, temps vaporeux.

troèjëmo-a, adj. Troisième.

troèjëmamente, adv. Troisièmement.

troillet, sm. Pain de noix.

tromba, sf. Porte-voix.

trombon, sm. Instrument pour accompagner le plain-chant.

trompé, v. Tromper. *Se —,* v. pr. Dire, prendre une chose pour une autre.

trompetta, sf. Trompette.

trompetté, v. n. Sonner de la trompette.

trompeur-trompeusa, adj. Trompeur, trompeuse.

tron, sm. Tronc, tronçon d'un arbre. Fig. — *de l'eillëse,* boîte des offrandes. *Di mëmo —,* de la même descendance.

trôno, sm. Trône.

tronqué, v. Tronquer, couper par le milieu.

trontse, sf. Gros tronc, souche.

trontset, sm. Petit tronc, tronçon.

trop, adv. Trop. *Debilavan que —,* trop malheureusement.

troppa, sf. Troupe. *Euna — de cou,* plusieurs fois.

troppë, sm. = *colosse,* sf. *di fèye,* troupeau de brebis.

trossa, sf. *de fen,* trousse, faisceau de foin.

trot, sm. Trot. *Allé i —,* aller au trot.

trotta, sf. *(euna)* Un trajet de chemin.

trottandé, v. n. Ne cesser d'aller et venir.

trottar-da, adj. Qui court de part et d'autre.

trotté, v. n. Trotter. *Maque trotta,* cours vite.

trou, sm. Rouleau de drap, de toile.

troueille = bv. *kiavetta,* sf. Morceau de bois troué et aigu, attaché au sommet d'une corde et avec laquelle on fait le nœud pour nouer les fardeaux de foin, de bois....

trouno, sm. Tonnerre, le bruit qu'il fait.

troussà-ye, pp. Qui est enveloppé.

troussé, v. Envelopper. — *la plèye,* panser la plaie, lui appliquer du linge.

trouva, sf. Trouvaille. *Fére euna —,* trouver une chose. La chose trouvée elle-même.

trovaille, sf. Chose trouvée par hasard.

trové, v. Trouver. *Torné —,* retrouver. — *amòdo,* trouver bien, comme il faut.

* **truite,** sf. Poisson.

trouye, sf. Femelle du porc. Fig. Personne sale, malpropre. *Fére la —,* mener mauvaise vie.

Les mots qui commencent par ch *en français et par* ts *en patois, sont placés ici pour conserver l'ordre alphabétique des mots patois.*

tsâ, sf. Chaux. *Effloré la —,* efflorer la chaux.

tsaat, sm. Chaud. *— i pià,* chaud aux pieds.

tsaat-tsaada, adj. Chaud, de.

tsaaten, sm. Eté. *Passé lo —,* passer l'été. *— de S. Martin,* été de S. Martin.

tsàblo, sm. Couloir où l'on fait descendre les plantes.

tsacot = *bregaillon,* sm. Morceau de branche court et mince.

tsacoté, v. Trouver à redire. *Se —,* se chipoter.

tsacoture, sf. Niaiserie, petite dispute. *— di maron,* chipoterie de fous.

tsacru-ya, adj. Chose à moitié cuite.

tsacun, pron. Chacun.

tsafiaou, sm. Cheminée.

tsagrené, v. Chagriner.

tsagrin, sm. Chagrin.

tsaillet, sm. Catafalque.

Tsalende, sm. Noël. *Dzor de —,* jour de Noël. *A — le moutseillon, a Pâque le lliaçon,* à Noël les moucherons, à Pâques les glaçons.

tsalendamë, sm. *(fére)* Faire une cueillette pour ramasser assez de pain afin d'en distribuer un quart chacun à ceux qui assistent à une procession qui se fait le premier mai.

tsalin, sm. = bv. *llioedzo.* Eclair.

tsaliné, v. n. Faire des éclairs.

tsaleur, sf. Chaleur.

tsalondzé, v. pr. *(se)* Se dépêcher. *Ommo ! tsalondze-tè,* allons, dépêche-toi.

tsamaillé, v. pr. *(se)* Se disputer.

tsamba, sf. Jambe. *Fére —,* rester debout. *Pleyé —,* s'asseoir.

tsambetta, sf. *(fére)* Passer quelque chose entre les jambes pour faire tomber, faire le croc-en-jambe. *La mendra paille l'ei fé —,* la moindre chose le déconcerte.

tsamboté, v. n. Patauger. *— pe lo pacot,* marcher dans la boue. *Se —,* se prendre des pieds à quelque chose.

tsambra, sf. Chambre.

tsambrë, sm. Chambrier.

tsambrëre, sf. Chambrière.

tsambretta, sf. Petite chambre. Lieu d'aisances = *Yaou que le dame van a pià,* où les dames vont à pied.

tsambron, sm. Chambre chétive.

tsamos, sm. Chamois.

tsampë, sm. Garde champêtre.

tsamporgne, sf. Guimbarde. Fig. Femme de mauvaise vie. *Fére la —,* mener mauvaise vie.

tsan, sm. Champ. *— de blà,* champ de blé. *— di s-aousë,* chant des oiseaux.

tsancon, sm. Bonde. *— di barà,* bonde du baril.

tsandeila, sf. Chandelle. *— sensa faret,* se dit de celui qui intercepte la lumière étant devant une personne.

Tsandelaousa, sf. *(la)* La Chandeleur.

tsandevoueil, sm. Chenevotte. *Tsambe de —,* jambes minces.

tsandzé, v. Changer.

tsandzemen, sm. Changement.

tsandzo, sm. Change. *Fére* —, faire échange.
tsanéno, sm. Chanoine.
tsanfregne, sfp. Petites disputes, vétilles.
tsanfregné, v. n. Disputer, vétiller.
tsanna, sf. Petit cuvier.
tsanon, sm. Seau dans lequel on tire le lait.
tsanonà, sf. Un plein seau *(tsanon)*.
tsanté, v. Chanter. — *matenne,* chanter matines, trouver à dire, gronder.
tsantë = bv. *tsanton,* sm. Sommet, promontoire.
tsantë, sm. Chantal, service pour les morts. Côté. *Drumi de* —, dormir sur un côté.
tsanteur-tsanteusa, adj. Qui aime à chanter.
tsanton, sm. Tison. — *de fouà,* tison de feu.
tsantse, sf. Verbiage.
tsantsé, v. n. Dire des paroles inutiles, jaser.
tsantre, sm. Chantre.
tsaouché, v. Chausser. — *le meinà,* chausser les enfants. — *la mëllia,* mettre de la terre au pied du maïs.
tsaouchuye = *tsaouchure,* sf. Chaussure.
tsaoudan, adj. Long, lambin.
tsaoudé, v. Chauffer. — *lo for,* chauffer le four.
tsaouderà, sf. Une chaudière pleine.
tsaoudëre, sf. Chaudière.
tsaouderun, sm. Chaudron.
tsaoudzaou, sm. Chauffe-lit.
tsaoula = *tsàla,* sf. Foulée, trace.
tsaoulâtro-a, adj. Qui fait les choses mal, comme ce soit.
tsaoulé, v. Piétiner. — *le prà,* fouler aux pieds l'herbe des prés. — *dzouëre,* passer à gué la rivière (la Doire).
tsaoutsé, v. n. Joindre deux bouts, les faisant chevaucher.
tsaoutsegnon, sm. Etre fabuleux, soit cauchemar.
tsapë, sm. Chapeau. *Pourté lo* —, être en son honneur. *Trére lo* —, se soumettre. *Betté un* —, faire un mauvais renom.
tsapelë, sm. Chapelier.
tsapelet, sm. Chapelet.
tsapelu-ya, adj. Qui a les cheveux longs, hérissés.
tsapitre, sm. Chapitre.
tsaplà-ye, adj. Haché, éc.
tsaplapan = *taillepan,* sm. Coupe-pain.
tsaplaou, sm. Banc de menuisier.
tsaplé, v. Couper à petits morceaux.
tsaplet-ta, adj. Babillard, e.
tsapletta, sf. *di s-erbe,* Hachette des herbes.
tsaplin, smp. Hachis, rognures.
tsaplo, sm. Coupe. *Fére un grou* —, abattre une grande quantité de bois
tsaplure, sf. Débris, rognure de ce qu'on a travaillé Tronc à hacher.
tsapocca, adv. *(a)* Peu a peu. *Te peque a — que te gagne,* tu manges à mesure que tu gagnes.
tsapon, sm. Sarment pour faire des plants.
tsapoté. v. Travailler le bois avec la hache, etc.
tsapotin, sm. Copeau.
tsàpro, sm. = bv. *tserpéro.* Ciseau de menuisier.
tsaque = *tseque,* adj. Chaque.
tsaramë, sm. Chalumeau.

tsaravàta, sf. Charogne, bête crevée.
tsarbon, sm. Charbon.
tsarbonné, v. n. Charbonner.
tsarbonnë, sm. Charbonnier.
tsarbonnëre, sf. Charbonnière.
tsardzé, v. Charger, donner le charge de... *S'intsardzé,* prendre le charge de...
tsardzo, sm. Charge. *A mon* —, à ma charge.
tsareyé, v. n. Se dit des moutons, des lapins mâles qui poursuivent la femelle.
tsarlatan, sm. Charlatan, grand parleur.
tsarlatané, v. n. Mener au long les choses.
tsarmo, sm. Charme. *Baillé lo* —, enchanter.
tsarnu-ya, adj. Charnu, ue.
tsaroppa, sf. t. d'injure. Charogne, mauvais garnement.
tsarpìa, sf. Charpie.
tsarrëre, sf. Rue de village.
tsarret, sm. Chariot.
tsaretë, sm. Charretier.
tsâs, sm. Cuve carrée où l'on fait cuire la vendange.
tsaschaou, sm. Chasseur.
tsasché, v. Chasser. — *de cagne,* dire des mensonges, faire accroire.
tsaseubla, sf. Chasuble.
tsasse, sf. Chasse.
tsâsse = *bréye,* sfp. Culottes.
tsasset, sm. Compartiment. — *de l'artson,* compartiment du coffre.
tsassot, sm. Reste de petit lait, lavure qu'on donne boire au bétail. Mauvaise nourriture.
tsassotar-da, adj. Qui fait mal la nourriture. Qui est toujours à s'amuser avec de l'eau.
tsassoté, v. *l'éve,* rendre l'eau mal propre.
tsat, sm. Chat. *Fére lo* —, manger le fromage avant le pain.
tsatagnà-ye, adj. Couleur chatain.
tsatagne, sf. Châtaigne. *Tsaque* —, *trei cou beire,* à chaque châtaigne, boire trois fois. Dev. *Pàre grindzo, mare neire, feille rossa, popon blan,* père grincheux, mère noire, fille rousse, poupon blanc.
tsatagnë, sm. Châtaignier.
tsâtë, sm. Château. *Bò* — *se pren, se gneun se defend,* beau château se prend, si aucun ne se défend. Si vous alliez faire à nos campagnardes un compliment indiscret sur leur beauté, elles vous répondraient : *Lo tsâté varde la veulla,* le visage met à l'abri tout le reste, le château garde la ville.
tsatié, v. Châtier, punir.
tsatimen, sm. Châtiment.
tsatin, sm. Chaton, petit de la chatte.
tsâtré, v. Châtrer. — *lo boque,* châtrer le bouc.
tsatta, sf. Chatte.
tsàva, sf. Fosse, excavation.
tsavagnà, sf. *(euna)* Un plein panier.
tsavagnon, sm. Petit panier.
tsavatin, sm. Savetier.
tsavé, v. Creuser.
tsavon, sm. Bout. — *de fi,* bout de fil. — *de tsemin,* trajet de chemin. *Trei* — *d'armaille,* trois têtes bovines.
tsavonné, v. Finir, terminer. V. *Leuvré.*
tsecca, adv. Peu. — *pe cou,* un peu à la fois. — *pi,* — *men,* à peu près ; un peu plus,

un peu moins. *De ce* —, dans peu de temps, sous peu.

tseere, v. n. M. C. F. F. Tomber. — *a botson,* tomber la face contre terre.

tsegnolé, v. n. Rire souvent, facilement.

tseillin, sm. Braise menue avec de la cendre.

tseillot, sm. Enveloppe de la noix.

tseilloté, v. Oter l'enveloppe aux noix.

tsemenà, sf. Cheminée. V. *Tsafiaou.*

tsemené, v. n. Marcher.

tsemi, sm. Moisi. *Flà di* —, odeur du moisi.

tsemin, sm. Chemin.

tsemise, sf. Chemise. *D'accour come cu et tsemise,* d'accord comme cul et chemise. *La — l'est pi protso que lo gonë,* la chemise est plus proche que la jupe, c.-à-d., on pense à soi plutôt qu'aux autres.

tsenà, sf. Chéneau.

tsenaillé, v. *lo tsan.* Se dit de l'eau qui creuse un ruisseau dans le champ.

tsénei, sm. Lieu planté de chênes.

tseneille, sf. Chenille.

tsenevà, sm. Chènevis, graine de chanvre.

tsenevë, sm. Chènevière.

tsenevoueil, sm. Chènevotte.

tséno, sm. Chêne.

tseque = *tsaque,* adj. Chaque. — *peque,* à chaque instant.

tsér, sf. Chair, viande. — *de boù,* viande de bœuf. *Intre pë et* —, entre peau et chair.

tsèr-tsére, adj. Cher. — *come lo fouà,* très cher.

tséra, sm. Mine. *Fére bouna* —, faire bonne grâce, belle mine... *Beurta* —*!* int. Horreur !

tserechaou-sa, adj. Qui vend cher.

tsertsé, v. Chercher.

tsés-sa, adj. Qui n'est pas ample, large. — *a la crutse et lardzo a la farenna,* étroit, chiche pour les petites choses, et large, prodigue pour les choses d'importance.

tsès, sm. Tiers. *Beire un* —, boire la troisième partie du quarterun.

tsèsse, adj. f. Tierce. *Betté in* —, mettre en tierce main.

tsëtre, v. Tisser. — *la teila,* tisser la toile.

tseuf, sm. Touffe. — *de pei, d'erba*, touffe de cheveux, d'herbe.

tseufra, sf. Chiffre.

tseufré, v. n. Chiffrer.

tseuvra, sf. Chèvre. — *di batsé,* pièce de bois par laquelle passe l'eau pour tomber dans le bassin.

tsevà, sm. Cheval. *I — baillà fat pà lei aveitsé in gordze,* à un cheval qui est donné, il ne faut pas regarder en bouche, c. à d., à une chose qui est donnée il ne faut pas regarder les défauts.

tsevëtro, sm. Chevêtre, licou.

tsevrei, sm. Chevreau.

tseveille, sf. Cheville. *Trové de* —, avancer des raisons pour chicaner.

tseveillé, v. Joindre avec des chevilles.

tsi, prép. Chez. *Dei tsi nò tanque tsi vò, dzi perdu la berra de mon megnò,* (plaisanterie), depuis chez nous jusque chez vous, j'ai perdu le bonnet de mon petit.

tsiffla, sf. Gifle, soufflet.
tsifflé, v. Souffleter.
tsin, sm. Chien.
tsincagnar-da, adj. Qui est porté à la chicane.
tsincagne, sf. Dispute, contestation.
tsincagné, v. Disputer, chicaner, gronder.
tsincagnure, sfp. Disputes, chicanes.
tsingro-a, s. Bohémien. Diseur de bonne fortune.
tsiquet, sm. Chiquet, petit verre. *Beire lo —,* prendre le petit verre.
tsiqueté, v. n. Prendre des petits verres coup sur coup.
tsoeini, sm. Petit, le plus jeune. *Croè —,* mesquin, de peu de valeur.
tsou, sm. Chou.
toueille, sf. Voile, soit dentelle (tovaglia) dont on couvre l'enfant qu'on porte baptiser.
tsousa = *bagga,* sf. Chose.
tsoumé, v. n. Chômer. *Le feye tsoumon,* les brebis chôment.
tsoumo, sm. La réunion des brebis qui chôment.
tsouyé, v. Prendre garde. *T'souye de tseere,* prends garde de tomber.
tuéro, sm. Tariere.
tul, sm. = *gàsa,* sf. Tulle. *Fada de —,* voile en tulle.
tunel, sm. Galerie de chemin de fer.
turban, sm. Coiffure des turcs.
turbulan, adj. Turbulent, tracasseur.
* **turpitude,** sf. Vilainerie.
tutella, sf. Tutelle.
* **tuteur-tutrice,** adj. Qui a la tutelle de quelqu'un.
tuyò, sm. Tuyau. *— de la pipa,* tuyau de la pipe.
tzar, sm. Empereur de Russie.

U

uchë, sm. Huissier. V. *Seurdzen.*
uitre, sf. Huître. *Mindzé de s-uitre,* manger des huîtres.
ulterieur-a, adj. Ultérieur, e.
umanità, sf. Humanité, bonté.
umblo-a, adj. Humble.
umblamente, adv. Humblement.
umen-umeina, adj. Humain, aine. Sensible à la pitié.
umeur, sm. Humeur. *D'un — grindzo,* d'une humeur grincheuse.
umidità, sf. Humidité.
umido-a, adj. Humide.
umiliachon, sf. Humiliation.
umilié, v. Humilier, mortifier.
umilien-ta, adj. Humiliant, ante.
umilità, sf. Humilité.
un-euna, adj. Un, une. *L'un et l'àtro,* l'un et l'autre.
unanimità, sf. Unanimité.
unanimo-a, adj. Unanime.
uni-a = *envo-a,* adj. Uni, ie; égal, ale.
uni, v. Unir, joindre, égaliser.
uniforma, sf. Uniforme, habit militaire.
uniformo-a, adj. Uniforme.
univer, sm. Univers.
universel-la, adj. Universel.
università, sf. Université. *Etudzé a l'—,* étudier à l'Université.
urjance, sf. Urgence.
urjan-ta, adj. Urgent, te.
urna = *eurna,* sf. Urne (des votes).
usadzo, sm. Usage, coutume, emploi.
* **usance,** sf. *(come l')* Selon l'usage.
usé, v. User. Faire usage, détériorer.
usina = *fabrecca,* sf. Usine, fonderie.
usità-ye, adj. Usité, ée.
ustansilo, sm. Ustensile.
usufrui, sm. Usufruit.
usufrutsë-re, s. Usufruitier, ière.
usura, sf. Usure.
usuriё-re, s. Usurier, ière.
usurpachon, sf. Usurpation.
* **usurpateur-usurpatrice,** s.
usurpé, v. Usurper.
usuyel-la, adj. Usuel, elle.
uterin-a, adj. Utérin, ine. *Frére —,* frère utérin.
utilamente, adv. Utilement.
utilisé, v. Utiliser. — *tot,* tirer parti de tout, ne rien laisser perdre.
utilità, sf. Utilité.
utilo-a, adj. Utile.
uù! Cri pour faire avancer les mulets.
uver-ta, adj. Ouvert, erte.
uvertamente, adv. Ouvertement. *Dëre —,* dire franchement.
uverteura, sf. Ouverture.
uvri, v. Ouvrir. — *la pourta, — botse, — le jeu,* ouvrir la porte, la bouche, les yeux.

V

va *in pocca,* Vas un peu! (Tu ne m'en fais pas accroire).

và! và! Je t'apprendrai à vivre. —*!* pas possible!

vàblo = bv. *viarba,* sf. Clématite (vitalba).

vacabon-da, adj. Vagabond, onde.

vacabondadzo, sm. Vagabondage.

vacabondé, v. n. Vagabonder.

vacachon, sf. Vacation.

vacan-ta, adj. Vacant, ante.

vacance, sf. Vacance.

vacarmo, sm. Vacarme, tapage, querelle.

vacina = *vareina,* sf. Vaccine.

vacinachon, sf. Vaccination.

vaciné = *varciné,* v. Vacciner.

vàco-a, adj. Se dit d'une pièce de terre dont on a abandonné la culture.

vacollo, sm. Terrain inculte.

vadzeran, sm. Fermier. V. *Grandzë.*

vadzëre, sf. Ferme donnée en location. *Bien in vadzëre, vint in meurdzëre,* bien en location, va en friche.

vagné, v. Semer. — *lo tsan,* semer le champ.

vagneison, sfp. Semailles. *Ten di* —, temps des semailles. *Dei S. Bartolomë vagne quan te pouri,* à partir de S. Barthélemy, sème quand tu pourras.

vàga, sf. Vague de la mer.

vàgo-a, adj. Vague, sans fermeté.

* **vagon,** sm. Voiture de chemin de fer.

vagué, v. n. Vaguer. — *cé et lé,* aller çà et là.

* **vaillance,** sf. *Quinta* —! quelle vaillance!

* **vaillantise,** sf. Action de valeur.

vaillen, sm. Valeur. *Lo — de cent livre,* la valeur de 100 francs, ce qui équivaut à cent francs. *Bagga de pocca* —, chose de peu de valeur.

valet, sm. Serviteur. — *de ban,* valet de menuisier.

valetson, sm. Petit serviteur.

vallàblo-a, adj. Valable.

vallàda, sf. Vallée.

vallei, v. n. M. G. Valoir. *Fére* —, demander en justice. *Fére — lo bien,* faire produire le bien.

valleur, sf. Valeur.

valleureu, adj. Valeureux.

vallidé, v. Valider.

vallidità, sf. Valïdité.

vallido-a, adj. Valide.

* **vallon,** sm. Petite vallée.

valluya, sf. Value. *De gran* —, de grand prix.

* **vampire,** sm. Fig. Celui qui s'engraisse de la substance du peuple.

* **van,** sm. Instrument pour vanner.

van-a, adj. Qui n'est pas serré. *Vin —,* vin qui a perdu sa force.
vandalismo, sm. Vandalisme.
vanità, sf. Vanité.
vanitaou-sa, adj. Vaniteux, euse.
vannà-ye, pp. Vanné, ée. Fig. Liquidé. *Etre —,* être sans ressources, n'avoir plus rien.
vanné, v. Vanner.
* **vanneur,** sm. Celui qui vanne.
vantayina, sf. Eventail.
vanté, v. Vanter. *Se — de savei,* se vanter de savoir.
Vaoudagne, sf. *(la)* La Vaudagne ou le Valdigne.
vaoudan-a, adj. Habitant du Valdigne. *Martsà —,* Marché Vaudan.
vaoulé = *vollé,* v. Voler. — *a caramèle,* tomber, aller les jambes en l'air.
vaoulo, sm. Vol. — *de l'âilla,* vol de l'aigle. *Prendre lo —,* s'enfuir avec les deniers publics, prendre le vol.
* **vapeur,** sf. *Bain a —,* bain à vapeur. *Batò a —,* bateau à vapeur.
vaqué, v. n. Devenir inculte. *Leiché —,* ne plus cultiver, laisser devenir inculte.
vaquetta, sf. Peau de vache tannée.
varanda, sf. Personne dissipée, volage.
varandé, v. Eparpiller. — *lo fen,* éparpiller le foin fauché pour le faire sécher.
varandé, v. n. Jouer, badiner, folâtrer.
varandu-ya, s. Qui est volage, étourdi, ie.
varatsé, v. n. Remuer, tourmenter. — *totta la nët,* rêver toute la nuit.
varatson, sm. Bâton gros et court qu'on passe au double d'une corde pour la serrer.
varda, sf. Garde champêtre. — *di ru,* celui qui veille au maintien du ruisseau.
vardé = *gardé,* v. Garder. — *le vatse,* paître les vaches. — *un valet,* tenir un domestique. Conserver, préserver.
vareyé, v. n. Délirer, être hors de raison.
vari-a = *gari-a,* adj. Guéri, e.
vari = *gari,* v. Guérir.
variablo-a, adj. Variable. — *come la leuna,* variable comme la lune.
variachon, sf. Variation.
varié, v. Varier. V. n. Changer.
varietà, sf. Variété. — *de fleur,* variété de fleurs.
vâs = *voû,* sm. Place de famille à l'église.
vaso, sm. Vase. — *di fleur,* vase à fleurs.
vasto-a, adj. Vaste.
vatse, sf. Vache. Dev. *Euna bagga que l'at dò pouegnen, dò lliouyen, quatro massette et un ecovet,* une chose qui a deux poignant, deux luisant, quatre petites masses et un balai.
vatsë-re, sm. Vacher, ère.
vatseran, sm. Celui qui tient des vaches en montagne.
vatsetta, sf. Petite vache.
vatson, sm. (enfantin) Vache.
vë, sm. Veau (générique) mâle ou femelle.
vecoté = *vicoté,* v. n. Vivre pauvrement.
veduità, sf. Viduité.

vedzilla, sf. Vigile, jour de jeûne.

vegetachon, sf. Végétation.

vegeté, v. n. Végéter. Se dit des plantes.

vegne, sf. Vigne.

vegneron = *vegnolan*, sm. Vigneron.

vegnetta, sf. Petite vigne.

vegnoblo, sm. Vignoble.

vei. *Di-mè vei se...*, dis-moi donc si... S'emploie aussi lorsque on ne veut pas dire le pourquoi. *Perqué tan resté a veni?* — *Parë vei.* Pourquoi tant rester à venir? — Que voulez-vous! c'est comme çà.

veilà, pp. *(la vatse l'at)* La vache a fait le veau.

veilé, v. n. Faire le veau.

veilë, sm. Marchand de veaux.

veillà, sf. Veillée.

veille, sf. Veille. — *di fëte*, veille des fêtes. *Fére la* —, faire la veillée.

veillé, v. Veiller. — *lo malàdo, la lëvra*, veiller le malade, le lièvre.

veillon, sm. *de rita*, ce qu'on met en une fois de rite sur la quenouille.

vëillon, sm. Petit veau.

veina, sf. Veine.

veirë, sm. Verrier.

veireri, sf. Verrerie.

veiro, sm. Verre. *Le tsemin son in* —, les chemins sont en glace.

veisi-va, adj. Vide. *Tsan* —, champ non semé; une chose qui n'a rien dedans.

veissachon, sf. Vexation.

veissé, v. Vexer, donner du tracas.

vëla, sf. Veau femelle.

velladzo, sm. Village.

ven, sm. Vent. V. *Oura.*

venatë, sm. *(grou)* Propriétaire qui fait beaucoup du vin.

venaté, v. n. Travailler le vin.

vencre, v. Vaincre.

vaincrì, v. Dompter, avoir le dessus.

vendeur, sm. Celui qui vend.

vendicatif-va, adj. Vindicatif, ive.

vendre, v. Vendre.

vendzé, v. pr. *(se)* Se venger.

vendzence, sf. Vengeance.

vendzené, v. n. Avoir de la peine, de tablature en faisant quelque chose.

venendzaou, sm. Vendangeur.

venendzé, v. Vendanger.

veneràblo-a, adj. Vénérable.

venerachon, sf. Vénération.

venerè, v. Vénérer.

veni, v. n. M. B. F. D. Venir. — *de France*, venir de France. — *mat*, devenir fou.

veniel-la, adj. Véniel, elle.

venqueur, sm. Vainqueur.

ventaou, adj. Venteux. *Ten* —, temps venteux.

ventëre, sf. Vent chaud qui fond la neige.

ventolé, v. n. Rester à ne rien faire. — *pe devan*, passer, repasser devant quelqu'un.

ventosità, sf. Ventosité.

ventraille, sf. L'intérieur de l'animal.

ventriloggo, sm. Ventriloque.

ventse, sf. bv. Osier, saule. V. *Sadzo.*

venuya = *veneuva*, sf. Venue, arrivée.

vëpa, sf. Guêpe. *Mechan come euna* —, méchant comme une guêpe.

vëpë, sm. Guêpier.

vëpro, sm. *(lo)* L'après diner. *Bon* —, bon soir. V. *Avëprà.*

vequen, sm. *(bon)* Bon vivant. *De mon* —, durant ma vie.
vequéro, sm. Vicaire.
vequi, v. n. Vivre, avoir la vie. — *de trifolle,* se nourrir de pommes de terre.
ver-da, adj. Vert, verte.
ver = *véèce,* sm. Ver. — *de la terra,* ver de terre. *Tiré lo* — *di nà,* tirer le ver du nez.
* **verbal**, adj. *Eisamen* —, examen verbal.
verbalisé, v. Verbaliser.
verbo, sm. Verbe. — *regulliè,* verbe régulier.
verdan, adj. *(resin)* Raisin qui est encore vert.
verdassu-ya, adj. Qui tire sur le vert, verdâtre.
verdeura, sf. Verdure. *Vivre de* —, vivre de légumes.
verdeyé, v. n. Verdoyer.
verdze, sf. *di fleyë,* verge du fléau.
verdzé, sm. Verger.
verdzetta, sf. Anneau. — *i dei,* anneau au doigt.
vère, v. M. J. Voir.
veré, adj. Vrai. V. *Vrei.*
veredecco-a, adj. Véridique.
vereficachon, sf. Vérification.
verefié, v. Vérifier.
veréro, sm. Vératre (plante).
veréta, sf. Dé à coudre.
veretà, sf. Vérité. *La* — *l'est pà todzor bouna a dëre,* la vérité n'est pas toujours bonne à dire.
veretablo-a, adj. Véritable.
vergognà-ye, adj. Qui doit se donner honte. V. *Avergognà.*
vergognaou, adj. m. *(l'est)* C'est honteux.
vergognaousa, adj. f. Qui agit honteusement.
* **vergogne**, sf. *(sensa)* Sans honte ni crainte. *Fére* —, faire honte.
vergondé, v. n. Tourner en rond, autour. *La tëta vergonde,* la tête tourne.
verlé, v. Battre, frapper, donner des coups.
verléra, sf. Coup. *Boqué euna* —, recevoir un bon coup.
vermeil-le, adj. Vermeil, eille. Qui a sa belle couleur.
vermenna, sf. Vermine.
vermou, sm. Vermouth.
vermicelle, sf. Vermicelle. V. *Fideì.*
verna, sf. = bv. *vargno,* sm. Aulne, verne.
vernecca, sf. Caprice, fantaisie.
vernecaou-sa, adj. Capricieux, euse.
verni, sm. Vernis.
verniché, v. Vernisser.
* **vernisseur**, sm. Celui qui vernisse.
veroula, sf. Vérole. *Peccottà de* —, marqueté de vérole.
verriasolei, sm. Tournesol.
verrié, v. Tourner. — *la moula,* tourner la meule. — *se baggue,* donner tour à ses affaires, sortir d'une position embarrassante. Mettre sens dessus dessous.
verroil, sm. Verrou. *Etre dèèsot le* —, être en prison.
verroillé, v. Verrouiller, emprisonner.
verruya, sf. Verrue.
verse, sf. Signe de séparation des cheveux. *Fére la* —, manière des femmes de se peigner.
verse, adj. *(a) Plout* —, il pleut à verse.

versé, v. n. *(bien)* Se conduire bien.
versemen, sm. Versement d'une somme.
* **verset**, sm. *Tsaque — l'at son repon,* chaque parole a sa réplique.
versificachon, sf. Versification.
versifié, v. n. Versifier.
* **vertige**, sm. V. *Etourgnondze.*
vertigò, sm. Vertigo, caprice.
vertoil, sm. (involto). Quelque chose d'enveloppé.
vertoillé, v. Envelopper. V. *Invertoillé.*
vertoillon, sm. Petit *vertoil.* — *de fen,* faisceau de foin.
Vertosan, sm. Vallon sur Avise. *Quan l'Arpetta grivolle, Vertosan rebiolle,* lorsque l'Arpetta grisonne (seulement), Vertosan repousse déjà.
* **vertu**, sf. *Prategué la —,* pratiquer la vertu. — *di plante,* vertu des plantes.
vertuyeu-sa, adj. Vertueux, euse.
vesadzo, sm. Visage.
vesadzure, sf. Forme de visage, masque.
veseta, sf. Visite.
veseté, v. Visiter.
veseteur, sm. Visiteur.
veseunà, sm. Voisinage.
veseun-na, s. adj. Voisin, ine.
vesiblo-a, adj. Visible.
vesicatoéro, sm. Vésicatoire.
vesou, sm. Morceau d'ais percé pour raccourcir la chaîne des vaches.
vestibulo, sm. Vestibule.
veteillaou-sa, adj. Vétilleux, euse. Qui cherche de petites chicanes.
veteille, sf. Vétille, excuse, prétexte.
veteillé, v. n. Vétiller.
veteran, sm. Vétéran, vieux soldat.
vëti = bv. *vesti,* sm. Vêtement.
vëti, v. Vêtir. — *lo mor,* vêtir le mort. — *l'aoullie,* enfiler l'aiguille. *Se —,* v. pr. se vêtir, s'habiller.
vetta, sf. *de pei,* mèche de cheveux.
veulla, sf. Ville.
veuvadzo, sm. Veuvage.
vèvvo-a, adj. Veuf, veuve. Lorsqu'une lampe s'éteint on dit : *ci cou no sen vèvvo,* cette fois nous sommes veufs.
vi-viva, adj. Vif, vive, qui est vivant. *Ommo —, foè —,* homme vivant, foi vivante.
vi, sm. Vivant. *Le — interron le mort,* les vivants enterrent les morts.
via, sf. Vie.
vià, adv. Loin. — *di pay,* loin du pays.
viàblo-a, adj. Viable.
viadzëre, adj. Viagère. *Vente —,* vente viagère.
vianda, sf. Viande, chair des animaux.
viandé, v. n. Faire des nourritures.
viandon, sm. bv. Bouillie. V. *Peilà.*
viardzen, sm. Vif-argent. On dit des enfants qui remuent toujours : *L'at lo — pe lo cor,* il a le vif-argent par le corps.
Viatecco, sm. *(lo S.)* Le St-Viatique.
vibrachon, sf. Vibration.
vicarià, sm. Vicariat.
* **vice...** *Vice-rei,* vice-roi...
vichaou-sa, adj. Vicieux, euse.
viché, v. Visser.
vicho, sm. Vice, ce qui est contraire à la vertu. Défaut.

Lo reinar perd le pei, më perd pa le vicho, le renard perd les poils, mais ne perd pas les vices.

vichondze, sfp. Manières vicieuses.

vicoté, v. n. V. *Vecoté.*

vidra, sf. Vitre.

vidrë, sm. Vitrier.

vidriala, sf. Vitre en papier.

vidriol, sm. Vitriol.

viëillar, sm. Vieillard.

viëille, sf. adj. Vieille. — *come le bèque,* vieille comme les cîmes, très vieille.

viëilleri, sf. Vieillerie.

viëillesse, sf. Vieillesse.

viëillet-ta, s. Vieillot, otte.

viëilli, v. n. Vieillir.

viëillondze, sf. Etat de celui qui est très vieux.

vierdze, sf. *(la S.te)* La sainte Vierge.

vif-viva, adj. Vif, vive, prompt. *Tsâ* —, chaux vive.

vigilan-ta, adj. Vigilant, ante.

* **vigilance**, sf. Attention soigneuse.

vigilé, v. Veiller avec soin sur quelqu'un. — *le meinà,* veiller à ce que font les enfants.

vigoureu-sa, adj. Vigoureux, euse.

* **vigueur**, sf. Force, énergie.

vilen-vileina, adj. Vilain, e.

vilen, sm. Autrefois, paysan; aujourd'hui, tout fripon ou mauvais sujet plus ou moins ganté.

vin, sm. Vin. — *de pomme,* cidre.

vinace = *venace,* sf. Marc du raisin.

vinatë, adj. Qui fait du vin. V. *Venatë.*

vindicatif, adj. V. *Vendicatif.*

vinégrë, sm. Vinaigrier.

vinet, sm. Petit vin.

vint, adj. Vingt. — *an,* vingt ans.

vinteina, sf. Vingtaine.

vintëma, sf. Vingtième.

violachon, sf. Violation.

violance, sf. Violence.

violé, v. Violer. — *sa promessa,* violer sa promesse.

violen-ta, adj. Violent, ente.

violenté, v. Violenter, contraindre.

violet, sm. (Maladie).

violet-ta, adj. Violet, ette.

violetta, sf. Violette (fleur).

* **violon**, sm. Quand un enfant ne fait pas tout de suite ce que son père lui ordonne, celui-ci lui dit: *Di! fât-ë un violon pe te fére boudzé?* dis! faut il un violon pour te faire bouger?

vion, sm. Petit sentier.

vioula, sf. Vielle. *Atot ma vioula dze gagno mon pan; se quatsun la me toute, dze crapo de fan:* avec ma vielle je gagne mon pain, si quelqu'un me l'enlève, je crève de faim.

vire, sf. Virole. — *de la fâ,* virole de la faux.

vire, sf. Fois. *Euna* —, une fois. V. *Cou.*

viré = *verrié,* v. Tourner. — *l'etsenna,* tourner le dos. V. *Verrié.*

virginità, sf. Virginité.

virgula, sf. Virgule.

viril-la, adj. Viril, ile.

vis = *visse,* sf. Vis. — *di treuil,* vis du pressoir.

* **vis-à-vis**, prép. En face, à l'opposite. — *de leur,* à l'égard d'eux, relativement à eux.

visa, adv. bv. *(in)* Bien comme il faut.
visé, v. Viser. — *lo passapor,* viser le passe-port. V. n. Mirer. — *a la lëvra*, mirer au lièvre.
vité, v. pr. *(se)* Se dit d'un mulet qui se roule par terre sur son dos.
viteyé, v. Répugner. V. *Adogné.*
vitima, sf. Victime.
vito, adj. Vite. *Pi* —, dernièrement, plus tôt.
vitoére, sf. Victoire.
vitorieu-sa, adj. Victorieux, euse.
vitrë, sm. Vitrier. V. *Vidrë.*
vitrò, sm. pl. Vitraux d'église.
vitra, sf. Vitre. V. *Vidra.*
viva! Vive! — *la libertà!* vive la liberté!
viven, sm. Vivant. *De mon* —, de mon vivant.
viven-ta, adj. Vivant, ante.
vivifié, v. Vivifier.
vivoté, v. n. Vivoter, faire petite vie. V. *Vecoté.*
* **vivre**, v. n. Etre en vie. — *botse que vou-t-eu*, vivre à bouche que veux-tu. V. *Vicoté. L'y at trei magnëre de vivre: vivre, vicoté et estanté*, il y a trois manières de vivre: vivre bien, vivoter et souffrir la faim.
* **vivre**, sm. Nourriture.
vo, pro. Vous. *Vo venide,* vous venez. *Venide-vò?* venez-vous?
vocabuléro, sm. Vocabulaire.
vocachon, sf. Vocation.
* **vocatif**, sm. *Dzan acouta! Oh! lo bravo,* Jean, écoute! Oh! que tu es brave.
voéce ou **vouéce**, et ainsi de la diphthongue *oe* qui fait aussi *oue*, sf. Voix.
voélà, pré. Voilà.
voéla, sf. Voile d'un bateau.
voélo, sm. Voile. — *di moueine,* voile des religieuses.
voèteura, sf. Voiture.
voèteurië, sm. Voiturier.
* **vœu**, sm. — *de povretà,* vœu de pauvreté.
* **vol**, sm. *Fére un* —, prendre, voler. V. *Robalicho.*
vòla, sf. *(fére)* Faire toutes les mains au jeu, faire rafle.
volà, sf. Volée. *Boqué euna* —, recevoir un rude coup.
voladzo-e, adj. Volage.
* **volaille**, sf. Oiseaux de bassecour.
volan, sm. *(dragon)* Etre fabuleux.
volando, sm. *(allé i)* Aller au vol, au grand galop.
volapé, v. n. S'élever sur ses ailes. Fig. Courir.
volapeille, sf. Volatille.
* **volcan**, sm. Montagne qui vomit du feu.
volé = *vaoulé,* v. n. Voler, prendre le vol. V. *Vaoulé.*
volei, v. M. F. Vouloir.
volei, sm. Vouloir. *De mon* —, de ma propre volonté.
voleur-voleusa, s. V. *Larre.*
voleumo, sm. Volume.
vôlo, sm. Vol. V. *Vaoulo.*
volontà, sf. Volonté.
volontéramente, adv. Volontairement.
volontéro, sm. Volontaire (soldat).
volontéro-a, adj. Ce qui se fait sans contrainte.
volontsë, adv. Volontiers.
* **volte-face** ou *vorta-face*, sm. *Fére* —, revenir de sa parole.
voltigé, v. n. Voltiger.
volutà, sf. Volupté.

volutuyeu-sa, s. adj. Voluptueux, euse.
vomi, v. Vomir, rendre par la bouche. V. *Rebeuté.*
vomissemen, sm. Vomissement.
voracità, sf. Voracité.
vorien, sm. Vaurien.
voricina, sf. Gamine, friponne.
vorpeil = *gorpeil,* sm. Renard.
votachon, sf. Votation.
voté, v. n. Voter. — *pe lo compére,* voter pour le compère.
voû, sm. Place à l'église. V. *Vâs.*
vouachà, sf. *d'éve.* Quantité d'eau. Jet de liquide. *L'at tappà foura euna — de vin,* il a vomi une quantité de vin.
vouaillar-da, s. adj. Brailleur, euse.
vouaillé, v. n. Brailler.
vouape-a, adj. Se dit d'une chose qui a perdu sa tension, son raide, tel qu'un papier qu'on froisse dans les mains.
vouè = *oy,* bv. Oui.
vouë, adj. Aujourd'hui. *I dzor de —,* de ce temps ci, au jour d'aujourd'hui.
voüé, v. *(se)* Se vouer au service de Dieu.
vouedzà, sf. *de plodze,* averse de pluie.
vouedzé, v. Verser. — *beire,* verser à boire. — *lo saque,* dire ce qu'on a sur le cœur, verser le sac.
vouegnandése, sf. Bagatelle, chose de peu.
vouegne, sf. Un petit peu. Plur. Petits travaux qu'on fait en hiver, à l'étable.
vouegnolé, v. n. Faire des bagatelles.
vouegnure, sfp. Minuties.
vouëre, sf. Miette. — *de pan,* miette de pain.
voucrié, v. n. Réduire en brins, en miettes. *Le blà vouérion,* les grains des épis tombent.
vouertsè, v. n. Contredire à tout pour agacer.
vouertso-a, adj. Tordu, ue. *Tsambe vouertse,* jambes tordues, ouvertes en dehors.
vouet, adj. Huit. *Lo —,* sm. le huit (du mois).
vouèteina, sf. *(euna)* Une huitaine. *Din la —,* dans la huitaine.
vouètémo, adj. Huitième.
vouidé, v. Vider. — *la bosse,* vider le tonneau.
vouido-a, adj. Vide, qui n'a rien dedans.
vouido, sm. Vide, espace. V. *Bù.*
vouindre, v. Oindre.
vouiné, v. n. Tirer des pieds, des jambes, comme font les enfants en colère. Fig. Pleurer.
vouitanta, adj. Quatre-vingt.
vouitanteina, sf. *(euna)* Environ quatre-vingt.
vouitantémo-a, adj. Quatre-vingtième.
voût, sm. *(lo saint)* La sainte Face. (Crucifix qui se trouve sous l'Arc de triomphe). *Vioù come lo —,* très vieux.
voûta, sf. *Voûte.* — *a mon,* voûte à briques.
voûté, v. n. Faire des voûtes.
voûto, sm. Vœu. *Allé a —,* aller en dévotion pour accomplir un vœu.
voutro-a, adj. Votre. — *pére,* votre père. *Le voutre,* les vôtres.
voya, sf. Envie, désir.
voyadzé, v. n. Voyager.
voyadzo, sm. Voyage.

* **voyageur**, sm.
voyella, sf. Voyelle.
voyen-ta, adj. Se dit des vêtements de couleur éclatante. *Ci que feit lo brun deit pà beté de bague voyente,* celui qui fait le deuil ne doit pas mettre des habillements voyants.
vrei = *veré*, adj. Vrai, vraie.
* **vu**, sm. *I — et i su de tseut,* au vu et au su de tous.
vu, particule. — *la loè*, vu la loi.
vuya, sf. Vue. V. *Clliére*. *A perte de* —, autant que la vue peut s'étendre. *Bella* —, beau coup-d'œil.

Y

* **y,** sm. *(i grèque)* Il vaut deux *i*.

* **y,** adv. *Dze l'y resto,* j'y reste.

yanda = *roba,* sf. Nourriture. *Apresté la —,* préparer la nourriture.

yandé, v. n. Faire les mets, les assaisonner au gras, au maigre.

yan = *vin.* Viens.

yaou, adv. Où. — *fat-ë allé?* Où faut-il aller?

Z

zélà-ye, adj. Zélé, ée.
* **zélateur-zélatrice**, s.
zélo, sm. Zèle.
zëro, sm. Zéro. *Te vâ pà un* —, tu ne vaux rien.
zeste = *zist*, sm. Petit instant. *Dze resto pà un — a torné*, je ne reste rien à revenir.

zin, sm. Zinc. *Plat de* —, plat de zinc.
zinzin, sm. (enfantin) Violon.
zique-zaque, sm. Zigzag.
zit, int. Chut, silence.
* **zizanie**, sf. Ivraie. *Betté la* —, mettre la discorde.
zona, sf. Zone, ligne de démarcation.

Voici quelques mots du jargon *dont les Valdôtains se servent pour n'être pas compris des étrangers*

bacon, sm. Lard.
beita, sf. Lit.
beité, v. n. Dormir.
beillorna, sf. Suie.
bercllia, sf. Froid.
bouatsà-ye, adj. Marié, ée.
bouatsé, v. Marier.
boudze, sf. Poche.
briàco, sm. Raisin.
brouda, sf. Sœur.
broudo, sm. Frère.
bôille, sf. Soupe.
bouiné, v. pr. *(se)* Se battre.
bròsa, sf. Argent, monnaie en quantité.
brosé, v. n. Payer. *Caqué.*
broque, sm. Cheval, mulet.
caneque, sfp. Pantalon.
canne, sfp. Jambes.
canné, v. n. Courir, aller vite.
coueitse, sm. Maître dans l'art.
cotsar, sm. Maître de maison.
cotsarda, sf. Maîtresse, gouvernante.
côpa, sf. Maison.
couiné, v. n. Mourir.
dzille, sf. Mère.
dzillo, sm. Père.
dzou, sm. Pain.
fenna, sf. Femme, épouse.
fieitse, sm. Fromage.
fiolé, v. Boire.
fiòlo, sm. Vin.
floco, sm. Voleur.
floqué, v. Voler, prendre.
garfa. sf. Bouche.
garfaché, v. Parler beaucoup, crier fort, rire gros.
gabrioula, sf. Prison.
gaeutso, sm. Sarment. (Prov. *Gavéo).*
groillar, sm. Chapelet.
greille, sf. Messe.
griffar, sm. Monsieur.
griffarda, sf. Dame.
gribou, sm. Français.
grise, sf. France.
groula, sf. Faim.
grelou, sm. Cul.
guetse, adj. Bon à manger.
gueitsa! Oui!
lliée, sfp. Poux.
lliorba, sf. Châtaigne.
lima, sf. Chemise.
liòtse, sm. Soldat.
lofia, sf. Sou.
mecouna, sf. Servante.
mélo, sm. Prêtre.
meurca, sf. Nourriture.
meurqué, v. Manger.
motse, sm. *(lo)* Le maître.
motse, sf. *(la)* Le logement, logis.
nàbo, sm. Garçon à marier.
nàba, sf. Fille nubile.
nanguin, sm. Petit garçon.
nanguina, sf. Petite fillette.
nampio, sm. Sac.
necco, sm. Chat.
nicho, sm. Couteau.
niva! Non, rien du tout!
palantsé, v. n. Se confesser.
penàco, sm. Œuf.
pëtsé, v. Demander.
piaillo, sm. Vin.
pitòca, sf. Mets de viande.

pouacco, sm. Voleur.
pouaqué, v. Voler.
plouta, sf. Main.
reucho, sm. Chien.
reufla, sf. Pomme.
ricllia, sm. et f. Ramoneur, raclette.
ricllié, v. Ramoner.
reyo, sm. Porc, cochon.
roubio, sm. Feu.
tàào. sm. Pays.
tolla, sf. Livre, franc.
tseucca, sf. Tête.
vouace = *vouache*, sf. Eau.
vouéca, sf. Cheminée *(viacolo, camino)*.
vouéqué, v. Ramoner.
vouéco, sm. *(a)* Au sommet de la cheminée.
zeugo, sm. Ane.

ERRATA-CORRIGE.

Il y a beaucoup de fautes tant dans la Grammaire que dans le Dictionnaire. Le lecteur bienveillant les corrigera lui-même.

Nous signalerons seulement qu'à la page 32, il manque une ligne entière. Après la ligne sixième, il faut ajouter ceci :

Pour la 4me Rend-re, rend-o, rend-en, rend-u.

A la page 71, il faut ajouter ces trois abréviations :

s. Substantif.
sfp. Substantif féminin pluriel.
smp. Substantif masculin pluriel.

POSTFACE

Voici donc terminé ce Dictionnaire que M. Cerlogne veut à tout prix voir paraître avant de mourir.

Pour cela faire, à l'âge de 83 ans, il travaille encore dix heures par jour et sept jours par semaine.

Il ne pouvait mieux clore le cycle de ses publications que par cet ouvrage, qui est, en définitive, la clef de tous les autres.

Monsieur Cerlogne est le seul écrivain en dialecte que nous ayons, mais un écrivain si fécond qu'il a embrassé tous les genres : prose, poésie, nouvelle, satyre, chanson..... En plus, il fixe dans une Grammaire les règles de ses écrits et dans un Dictionnaire les termes de son langage. D'autres littératures n'ont pu se former que grâce à une pléïade d'écrivains : M. Cerlogne seul a suffi à former la sienne.

Il faut cependant en convenir, M. Cerlogne s'est trouvé dans la meilleure des conditions pour cultiver le patois. Il ne lui est point arrivé comme à nous autres d'avoir été arrachés de la maison paternelle à l'âge de 10 à 12 ans et d'avoir étudié et été obligés de parler exclusivement, dans un collège, l'italien et le français, alors qu'on était bien loin de connaître tous les termes du patois. Il a passé, lui, dans le patois, l'âge, je dirai, de sa formation ; le français même qu'il a appris n'a jamais pu détruire complètement le patois. Que dis-

je? ce français s'est toujours ressenti du patois : le sauvageon a été plus fort que la greffe. Cela est reconnu si universellement, même par ceux qui critiquent M. Cerlogne, qu'ils sont unanimes à dire : Quant au patois, *personne ne lui dispute la palme, tout le monde doit s'incliner devant lui, mais son* français *sent trop le Joinville.*

Beaucoup de savants qui font aujourd'hui des études sur le patois, n'ont, la plupart du temps, jamais parlé cette langue dans leur jeunesse ; les mots qu'ils vont collectionnant çà et là sur la bouche des campagnards sont assez souvent sujets à caution. Et puis, une chose qu'ils réussissent difficilement à saisir parce qu'elle est imperceptible, c'est le génie de la langue. Veulent-ils écrire cette langue? ils laissent trop apercevoir leur grande culture intellectuelle. M. Cerlogne a sur eux l'avantage qu'il connaît le patois lui-même, qu'il en saisit tout le génie et que sa modeste culture intellectuelle n'est pas venue gâter sa simplicité native.

Ses meilleures poésies (et il se plaît à le reconnaître lui-même) celles qui sentent le plus de saveur patriarcale, ce sont celles qu'il a composées avant de commencer ses études. Telles l'Infan Prodeggo, Marenda a Tsesalet, Euna bella fëta.....

Tous ceux qui ont étudié les dialectes se sont imposés le devoir rigoureux de ne recueillir que les mots strictement patois, écartant inexorablement tous les autres. Ils n'ont interrogé pour cela que les vieillards et tout spécialement les vieillards des communes dans lesquelles l'émigration est presque nulle, afin d'avoir le patois le plus pur possible. De la sorte le travail qu'ils ont fait est seul utile et fournit des bases sûres à la linguistique. Sous ce rapport le Dictionnaire de M. Cerlogne procure aux savants des matériaux de tout premier choix. M. Cerlogne est vieillard, et il écrit lui-même le patois. Comment cette langue aurait-elle pu trouver un meilleur interprète?

M. Cerlogne est très jaloux de la pureté de sa langue.

D'aucuns lui reprochent qu'il n'a pas pris le patois d'Aoste comme base. Malheur s'il en avait été ainsi! Le patois d'Aoste est le plus corrompu de tous comme étant la résultante de tous les patois valdôtains et extra-valdôtains qui se donnent rendez-vous dans la ville. Quel cas pourrait-on faire de cet amalgame? C'est dans la campagne, au milieu des monts, qu'il faut aller chercher la pureté de la langue et c'est là que M. Cerlogne est allé la puiser. Son patois est plus spécialement celui de la Haute Vallée, lequel, sauf quelques nuances purement extérieures et superficielles est un et partout le même.

Une chose contre laquelle les critiques se prononcent assez légèrement est la manière d'écrire ou la graphie adoptée par M. Cerlogne. A première vue, elle leur semble tout de suite défectueuse. Ils ne pensent pas que M. Cerlogne pour arriver à la fixer définitivement a du faire de longs et patients essais. Ce n'est qu'au bout de lents tatonnements que la graphie actuelle a été adoptée définitivement par lui comme celle qui rend le mieux le son des mots et les nuances de la prononciation.

J'ai dit que M. Cerlogne est le premier écrivain du patois : il est peut-être aussi le dernier. Malheureusement, non seulement le français, mais même le patois tend à disparaître de chez nous. Dans la Basse Vallée, surtout dans les bourgades, on parle déjà communément le piémontais ; à Aoste on parle piémontais ; à Villeneuve et à Morgex même, dans la bourgade, on parle casi exclusivement piémontais : le patois fait comme autrefois les Salasses, il s'enfuit, il se sauve dans les enfoncements des vallées, dans les sinuosités des montagnes, comme dans ses derniers retranchements. Combien de temps soutiendra-t-il encore cet assaut furieux qui lui vient de la plaine. Nul ne le sait, mais il est bien à craindre que tôt ou tard il ne succombe et que le piémontais *et l'*italien *victorieux ne viennent ici déposer leurs lauriers. Dans cette éven-*

tualité, Cerlogne aura encore eu l'insigne gloire de sauver à jamais une langue de sa ruine.

Honneur donc à cet infatigable bûcheur qui n'a vécu que pour sa langue ! Honneur à ce vieillard qui clôt par une œuvre magistrale une carrière si pleine de travaux ! Honneur à ce grand patriote !

Abbé HENRY.

ACHEVE D'IMPRIMER
SUR LES PRESSES OFFSET
DE L'IMPRIMERIE REDA S.A.,
A CHENE-BOURG (GENEVE), SUISSE.
FEVRIER 1971